Les septs larmes d'Obéron
DEUXIÈME CHANT
Urbimuros

MICHEL BRÛLÉ

4703, rue Saint-Denis
Montréal, Québec H2J 2L5
Téléphone : 514 680-8905
Télécopieur : 514 680-8906
www.michelbrule.com

Maquette de la couverture et mise en pages : Jimmy Gagné, Studio C1C4
Illustration de la couverture : Polygone studio
Révision : Élyse-Andrée Héroux, Maude Schiltz
Correction : Nicolas Therrien

Distribution : Prologue
1650, boul. Lionel-Bertrand
Boisbriand, Québec J7H 1N7
Téléphone : 450 434-0306 / 1 800 363-2864
Télécopieur : 450 434-2627 / 1 800 361-8088

Distribution en Europe : D. N.M. (Distribution du Nouveau Monde)
30, rue Gay-Lussac
F-75005 Paris, France
Téléphone : 01 43 54 50 24
Télécopieur : 01 43 54 39 15
www.librairieduquebec.fr

Les éditions Michel Brûlé bénéficient du soutien financier de la SODEC, du Programme de crédits d'impôt du gouvernement du Québec et sont inscrites au Programme de subvention globale du Conseil des Arts du Canada. Nous reconnaissons l'aide financière du gouvernement du Canada par l'entremise du Programme d'aide au développement de l'industrie de l'édition (PADIÉ) pour nos activités d'édition.

Société
de développement
des entreprises
culturelles
Québec

Bibliothèque et Archives nationales du Québec
Bibliothèque nationale du Canada
ISBN 13 : 978-2-89485-441-9

JEAN-PIERRE DAVIDTS

Les sept larmes
d'Obéron

2. *Urbimuros*

MICHEL BRÛLÉ

Merci à Frédéric pour m'avoir fait découvrir le jeu de sable.

« *Sans émotions, il est impossible de transformer les ténèbres en lumière.* »
Carl Gustav Jung

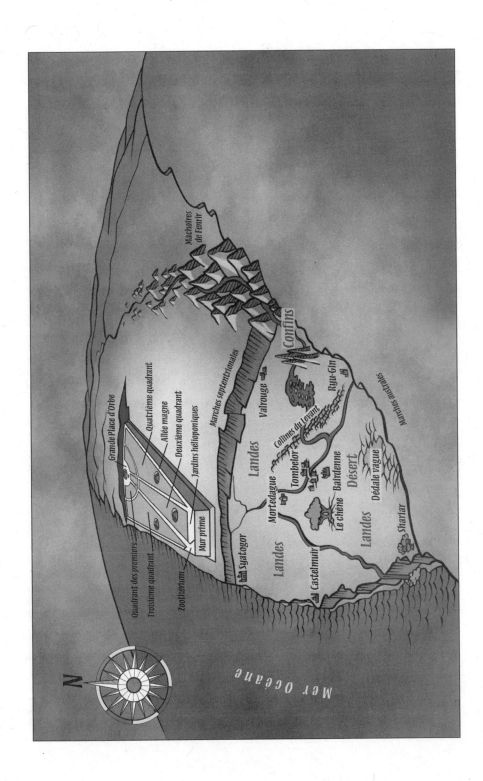

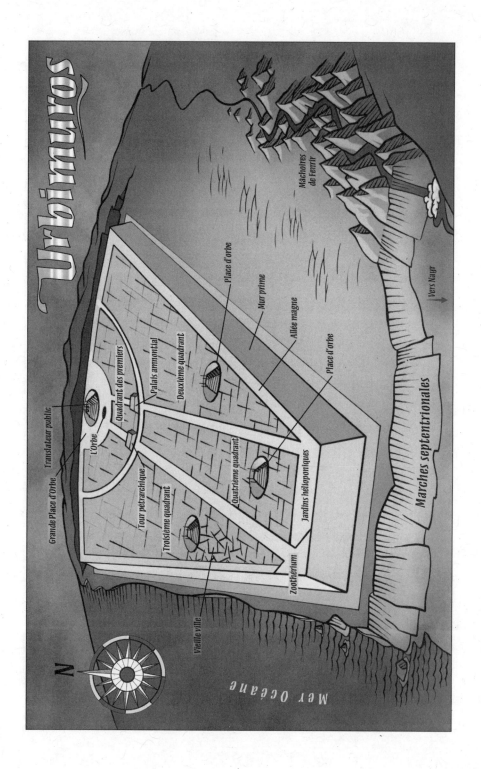

GESTE DU ROI DES FÉES
(extrait)

Pour m'abattre, ils ont usé d'armes tranchantes,
m'ont arraché la langue avec des tenailles ardentes.
Avec du plomb fondu,
des instruments pointus,
ils m'ont ravi le chant des oiseaux,
le murmure des ruisseaux,
le parfum des fleurs,
de l'arc-en-ciel, les couleurs.
Pour me priver de la caresse de ta peau,
ils ont dépecé la mienne, l'ont mise en lambeaux.
Mes pieds et mes mains ont coupés
pour que devant eux je demeure prostré.
Ils ont vidé mon sang
dans les mers, dans les champs.
Mes os ont moulus
puis sur le sol répandus.
Et ce qu'il restait
couvert de quolibets.
Ils croyaient me vaincre en éparpillant mes cendres,
être les plus forts, pouvoir tout comprendre.
Alors, ils se sont reposés, savourant le silence.
Ce qu'ils ignoraient : toujours le jeu recommence.

RÉSUMÉ
DU PREMIER TOME

Judith s'interroge sur son avenir. C'est qu'elle approche la trentaine et aimerait avoir un enfant. Malheureusement, Brent, celui qu'elle aime et avec qui elle vit depuis plusieurs années, songe plus à s'amuser qu'à forger une relation durable. Lors du week-end de l'Action de grâce, alors qu'ils campent dans le domaine interdit de l'abbaye de Rochebrune, Judith prend la décision de rompre. Craignant que Brent ne la convainque de renoncer, elle se prend à souhaiter qu'il disparaisse. Ce qui se produit. Loin de résoudre le problème, la réalisation de ce vœu inconsidéré emplit Judith de culpabilité. Un jour, une lettre la convoque à l'abbaye de Rochebrune où le cardinal Da Hora lui apprend que Brent n'est pas mort, ainsi qu'elle le croit, mais a été projeté dans un univers parallèle au nôtre. Le prélat propose d'aller l'y chercher avec elle. En réalité, monseigneur Da Hora ne s'intéresse qu'à une pierre aux pouvoirs mystérieux, découverte par Brent et dont l'Église possède déjà quatre exemplaires. Ces pierres sont en fait les larmes versées par Obéron, roi des fées, lorsque la Sainte Inquisition l'a supplicié, il y a des siècles. Elles seules empêchent la magie de revenir sur Terre, ce que l'Église tient à éviter à tout prix. Parvenu dans le monde magique appelé Nayr, où Brent s'est égaré, monseigneur Da Hora abandonne Judith à son sort et tente de retrouver le jeune homme par ses propres moyens pour lui ravir la pierre. Par bonheur, Judith rencontre le prince-dragon Ylian Vorodine qui accepte de l'aider dans sa quête. Après maintes péripéties, Judith finit par retrouver Brent et la pierre, mais au moment de retourner sur Terre, elle décide d'abandonner celui-ci pour rester sur Nayr avec Ylian, dont elle s'est éprise.

PREMIÈRE PARTIE
DE L'INCAPACITÉ POUR UN ESPRIT TOURMENTÉ À LAISSER LE CORPS EN PAIX

I. OÙ LA PRÉCIPITATION NE L'EMPORTE PAS NÉCESSAIREMENT SUR LA VIGILANCE

— Gagné ! lança triomphalement Pascal. On en joue une autre ?

La manette de Brent traversa la pièce pour se fracasser contre le mur. Inutile de reposer la question, la réponse était éloquente. Pascal soupira et s'enfonça un peu plus dans le divan, les pieds sur la table basse, entre bouteilles de bière et sacs de chips.

— Je suppose que ça veut dire non.

— Merde ! Je n'en peux plus, bordel !

Cela faisait plus d'un mois que Brent était revenu de son équipée sur Nayr ; un mois qu'il tournait en rond ; un mois qu'il n'arrêtait pas de penser à Judith ; un mois qu'il enrageait qu'elle fût restée là ; un mois qu'il ne songeait qu'à une chose : retourner la chercher.

Quand il s'était retrouvé dans les caves de l'abbaye de Rochebrune avec un monseigneur Da Hora hurlant de douleur tel un goret qu'on égorge, des moines avaient fait irruption dans la pièce au disque noir et les avaient entraînés dans des directions opposées. Brent n'avait jamais revu le cardinal. Les moines l'avaient expulsé de l'abbaye, engouffré dans une voiture et ramené à Montréal en lui recommandant d'oublier ce qu'il venait de vivre. Les moines n'avaient pas vraiment l'air de moines ; on aurait plutôt dit des bouchers ou des catcheurs. Brent n'avait même pas eu la possibilité de protester.

La première semaine suivant son retour s'était relativement bien passée. Brent avait fait tout ce qu'il s'était promis de faire quand il s'était retrouvé coincé dans cet univers moyenâgeux, sans eau courante ni électricité, peuplé de nains sanguinaires, d'araignées géantes, d'ogres et de mages philosophes : prendre une douche, s'offrir une coupe de cheveux chez le coiffeur, se payer une bouffe au resto, voir un film au cinéma, boire un verre avec les copains…

Une semaine durant, il s'était promené avec des œillères, niant l'évidence : sans Judith, la vie était insipide. Elle ne valait pas la peine d'être vécue.

Et penser que Judith avait choisi de rester là-bas, dans les bras de cette imitation de chevalier qu'était Ylian Vorodine lui était tout bonnement insupportable.

Pascal avait essayé de lui changer les idées : tournois de jeux vidéo, virées en boîte jusqu'aux petites heures du matin, marathons de navets de série B à la télé… Il avait été jusqu'à éplucher son précieux calepin noir dans l'espoir qu'une des filles qui s'y nichaient réussirait à le séduire et à lui faire oublier Judith. En pure perte.

La deuxième semaine, Brent avait appelé plusieurs fois l'abbaye, uniquement pour tomber sur un enregistrement annonçant que la ligne avait été débranchée. La troisième, il y était retourné dans l'espoir de parler à quelqu'un – n'importe qui – qui fût susceptible de le renseigner sur le sort de Judith. On l'avait éconduit.

La semaine d'après, il récidivait. Cette fois, on lui avait servi un avertissement en prime : s'il revenait dans les parages, une plainte serait déposée à la police.

Depuis, il rongeait son frein dans l'appartement. Ses cheveux avaient rallongé ; la vaisselle s'empilait dans l'évier ; les vêtements jonchaient le plancher ; il avait les yeux cernés et les joues hâves. Bref, il n'était plus que l'ombre de lui-même.

— Ça ne peut plus durer, bordel ! répéta-t-il en regardant sa main droite.

L'index manquait et pourtant, bizarrement, il était toujours là. Comme si le fait d'avoir été tranché sur Nayr mais pas sur Terre ne l'en privait pas totalement et qu'il en conservait un ectoplasme dans la main.

Ce n'était pas qu'une impression. Bien que la chair demeurât impalpable, la matière adhérait à son doigt ; l'index fantôme traçait des sillons dans l'eau, ramassait la farine, faisait des trous dans la neige.

— Regarde, avait-il dit à Pascal après avoir noté le phénomène. Maintenant tu le vois, maintenant tu ne le vois plus !

Plongé dans du ketchup, le doigt absent avait ressurgi, écarlate. Puis Brent avait léché la sauce et il avait disparu de nouveau.

Ce « tour de passe-passe » avait vivement impressionné Pascal qui, sans pareille démonstration, n'aurait peut-être pas cru aussi facilement l'histoire abracadabrante que lui avait narrée son ami. Car Brent n'avait aucune preuve pour étayer ses dires. Pour une obscure raison, les charmes que lui avait enseignés maître Cornufle – le sort de déplacement instantané, celui qui transformait son pouce en torche et quelques babioles comme rendre intelligibles les textes écrits dans une langue étrangère – n'opéraient pas sur Terre.

— Il faut que tu m'aides, Pascal, trancha-t-il. Il faut que tu m'aides à aller la rechercher.

— D'accord, mais comment ?

— Je ne sais pas. Peut-être avec l'arbre. Peut-être qu'une autre pierre est cachée dedans. La seule façon de savoir, c'est d'aller voir.

C'est ainsi que par un matin glacial de la mi-février, ils montèrent dans la Westfalia pourrie de Pascal, direction Rochebrune.

Les météorologistes jouaient les prophètes de malheur : on annonçait au moins vingt-cinq centimètres de neige, des vents avec rafales pouvant atteindre une vitesse de quatre-vingts kilomètres à l'heure et de la poudrerie à la clé. Le jeu était risqué, mais la crasse ne devait commencer qu'en début d'après-midi.

Ils partirent au point du jour.

Le thermomètre avait chuté à quinze degrés sous zéro durant la nuit, si bien que l'antique « voiture du peuple » montra quelque réticence à démarrer. On se les gelait à l'intérieur, et le système de chauffage dégivrait le pare-brise avec une efficacité qu'on aurait pu qualifier d'asthmatique.

— Je persiste à croire qu'on devrait attendre. On va droit au-devant des emmerdes, là.

— Tu as des pneus à neige ?

— Oui.

— Alors, fonce.

Pascal grommela. Brent était une vraie tête de mule. Quand il se mettait une idée en tête, plus moyen de la lui faire oublier.

La fourgonnette décolla de la chaussée rendue grise par le froid. Les roues tournaient carré et, sous l'effet du frottement, l'humidité dont l'air était imprégné se transformait en glace noire. Il fallait vraiment faire gaffe. Ils quittèrent la ville à une allure d'escargot et prirent le chemin de l'abbaye.

Quand ils arrivèrent à la campagne, la neige les avait précédés. Les flocons tombaient si dru qu'on ne voyait rien à cent pas. Par deux fois, Pascal faillit déraper et se retrouver sur le bas-côté. Embrasser un banc de neige en plein blizzard n'était pas sa conception d'une partie de plaisir.

— Tu as vu dans quoi on roule ? Il faudrait un radar pour s'y retrouver.

— Tant mieux. Si on ne voit rien, eux non plus. Ils ne sauront pas qu'on arrive.

Pascal se renfrogna. Brent avait beau être son meilleur ami, parfois, il lui tapait royalement sur les nerfs.

Ils repérèrent de justesse la route secondaire qui conduisait à l'abbaye. Avec la tourmente, le panneau la signalant n'était plus qu'un bout de tôle grêlé de blanc. Pascal bifurqua et ralentit encore l'allure.

— Coupe les phares.

— On va se retrouver dans le fossé !

— Coupe, je te dis.

Pascal obtempéra en maugréant. C'était si opaque devant qu'ils faillirent rater le chemin transversal.

— Bon, maintenant, que tu le veuilles ou non, je rallume. Pas question de planter la West dans un arbre.

— Ça va. Ici, la forêt nous cache.

— Tu deviens complètement parano. C'est un monastère, pas une base militaire.

Le cône laiteux des phares découpait un pan de tempête devant eux. Les essuie-glace ne suffisaient plus : enveloppés d'une gangue de neige glacée, ils laissaient de larges bandes blanches que l'air chaud transformait en boue grise sur la vitre. Soudain, une roue se souleva, il y eut une embardée et la West cala.

— Merde !

— Pas grave. C'est tout près. On fera le reste à pied.

— Tu es fou. On va finir en bonshommes de neige.

Mais Brent ne l'entendit pas. Il avait déjà sauté dehors avec son barda et s'enfonçait dans la poudreuse. Pascal se hâta de descendre.

Le vent leur sifflait aux oreilles. Cependant, dès qu'ils eurent quitté le chemin et se retrouvèrent sous les arbres, il diminua d'intensité et s'orienter devint plus aisé. Pascal suivait son ami sans cesser de rouspéter. La neige pénétrait dans ses bottes, il devait essuyer ses lunettes toutes les cinq minutes et le froid engourdissait ses doigts. Il n'aurait jamais dû accompagner cet idiot. Leur équipée risquait de tourner à la catastrophe. Il imaginait déjà les manchettes dans les journaux : « Deux étourdis retrouvés morts gelés dans le bois de Rochebrune ». Il continua quand même, moins par esprit de camaraderie que par crainte de se retrouver avec un cadavre sur la conscience, posant les pieds dans les traces que Brent creusait dans la neige.

Ils eurent la confirmation qu'ils étaient sur la bonne voie quand ils butèrent contre un mur. Brent entreprit de le longer vers la gauche. Ils marchèrent ainsi pendant encore vingt bonnes minutes, repoussant les branches lestées de poudre blanche et passant tant bien que mal à travers les fourrés, qui poussaient dru près de l'enceinte. Puis Brent s'arrêta.

— Quelque chose cloche. Ça ne peut pas être si loin.

Il rebroussa chemin sans demander l'avis de Pascal, prêtant une attention accrue au mur.

Ils découvrirent bientôt la clé de l'énigme.

On avait réparé la paroi. Des briques neuves avaient remplacé celles que l'arbre foudroyé avait descellées, créant la brèche par laquelle Judith et lui s'étaient glissés à l'intérieur du domaine interdit, la fois précédente. Des monticules sur le sol se révélèrent en réalité des rondins couverts de neige, vestiges de l'érable séculaire qu'il avait fallu débiter pour faciliter les travaux de réfection.

— Et merde ! jura Brent.

— Je savais qu'on faisait ça pour des prunes. Allez, viens. On rentre et on se paie un grog chaud devant un porno.

— Pas question. Je grimpe.

— Mais réfléchis, bon sang ! C'est trop haut. Tu n'y arriveras jamais. On reviendra une autre fois avec de l'équipement.

Évidemment, Brent ne voulut rien entendre.

— Colle-toi au mur, tu me feras la courte échelle.

Pascal se résigna en le traitant de roi des enquiquineurs.

À la troisième tentative, il réussit à soulever Brent suffisamment pour que son ami pose le pied sur son épaule. Bien que la botte lui écrasât la clavicule, Pascal serra les dents et se redressa péniblement jusqu'à ce que Brent agrippe le faîte. Une poussée supplémentaire l'aida à se hisser au sommet du mur sans que les barbelés ne déchiquettent ses vêtements.

— Bonne chance, vieux ! cria Pascal assez fort pour que le vent n'emporte pas ses paroles.

Brent le salua de la main et bascula de l'autre côté.

Ni l'un ni l'autre n'aperçurent la caméra qui pivotait sur son socle, à quelques mètres de là.

II. À QUELQU'UN D'AUTRE MALHEUR EST BON

Le frère Gédéon peinait à rester éveillé devant la dizaine d'écrans qui, pour la plupart, ne montraient qu'un bout de mur, des arbres et beaucoup de neige.

Il n'avait accepté de remplacer le frère Alfred à son quart de vigile que parce que ce dernier lui offrait sa part de dessert en échange. À présent, le Seigneur punissait le frère Gédéon de sa gourmandise en le contraignant à lutter contre le sommeil. Le moine leva les yeux vers l'horloge murale pour savoir combien de temps encore durerait le calvaire. C'est alors qu'un mouvement attira son attention. Il scruta les écrans un à un pour s'assurer qu'il n'avait pas la berlue. Sur le troisième de la rangée du haut, il vit une masse tomber du mur, du côté du domaine. Sa fatigue disparue comme par enchantement, il actionna le petit manche à balai qui modifiait l'angle de vue. L'image était de piètre qualité, mais il n'y avait pas à s'y méprendre : quelqu'un venait de franchir l'enceinte pour pénétrer dans le périmètre interdit.

L'adrénaline irrigua les veines du frère Gédéon. Une décharge d'énergie comme il n'en avait pas connu depuis belle lurette le secoua. La consigne était claire : en pareilles circonstances, il devait tout abandonner et prévenir sur-le-champ le père abbé.

S'il était retombé du même côté du mur, Brent n'aurait pas vu la différence. Des arbres et de la neige, voilà ce qu'il avait devant lui. Impossible de se diriger là-dedans. Par bonheur, il avait eu la présence d'esprit d'apporter une boussole. Il la consulta et prit la direction nord-ouest. Il espérait que le lac fût gelé, et la glace, assez épaisse pour que l'îlot fût accessible à pied. Une fois rendu, il aviserait.

Le chêne existait sur la Terre et sur Nayr. Il devait donc s'agir d'une porte, une sorte de conduit permettant de passer d'un monde à l'autre. Restait à savoir comment. Pour la énième fois, il repassa dans sa tête les événements qui avaient précédé son arrivée sur Nayr : il avait glissé la main dans la boursouflure du tronc et sorti cette fichue pierre – la larme d'Obéron – de son écrin ligneux ; il s'était coupé, la pierre lui avait échappé des mains et il avait suffi qu'il se baisse pour se retrouver en plein Moyen-Âge, dans un univers inconnu. Brent caressait l'espoir qu'une autre « larme » se cachait dans l'arbre. En la trouvant et en reproduisant le plus exactement possible ses gestes, elle le transporterait sur Nayr. C'était le seul moyen. Le seul à part celui employé par monseigneur Da Hora, évidemment. Mais, d'une part, il ne croyait pas que le prêtre serait disposé à l'aider et, d'autre part, il ne tenait pas à revivre l'expérience. Voir une fois dans sa vie le démon de braises qui leur avait servi de moyen de locomotion lui suffisait. En outre, il avait déjà perdu un doigt ; pas question que le reste de la main y passe. En songeant à celles, réduites en cendres, de Judith et de monseigneur Da Hora, Brent ne put réprimer un frisson et poursuivit courageusement.

Tandis qu'il se frayait un chemin entre arbres et fourrés, ses pensées dérivèrent une fois de plus vers Nayr. Il se demanda ce que devenaient maître Cornufle et Gromph.

Le troll miniature lui manquait plus qu'il ne l'aurait cru. Il regrettait ses manières bourrues et son humour fruste ; leurs joutes matinales, quand le troll lui enseignait le maniement des armes ; leurs escapades au marché de Tombelor, et sa compagnie en général. Maître Cornufle, quant à lui, était sûrement retourné à ses grimoires et à ses chères études. Les Ténèbres avaient-elles été vaincues, comme le mage était persuadé qu'elles le seraient quand la larme d'Obéron s'était amalgamée au miroir, ou la tentative s'était-elle révélée vaine ? Et Jolanthe ? La mâchoire de Brent se durcit quand il songea à la jeune femme. Il aurait dû se méfier d'elle davantage. Si elle n'avait pas dévoilé leurs ébats, Judith serait encore dans ses bras aujourd'hui, pas dans ceux d'Ylian Vorodine, soi-disant prince-dragon de Syatogor. Si jamais Jolanthe lui tombait entre les mains, il se promettait bien de le lui faire payer.

Il y eut une trouée dans la forêt et le lac apparut. Le vent avait érigé des barkhanes de neige sur l'étendue grise et plate. Brent pressa le pas autant que le lui permettait la farine blanche dans laquelle ses jambes s'enfonçaient jusqu'au mollet. Arrivé à la berge, il scruta la toile monochrome à la recherche de l'îlot, point de départ de son aventure. Il finit par distinguer l'éminence qui dépassait légèrement la surface. Pas facile, dans tout ce blanc. Puis la révélation le frappa comme un crochet à l'estomac. S'il avait éprouvé tant de mal à le trouver, ce n'était pas tant à cause de la tempête, mais parce que l'îlot avait perdu l'élément qui les avait tant fascinés, Judith et lui, quand ils l'avaient découvert : le chêne monumental qui le couronnait. L'arbre avait été abattu !

Le père Herménégilde ne volait pas, mais presque. Ses grandes jambes faisaient fi des rhumatismes qui les grippaient habituellement lorsqu'elles véhiculaient son corps sec et courbaturé dans les lugubres et humides corridors de l'abbaye.

Monseigneur Da Hora n'était ni dans sa chambre, ni dans son bureau. Où ce diable d'homme s'était-il caché ? Depuis qu'il était revenu de Rome, où sa main avait été soignée, l'émissaire du pape n'était plus le même. Au lieu de la froide détermination qu'on lisait naguère dans ses yeux, le père Herménégilde avait cru discerner quelque chose qui lui plaisait beaucoup moins : la soif de vengeance.

L'idée que le cardinal se trouvait dans la salle au miroir traversa soudain son esprit. Monseigneur Da Hora y allait fréquemment. Il y passait parfois des heures, regard plongé dans le fragment de pierre qui avait pris la transparence du verre et dans lequel évoluaient à l'occasion des silhouettes, le plus souvent celles de soldats armés de piques, de hallebardes ou de pertuisanes. L'abbé était persuadé que le prélat ambitionnait de repasser la porte donnant accès au monde magique et impie qu'il appelait Nayr. Sans l'interdiction expresse de ses supérieurs, peut-être l'aurait-il déjà fait.

La pièce où était cachée la dalle d'obsidienne se situait dans les entrailles de l'abbaye, sous les fondations. Le père Herménégilde emprunta deux ou trois couloirs peu fréquentés par les membres de sa minuscule congrégation, puis un escalier menant au sous-sol. Il passa le cellier, le magasin et l'ancienne cave à charbon que monseigneur Da Hora avait convertie en cave à vins – depuis que le prélat avait élu domicile à Rochebrune, l'ordinaire des moines s'était considérablement amélioré – et descendit un deuxième escalier d'une quinzaine de marches aboutissant à une porte ouverte. L'abbé trouva effectivement le cardinal dans l'austère pièce, debout devant le miroir d'Obéron, pour l'instant vide de toute présence.

— Monseigneur…, avança-t-il dans un essoufflement.

— Qu'y a-t-il ? répondit celui-ci sans se retourner.

— Le frère Gédéon me prévient à l'instant. Quelqu'un a franchi le mur. L'intrus a pris la direction du lac.

Monseigneur Da Hora se retourna. Le père Herménégilde vit qu'il avait encore perdu du poids. Ce qui ne voulait pas dire qu'il était maigre. Le cardinal passait une bonne partie de ses journées à s'exercer dans la partie du réfectoire qu'il avait transformée en salle de musculation.

Un rictus mauvais fleurit sur les lèvres du prélat.

— Allez le chercher et ramenez-le-moi.

Les salauds avaient coupé l'arbre ! Brent n'en revenait pas.

Traverser le bras du lac séparant la terre ferme de l'îlot lui demanda plus d'une demi-heure. Brent glissait à chaque pas, et le vent, que plus rien n'arrêtait, le freinait constamment.

Quand il parvint enfin à destination, force lui fut de constater l'irréparable. Au lieu du chêne gigantesque qui dominait le lac quelques mois plus tôt encore, tel un monarque sur son trône minéral, ne subsistait qu'une énorme souche. Monseigneur Da Hora n'y allait pas avec le dos de la cuillère.

— Saleté de curé !

Avec la disparition du chêne, ses maigres espoirs de retourner sur Nayr pour revoir Judith s'envolaient en fumée.

Brent donna du pied dans la neige qui s'était accumulée entre les puissantes racines pour dégager le sol, refusant de croire que tout était perdu. Ensuite, il gratta la terre et l'humus pétrifiés par le gel. L'écorce de la souche cachait peut-être quelque chose.

Il n'avait toujours rien trouvé et ses doigts étaient en sang quand il entendit le ronflement. Des moteurs ! Des motoneiges ! Au son, les véhicules approchaient rapidement. Il pesta. Sur le lac, il était aussi discret qu'un furoncle au milieu de la figure. Il fallait regagner la forêt. Sous le couvert des arbres, au moins aurait-il une chance de semer ses poursuivants.

Il repartit dare-dare vers la berge, jurant chaque fois que ses bottes ripaient sur la glace raboteuse rendue aussi glissante qu'une flaque d'huile sur du verre à cause de la neige. Il avait franchi la moitié de la distance quand trois véhicules surgirent du bois à toute allure. Obliquant dans l'autre direction, il se dit qu'il avait une chance infime d'atteindre la rive avant que les bolides ne le rejoignent. Un craquement sinistre coupa court à ses espoirs. Le sol se déroba sous lui et il eut l'impression que l'air se transformait en glace liquide. Le souffle lui manqua et tout devint noir.

Ainsi qu'il le faisait peut-être mille fois par jour, monseigneur Da Hora tripota sa main droite. À la place de celle que Zéphiroth avait carbonisée en paiement de leur retour sur Terre se trouvait une véritable merveille de la technologie moderne.

Après l'avoir amputé de son appendice, les micro-chirurgiens embauchés à prix d'or par le Vatican avaient méticuleusement rattaché chaque nerf, chaque tendon, chaque fibre musculaire à une prothèse à la fine pointe de la science. L'opération avait coûté une fortune, mais les Phalanges de Jéricho, groupe occulte placé sous l'autorité directe du Saint-Père, disposaient d'un budget quasi illimité, tant l'Église craignait de voir la magie réapparaître sur Terre et saper son hégémonie faiblissante sur l'humanité. L'orgueil avait incité monseigneur Da Hora à ne révéler que par bribes les événements qui avaient conduit à la destruction de sa main. Après un interrogatoire en règle, ses supérieurs cacochymes des Phalanges l'avaient finalement confirmé dans ses fonctions, non sans lui ordonner de s'abstenir de trafiquer avec les forces du Mal à l'avenir, trop heureux qu'un homme de sa trempe les débarrasse d'une charge somme toute trop lourde pour leurs frêles épaules. Le principal était qu'il n'avait perdu aucune des pierres qui se trouvaient sous sa garde.

Monseigneur Da Hora actionna les doigts. Les capteurs et les connexions étaient si sensibles qu'il sentait le grain du bois dont était fabriqué le bureau. Sa nouvelle main présentait d'indéniables avantages sur l'ancienne. Faite de composites et de nanotubes de carbone, elle n'avait plus la faiblesse des tissus organiques. S'il l'avait voulu, il aurait pu broyer une brique sans effort dans sa paume.

Des larmes de pierre pleurées par Obéron quand les inquisiteurs de Rome l'avaient supplicié, six attendaient toujours d'être rendues au miroir. Trois dormaient dans le coffret que monseigneur Da Hora gardait sous clé dans le tiroir de son bureau ; la quatrième pendait au cou du Saint-Père, grand maître et argentier des Phalanges de Jéricho ; une avait été égarée il y avait si longtemps qu'on en avait perdu la trace ; et la dernière avait été volée. Chacune était faite d'un métal différent. L'Église avait tenté, mais en vain, de les détruire. De nature magique, les pierres échappaient à toute agression physique.

Depuis son retour à Rochebrune, monseigneur Da Hora se rendait périodiquement dans la sombre pièce où les fragments du miroir d'Obéron avaient été scellés après avoir traversé l'Atlantique, des siècles avant que Christophe Colomb ou Jacques Cartier ne foulent le sol de ce qu'on appela par la suite le Nouveau-Monde. Il passait des heures à observer ce qui se déroulait dans le fragment redevenu miroir lorsque la pierre découverte par Brent s'y était amalgamée, à Castelmuir : des hommes armés montaient la garde. Jamais il n'y avait revu Judith Caron, la jeune femme qui – comme lui – avait eu la main réduite en cendres, pas plus que son amant, le prince-dragon de Syatogor, Ylian Vorodine. Maître Cornufle, le mage de Tombelor qui l'avait contraint à restituer la larme et à quitter Nayr, n'avait pas davantage reparu, ni Geoffroy Montorgueil, seigneur de Valrouge, et sa sulfureuse maîtresse, Jolanthe Malinor.

Puisque six fragments du miroir gardaient leur opacité d'obsidienne, la magie demeurait contenue. Elle ne circulait toujours pas entre Nayr et la Terre. Ou très peu, car d'étranges incidents avaient été rapportés ici et là : des fées avaient été aperçues dans le Wiltshire, en Angleterre ; un quotidien de Tokyo avait mentionné la présence d'un dragon d'eau près du lac Hagama ; en Australie, le bruit courait que les Djanggawul étaient revenus du ciel délivrer les aborigènes du joug de l'homme blanc… À l'abbaye même, on chuchotait qu'un animal bizarre rôdait dans les bois, une sorte de cheval à la tête surmontée d'une très longue corne.

Monseigneur Da Hora réfléchissait à la conduite qu'il devait adopter. On l'avait choisi pour son esprit d'initiative, parce qu'il était un homme d'action et savait quand transgresser les règles pour le bien de l'Église, si la situation le dictait. L'ambition avait toujours été son point faible. Surpasser les autres, être le premier dans tout, franchir la ligne d'arrivée devant le peloton… quitte, parfois, à tricher. Il n'avait jamais supporté de se retrouver à l'arrière, pas plus à l'école ou au séminaire que dans les rangs du clergé, et il n'hésitait pas à écraser ceux qui avaient le malheur de se mettre en travers de son chemin.

Depuis son retour, une idée folle lui trottait en tête : christianiser Nayr.

La tâche ne serait pas facile, mais il était persuadé que la chose était réalisable. Qui sait ? Tombelor était peut-être la nouvelle Jérusalem dont parlaient les saintes Écritures. Avec un tel exploit, la papauté lui serait acquise. En pareil cas, il savait déjà quel nom il adopterait : Pierre. Pierre II. Le dernier nom sur la liste de saint Malachie. Avec lui à la tête du Saint-Siège, le nouveau millénaire pourrait enfin débuter.

III. DE L'UTILITÉ DE REGARDER OÙ L'ON MET LES PIEDS

Brent ouvrit les yeux. Son corps lui brûlait atrocement. Simultanément, il avait l'impression de se trouver dans un congélateur. Les couvertures empilées sur son lit ne lui étaient d'aucun secours. C'était comme si le froid s'était réfugié à l'intérieur – dans ses os et ses organes – et refusait d'en sortir.

— Hypothermie. Rassurez-vous, rien qu'un bol de bouillon ne peut réparer.

Il sursauta et tourna la tête. Frère « Tuck » était assis à côté de lui : petit, rond, chauve et le sourire fendu jusqu'aux oreilles.

— On vous a repêché juste à temps, poursuivit le clone du joyeux compagnon de Robin des Bois, mais le temps de vous ramener à l'abbaye, vous étiez transformé en glaçon. Je suis le frère Mellitus. On m'a chargé de veiller sur vous.

— Me veiller ou me surveiller ?

Le sourire du frère Mellitus s'incurva.

— Vous n'avez rien à craindre de moi, au contraire. Vous pouvez me faire confiance.

Puis il chuchota :

— Votre petite amie m'aimait bien.

— Judith ? Vous connaissez Judith ?

Le frère Mellitus entreprit de lui raconter comment il l'avait accueillie à son arrivée à l'abbaye, quand elle cherchait de l'aide, après la mystérieuse disparition de Brent sur l'îlot. Il enchaîna sur la manière dont ils avaient sympathisé.

— Elle me rappelait une jeune fille que j'ai connue il y a longtemps, lui confia le moine sur un ton plutôt méditatif. Comment va-t-elle ?

— Vous ne savez pas ? Elle est restée *là-bas.*

Le moine dut comprendre, car il se confondit aussitôt en excuses.

— Oh ! pardonnez-moi. Je l'ignorais. On ne me tient au courant de rien ici. Encore moins depuis que monseigneur nous « honore » de sa présence.

Le ton sarcastique employé par le frère Mellitus pour parler de monseigneur Da Hora en disait long sur ce qu'il pensait de lui. Manifestement, il ne l'aimait pas. Brent devina qu'il pouvait s'en faire un allié.

— Comment a-t-on su que j'avais pénétré dans le parc ?

— Monseigneur a fait installer des caméras le long du mur à son retour. Résultat : au lieu de chanter vêpres ou complies, l'un de nous est toujours coincé devant ces fichus écrans de télévision.

— Est-il ici présentement ?

— C'est lui qui a ordonné qu'on vous ramène. Il s'entretiendra avec vous dès que vous irez mieux. Alors, ce bouillon ?

—Ainsi, nous voici de nouveau face à face, monsieur Stillman. Ou préférez-vous que je vous appelle Quatre-Doigts, comme là-bas ?

— Brent suffira. Que voulez-vous ?

Un frisson lui secoua l'échine. Pourtant, on suffoquait dans la pièce où ronflait un feu ardent. Depuis que l'eau glacée du lac l'avait avalé, Brent aurait parié qu'il ne connaîtrait plus jamais la chaleur de sa vie.

— Ce n'est pas à vous, mais à moi de poser la question. Qu'espériez-vous en venant ici ?

Brent prit le parti de l'honnêteté.

— Trouver un moyen de repartir. Je veux revoir Judith.

— L'arbre. Vous pensiez réutiliser l'arbre.

— Oui.

— Ainsi que vous avez pu le constater, je l'ai fait abattre. Si cela peut vous consoler, nous l'avons décortiqué jusqu'aux fibres sans rien trouver. Il n'y avait pas d'autre pierre. Seul le hasard vous a permis de découvrir la première.

— Je connais quelqu'un qui affirme que le hasard n'existe pas.

— Maître Cornufle. Intéressant vieillard. Il m'a beaucoup appris. Cependant, je ne crois pas qu'il se fasse une idée exacte de la situation. Einstein disait : « Le hasard, c'est Dieu qui marche incognito. » Vous et moi savons que si vous avez trouvé la pierre, c'est que le Créateur l'a voulu ainsi. C'est Lui qui tire les ficelles.

— Et vous ? Qui tire vos ficelles ?

— Moi ? Personne. Je n'ai de véritable maître que le Très-Haut. Mes supérieurs ne sont que des intermédiaires. Ce qui m'amène à mon propos. Vous aimeriez retourner sur Nayr, soit. Je vous en donne la chance. Moi aussi, je veux y retourner. Pas pour les mêmes raisons, cela va de soi, mais je ne vous ennuierai pas avec cela, monsieur Stillman. Je vous propose donc que nous repartions ensemble. Vous connaissez la procédure, vous êtes un habitué. Je vous consens même une réduction sur le prix du billet. Il vous manque un doigt, je demanderai à Zéphiroth qu'il se contente des quatre restant.

Brent tournait en rond dans sa cellule. Ce salaud de Da Hora ! L'Église avait enfanté bien des monstres, et celui-ci n'avait rien à envier à ceux qui l'avaient précédé. Pour la millième fois, il essaya sans y parvenir de forcer le grillage qui condamnait la fenêtre. La seule façon de sortir consistait à emprunter la porte, une porte massive, fermée à double tour, qu'on se serait plutôt attendu à trouver dans un cachot ou une geôle.

À la seule idée de revoir Zéphiroth, le démon que monseigneur Da Hora employait pour passer d'un monde à l'autre, il avait des nausées. Il revoyait la peau du prélat grésiller quand la main de braise du colosse avait empoigné la sienne et l'avait incinérée en guise de règlement pour leur passage ; il entendait encore les hurlements du prêtre, sentait l'odeur de la chair qui racornissait sous la chaleur… Et dire que la main de Judith avait subi le même sort ! Le surnom « Main-de-Suie » que lui avait valu l'appendice carbonisé évoquait parfaitement ce qui en restait à la fin de l'expérience : un morceau de charbon qui gardait un semblant de forme humaine. Brent ne tenait pas à ce que la sienne se retrouve dans le même état. Il devait absolument déguerpir avant que cet illuminé de Da Hora ne mît son projet à exécution, c'est-à-dire avant le lendemain matin.

L'occasion qu'il n'espérait plus se présenta au souper.

Deux moines, qui auraient davantage eu leur place dans un ring, accompagnaient le frère Mellitus quand il lui apporta son repas. Les armoires à glace demeurèrent dans le couloir, ce qui lui permit d'échanger quelques mots à voix basse avec le sosie du frère Tuck.

— Mon frère, il faut que je vous parle.

— Plus tard. Je reviendrai quand tout le monde dormira.

Brent n'avait pas faim. Il trompa son attente en faisant les cent pas et en grignotant ce qu'il y avait de plus appétissant parmi les mets qui refroidissaient sur le plateau.

Il commençait à se demander si le frère Mellitus ne l'avait pas mené en bateau quand le bruit d'une clé tournant dans la serrure lui indiqua que la délivrance était proche. Cette fois, le frère Mellitus était seul.

— Dieu soit loué, mon frère. Il faut que vous m'aidiez à partir. Ma vie est en danger.

Il lui raconta les projets de monseigneur Da Hora et ce qui risquait d'arriver à sa main s'il ne quittait pas les lieux sur-le-champ.

— Je n'ai jamais eu confiance en cet homme, admit le frère Mellitus une fois que Brent eut terminé. Il aime trop les plaisirs de la table. Saviez-vous qu'il vide une bouteille de vin tous les soirs ? Et cette emprise qu'il a sur notre pauvre abbé ! Le père Herménégilde n'est plus que l'ombre de lui-même. Un vrai despote. Si je le pouvais, je lui jouerais un tour à ma façon.

— Faites-moi sortir d'ici, cela suffira.

— Bien sûr, bien sûr. Mais comment rentrerez-vous ? Nous sommes à des dizaines de kilomètres du moindre village, et avec cette température… La tempête a cessé, certes. Cependant, à cette heure, je doute que beaucoup de véhicules roulent encore sur les routes. Partir à pied est hors de question. Il fait bien trop froid.

— Si vous aviez le téléphone, j'appellerais mon ami. Je suis sûr qu'il viendrait me chercher.

— Le seul de l'abbaye est celui de l'abbé, dans le bureau qu'a réquisitionné le cardinal. Il en verrouille toujours la porte, le soir, avant de le quitter, mais le frère Gontran, notre économe, a un double de la clé. Je suppose que je pourrais le lui emprunter.

— De grâce, mon frère, dépêchez-vous. L'heure avance.

— Très bien. Suivez-moi.

Brent lui emboîta le pas. Ils traversèrent une enfilade de couloirs jusqu'à une pièce meublée d'un bureau minuscule, de classeurs et d'armoires métalliques. Un panneau en bois garni de crochets était fixé au mur. À chacun pendait une clé soigneusement étiquetée. Le frère Mellitus en décrocha une après avoir parcouru les vignettes du regard.

— La voici. Ne reste qu'à téléphoner.

Ils repartirent dans l'abbaye endormie, empruntant les corridors vides et silencieux qu'éclairaient chichement des ampoules nues suspendues à leur fil. Brent reconnut la porte de la pièce où il s'était entretenu avec monseigneur Da Hora. Son guide introduisit la clé dans la serrure mais elle refusa de tourner. Il s'y reprit à deux fois, sans succès.

— Je ne comprends pas. C'est la bonne, pourtant, fit-il en examinant le bout de métal tandis que Brent s'efforçait de garder son calme.

— Laissez-moi essayer.

Quelque chose accrochait. En jouant avec le double, Brent réussit finalement à actionner le mécanisme. Le pêne coulissa dans la gâche et ils purent entrer. Le frère Mellitus alluma. Le téléphone trônait, bien en évidence sur le bureau. Brent y fut en deux enjambées et décrocha.

— Faites le un, prévint son guide. Toutes les communications sont interurbaines. Rejoignez-moi dehors quand vous aurez terminé.

Brent hocha la tête et composa le numéro de Pascal en consultant sa montre. Près de trois heures du matin ! Les moines se levaient tôt. Il devait décamper au plus vite.

Pendant que la sonnerie retentissait à l'autre bout du fil, il ouvrit machinalement les tiroirs du bureau afin d'en répertorier le contenu. L'un d'eux était pourvu d'une serrure, mais – oubli ou négligence ? – le propriétaire avait laissé la clé dans cette dernière. Brent la tourna. Le tiroir ne contenait qu'un coffret. Le velours mauve qui recouvrait l'objet long et plat luisait d'usure par endroits, ce qui en attestait la vétusté. Sa curiosité aiguisée, Brent le sortit de sa cachette pour le poser devant lui.

— Ouais, ouais… fit enfin une voix enrouée par le sommeil.

— Pascal ? C'est Brent.

— Brent ? …ce qui se passe ? Tu as vu l'heure ?

— Il se passe que j'ai besoin de toi. Il faut que tu viennes me chercher.

— Là ? Maintenant ? Ça ne peut pas attendre au matin ? J'ai mis des heures à rentrer. Et puis, je ne crois pas que les routes soient déblayées.

— Tout de suite, tu entends ? C'est une question de vie ou de mort.

— Bon, bon, t'énerve pas. Où veux-tu que je te prenne ?

— Sur le chemin qui mène à l'abbaye. Je t'attendrai près de la grille. Grouille. Ils ne font pas la grasse matinée, ici. Je ne pourrai pas m'échapper deux fois.

— T'échapper ?

— Je t'expliquerai. Dépêche-toi.

— D'accord. J'arrive.

Ils raccrochèrent.

Brent n'était pas parvenu à actionner le loquet du coffret durant leur brève conversation. Le combiné reposé sur sa fourche, il put y employer les deux mains, mais le couvercle résistait. Un coupe-papier mit un terme à ses réticences et le boîtier s'ouvrit.

Il retint une exclamation de stupéfaction.

L'intérieur rappelait l'écrin d'un bijou, si ce n'était qu'au lieu d'une ou deux dépressions creusées dans le tissu comme cela aurait été le cas pour accueillir un collier ou des boucles d'oreilles, sept cavités s'alignaient côte à côte. Trois seulement étaient occupées. Arrondis à une extrémité et pointus à l'autre, les objets qui y étaient nichés ressemblaient à de grosses gouttes. Ou à des larmes. Brent savait exactement de quoi il s'agissait. Il en avait tenu une semblable dans la main quelques mois plus tôt ; sa pointe s'était cassée et avait pénétré dans son doigt. Puis il s'était retrouvé sur Nayr.

Les larmes d'Obéron.

Elles ne paraissaient pas faites du même matériau que la première, ainsi qu'en suggérait leur couleur. La première luisait d'un bleu très sombre, indigo ; la seconde était rouge, et la troisième, verdâtre. Brent sortit la bleue de sa loge. La pierre était plus lourde que celle qu'il avait trouvée sous l'écorce du chêne.

À cet instant, la porte du bureau s'entrouvrit et la tête du frère Mellitus parut dans l'interstice. Brent n'eut que le temps de glisser le coffret dans le tiroir.

— Vous avez terminé ?

— Oui. On vient me chercher.

— Une poterne donne sur le côté. Je vais vous y conduire.

— Je vous suis.

Brent aurait aimé emporter l'écrin, mais le frère Mellitus s'en serait rendu compte. Il repoussa le tiroir d'un coup de cuisse. Sa main gauche serrait la larme bleue dans sa paume.

Ils repartirent, prenant soin de faire le moins de bruit possible. Quelques minutes plus tard, ils arrivaient à une petite porte, qu'ouvrit le frère Mellitus.

— C'est la sortie de secours, expliqua-t-il.

L'hiver s'invita à l'intérieur sous la forme d'une bourrasque. Dans la clarté blafarde de la lune, la neige brillait d'un éclat qui donnait au paysage un aspect encore plus polaire. Brent frémit. « L'Enfer n'est pas peuplé que de flammes », se dit-il. Le frère Mellitus lui recommanda d'éviter de longer le bâtiment. Là aussi, monseigneur Da Hora avait fait installer des caméras. Brent risquait de déclencher l'alarme sans le savoir. Le mieux était de pénétrer dans le bois, de parcourir une centaine de mètres, puis d'effectuer un quart de tour à droite et de marcher jusqu'à l'allée. Ensuite, il lui suffirait de suivre celle-ci pour arriver au portail. Brent remercia le frère pour son aide et se retrouva seul à l'extérieur.

Si le vent était tombé, le froid, lui, s'était installé. Il devait bien faire vingt degrés sous zéro. Brent serra son parka au plus près avant de s'enfoncer dans la forêt. La neige crissait sous ses bottes ; des craquements troublaient le silence nocturne – les gémissements des arbres que malmenait l'hiver.

Tout en marchant, il sortit la main de sa poche et l'ouvrit. La clarté était suffisante pour qu'il examine la larme d'Obéron de plus près. Hormis son poids et sa couleur, elle était en tous points identique à la précédente. De quel matériau pouvait-elle être faite ?

Avec la première, il avait résisté aux Ténèbres, ces vapeurs délétères qui avaient décimé une partie de la population de Nayr ; la pierre avait aussi conféré à Judith le pouvoir de sortir du coma ceux que les Ténèbres y avaient plongés. Quel pouvoir avait celle-ci ? Brent ne sentit rien de particulier en la manipulant : pas de courant d'énergie, aucun éveil de conscience, pas de sens plus aiguisés… Rien. Aucune importance. Tout ce qu'il souhaitait, c'était qu'elle lui permît de retrouver Judith.

En la dérobant, il s'était dit que la pierre l'y aiderait. Cependant, il était contraint d'admettre qu'il n'était guère plus avancé. Il n'avait strictement aucune idée de la façon de s'y prendre. Inutile de retourner à l'îlot, puisque le chêne n'existait plus. Alors ? Ne sachant que faire, Brent glissa la larme dans sa poche.

À présent, l'abbaye avait totalement disparu. Seules les traces de ses pas attestaient qu'il venait de quelque part. Quand il estima avoir parcouru la distance indiquée par le frère Mellitus, Brent pivota d'un quart de tour et repartit. Le froid s'infiltrait de plus en plus sous son manteau ; pulvérulente, la neige se glissait dans ses bottes pour y fondre et tremper ses chaussettes, de sorte qu'il avait l'impression de piétiner un chiffon mouillé ; la fatigue alourdissait ses membres. Non, ce n'était pas le Club Med.

Il marcha plus vite, pressé de couper l'allée qui, au moins, aurait le mérite d'être plane et déblayée, ce qui rendrait la marche plus aisée. De longues minutes s'égrenèrent sans que rien ne modifie le paysage. Et s'il avait tourné du mauvais côté ?

Plongé dans ses pensées, il n'avait pas remarqué s'il pivotait à gauche ou à droite. Marchait-il seulement dans la bonne direction ? Brent fit taire ses appréhensions et persévéra. Dans le pire des cas, il rebrousserait chemin. Il consulta sa montre. S'il n'avait pas atteint l'allée dans cinq minutes, c'est exactement ce qu'il ferait.

Dix minutes plus tard, il dut bien se rendre à l'évidence : il s'était égaré.

Tout en se traitant de tous les noms, il supputa ses chances de croiser l'allée sans revenir sur ses pas pour admettre finalement que la solution la plus sûre était de retourner à son point de départ. Une demi-heure lui fut nécessaire pour refaire le trajet en sens inverse et voir l'abbaye ressurgir derrière son rideau d'arbres. Il était si frigorifié qu'il n'avait plus qu'une envie : se débarrasser de ses vêtements et sauter dans un lit. Replonger dans le bois ne lui disait rien. Il irait plus vite s'il longeait le chemin entourant le bâtiment. Le frère Mellitus avait sûrement exagéré au sujet du système de sécurité. S'il restait du côté des arbres, le danger serait moindre.

Fatale erreur.

Il n'avait pas fait vingt pas que de puissants projecteurs s'allumèrent et qu'une sonnerie se déclencha dans l'abbaye.

— Merde, merde, merde !

Il partit au pas de course et gagna la voie carrossable qui reliait le corps principal du monastère au portail fermant le domaine. Avec un peu de chance…

Brent sprinta jusqu'à ce qu'un point au côté l'oblige à ralentir. Il était en nage et avait du mal à récupérer son souffle. Manque d'exercice. Il poursuivit, clopin-clopant, sa gorge rendue brûlante par l'air sibérien qui s'y engouffrait et en ressortait au rythme d'une locomotive. Quelle distance y avait-il encore jusqu'à la grille ? Il n'avait accompli le trajet qu'une fois et dans des circonstances qui ne lui permettaient pas de s'en rappeler.

Soudain, un bruit de frelons retentit dans son dos. Les motoneiges !

— Bordel !

Sur l'allée, elles le rejoindraient en moins de deux.

Avisant un fourré à sa droite, il prit son élan et, d'un bond, atterrit de l'autre côté. Une branche cingla son visage, y laissant une estafilade. Après s'être assuré que la larme d'Obéron n'était pas tombée de sa poche, Brent s'enfonça plus avant sous les arbres. Sur la neige tassée de l'allée, ses poursuivants ne remarqueraient peut-être pas immédiatement que ses pas n'allaient pas plus loin, ce qui lui procurerait de précieuses minutes d'avance. Il n'était toutefois pas tiré d'affaire pour autant. Comment sortir du domaine ?

Il emprunta une direction plus ou moins parallèle à l'allée. Des phares trouèrent subitement l'obscurité, l'obligeant à s'aplatir au sol. Les véhicules filèrent tout droit, sans ralentir, preuve que sa ruse avait réussi. Brent se releva dès qu'ils furent passés et repartit. Le désespoir le gagnait rapidement. Sans la peur abjecte de voir sa main brûlée, il aurait abandonné et se serait laissé attraper juste pour retrouver la chaleur. Mais il y tenait, à sa main, et les hurlements de souffrance de monseigneur Da Hora quand Zéphiroth avait empoigné la sienne résonnaient encore dans sa tête.

Le ronflement des mototoneiges se refit vite entendre. Ne le trouvant pas, ses poursuivants avaient fait demi-tour.

Brent s'écarta. Quand les pinceaux de lumière découpèrent la nuit, il se réfugia derrière un arbre qu'un projecteur éclaira peu après. Par bonheur, il avait pris garde de zigzaguer de buisson en fourré, posant les pieds sur les branches ou sur les tas de feuilles mortes qui émergeaient de la neige. De cette façon, ses traces seraient moins nombreuses, donc plus difficiles à repérer.

Le faisceau s'éloigna et il respira de nouveau. Pour l'instant, il était sauf. Le grondement des moteurs décrût lentement. Brent se remit en route dès qu'il n'y eut plus de danger, s'efforçant toujours de se rapprocher de la grille, mais la densité de la végétation rendait la progression difficile. Il devait constamment dévier vers la gauche ou vers la droite pour contourner un arbre ou un arbuste. D'où il était, l'allée n'était plus visible. Au bout d'un temps, il s'égara complètement. Comble de malheur, la neige recommençait à tomber. Certes, les flocons camoufleraient ses pas, cependant il ne pourrait plus revenir en arrière s'il le désirait.

Brent s'arrêta pour faire le point. Le froid l'engourdissait ; il avait faim – son dernier repas remontait à la veille et il n'avait presque rien avalé – et la fatigue l'accablait. L'envie de renoncer revint, plus forte que jamais.

Il ne la vit qu'au moment où il se résignait à abandonner.

Sa robe était d'un blanc immaculé, ce qui expliquait sans doute pourquoi il ne l'avait pas remarquée immédiatement. Immobile sur le fond neigeux, elle passait facilement inaperçue. Mais elle hennit, comme pour attirer son attention.

Une cavale à crinière d'or.

Sur son front se dressait une longue corne vrillée rappelant celle du narval.

Une licorne !

Brent crut à une hallucination – le froid, la faim, l'épuisement – puis l'animal s'ébroua, l'invitant à le suivre d'un nouveau hennissement.

Son imagination lui jouait sûrement des tours, mais qu'avait-il à perdre ? Il emboîta le pas à la haquenée.

Plus ils avançaient, plus la forêt se refermait sur eux. Sans doute se trouvaient-ils dans la partie la plus sauvage du domaine. Aux arbres à feuilles caduques succédèrent des conifères qui se multiplièrent, serrant les rangs, supplantant les érables et les trembles. Ils devinrent vite si nombreux qu'on se serait cru dans un Schwarzwald miniature.

Brent était éreinté. Ses forces le fuyaient et il s'accordait des pauses fréquentes afin de ne pas gaspiller le peu d'énergie qui lui restait. Alors, la licorne s'arrêtait elle aussi et le dévisageait de ses grands yeux calmes jusqu'à ce qu'il se redresse et reparte. Où l'entraînait-elle ? Il ne pourrait plus aller très loin.

Un bruit menaçant lui redonna soudain du courage. Ses poursuivants avaient retrouvé sa piste.

Il rassembla les forces qui subsistaient encore et accéléra l'allure. S'était-il leurré en suivant la bête ? La licorne donnait pourtant l'impression de connaître exactement le chemin.

Le bruit des moteurs s'amplifiait rapidement. Les motoneiges approchaient. Bientôt, elles seraient là. Brent savait déjà qu'il n'opposerait aucune résistance, qu'il se laisserait capturer et conduire à l'abbaye. Tant pis. Au moins il aurait tenté sa chance.

La licorne hennit à deux reprises avec insistance. Brent releva la tête. Il était si fatigué. Devant lui, les sapins semblèrent s'écarter et il se retrouva dans une petite clairière. Là-haut, la lune brillait de tout son éclat, baignant les lieux d'une clarté irréelle. La licorne s'était arrêtée au centre de l'espace inoccupé par les arbres. Elle piaffa. Pourtant, son sabot ne piétinait pas le sol : il le débarrassait de la neige qui le recouvrait.

Brent avança. De la couleur transparaissait sous le tapis blanc. Un rouge orangé semblable à celui qui embrasait les paysages au soleil couchant. La licorne recula afin de maintenir la distance entre eux.

La tache n'était qu'un thalle de champignons. Des chapeaux en équilibre sur un pied grêle. Comment des champignons pouvaient-ils pousser sous la neige ? Bizarrement, la formation lui rappelait quelque chose, mais quoi ? Vus d'en haut, les cryptogames formaient une sorte de labyrinthe dont les méandres changeaient constamment sous l'illusion des chapeaux ballotés par le vent. Et soudain, Brent comprit ce qu'il avait sous les yeux. Maître Cornufle l'y avait amené afin qu'il consulte le zordomm. Devant lui se tenait la réplique miniature du Dédale vague.

IV. COURT CHAPITRE
QUI MÈNE LOIN

— Alors, vous l'avez retrouvé ?

Les motoneigistes secouèrent la tête à l'unisson.

— Bande d'abrutis ! Donnez-moi ça.

Monseigneur Da Hora enfourcha le véhicule et partit en trombe. Comment un homme à pied pouvait-il échapper à des poursuivants plus nombreux et motorisés de surcroît ? Réprimant sa colère, il décida d'agir avec méthode. L'oiseau ne s'était tout de même pas volatilisé ; il était prisonnier du parc. Il n'aurait qu'à repérer ses traces et à remonter la piste.

Quand l'alarme s'était déclenchée, il avait immédiatement deviné qu'il s'agissait de Brent. Son premier souci avait été de s'assurer que le coffret était en sécurité. L'inaction devait le rendre négligent, car il avait oublié de fermer à clé le tiroir dans lequel il le rangeait. Une pierre manquait. La larme en plomb. Il devait la retrouver. Ensuite, il aurait le temps de faire la lumière sur cette affaire.

Monseigneur Da Hora fit lentement le tour du bâtiment et trouva ce qu'il cherchait devant la poterne nord. Des pas s'enfonçaient dans le bois. Il les suivit à vitesse réduite, contournant les arbres quand l'espace les séparant interdisait le passage du véhicule.

Cent cinquante mètres plus loin, la piste s'incurva avant de s'interrompre brusquement. Les pas s'arrêtaient là. Il examina la neige attentivement et comprit que Brent avait rebroussé chemin en marchant dans ses propres traces. Le prélat retint un juron puis fit demi-tour.

L'itinéraire suivi par le jeune homme se précisa peu à peu. Craignant sans doute de se perdre, Brent était revenu à son point de départ, puis avait longé l'abbaye à la lisière des arbres. L'alarme avait dû retentir à ce moment. Ensuite, Brent avait emprunté l'allée principale où s'interrompait encore une fois la piste. Monseigneur Da Hora scruta les alentours. Il repéra un buisson à moitié aplati et, derrière, de nouveaux pas. Le gibier était aux abois. Il se remit en chasse.

Brent s'était enfoncé dans la forêt à deux reprises, vraisemblablement pour ne pas se faire voir des motoneigistes qui passaient sur la route. La seconde fois, il n'était pas revenu vers l'allée. Monseigneur Da Hora nota que d'autres empreintes s'étaient ajoutées aux siennes, dans la neige. Des empreintes ressemblant à s'y méprendre à celles des sabots d'un cheval.

Les traces de pas se rapprochaient, se faisaient plus profondes. De toute évidence, le jeune homme était épuisé. Il s'arrêtait souvent et ses enjambées étaient moins grandes. Monseigneur Da Hora ne tarderait pas à rattraper le fugitif.

Une sapinière le contraignit à abandonner la motoneige pour continuer à pied. Qu'importe. Le but était proche, il en était persuadé. Prévoyant une résistance, il sortit le Glock à dix-sept coups de sa ceinture. S'il le fallait, il s'en servirait pour récupérer la pierre. Il s'enfonça sous les conifères qui poussaient dru à cet endroit, accélérant le pas pour rejoindre le fuyard.

Il y eut un rideau compact de sapins, puis il déboucha dans une clairière. L'endroit avait un je ne sais quoi d'étrange. Pourquoi n'y avait-il pas d'arbres alors qu'ils étaient si nombreux partout ailleurs ? Qu'avait le sol de différent pour que les conifères n'y prennent pas racine ?

Brent l'avait entendu arriver, car le jeune homme lui faisait face. Ses traits étaient tirés et son visage défait. Décidément, les jeunes de sa génération n'avaient aucune endurance. Que des chiffes molles. Tout juste bons à rester vautrés devant le téléviseur. Une bonne guerre, voilà ce qui leur faudrait pour les remettre d'aplomb.

— Ne soyez pas idiot, dit le prélat. Vous échapper est impossible. Je sais que vous avez la pierre. Rendez-la-moi sans histoires et je serai enclin à me montrer clément. Ne me compliquez pas la vie davantage. La pierre appartient à l'Église. On me l'a confiée et je suis prêt à tout pour la récupérer.

Les épaules de Brent s'affaissèrent. Monseigneur Da Hora y vit un signe de reddition. Du sang de navet, voilà ce qui coulait dans ses veines.

Brent plongea la main dans sa poche et en sortit la larme d'Obéron, qu'il tendit devant lui, la tenant entre le pouce et l'index. Monseigneur Da Hora fronça les sourcils. Que fabriquait cet abruti ? Qu'avait-il en tête ?

— Vous la voulez ? déclara Brent avec un sourire ironique. Venez la prendre.

D'un geste, il porta l'objet à sa bouche et l'avala.

Le bruit du moteur s'était tu. Quelqu'un arrivait. Brent se retourna lorsqu'il entendit une branche craquer.

Découvrir monseigneur Da Hora le menaçant de son arme ne le surprit pas outre mesure. Cet homme était plus un mercenaire qu'un prêtre. Brent ne s'étonna pas davantage quand le prélat réclama la larme d'Obéron. Mais il avait déjà pris une décision. Il ne la lui rendrait pas. Il savait exactement ce qu'il allait faire.

Bravache, il montra la pierre à son poursuivant puis l'engouffra dans sa bouche et l'expédia dans les profondeurs de son organisme d'une robuste déglutition.

La suite se déroula à la vitesse de l'éclair.

Monseigneur Da Hora appuya sur la détente de son pistolet au moment où la licorne bondissait. L'animal heurta le prêtre à l'épaule, faisant dévier la balle de sa course.

Celle-ci ne rata toutefois pas totalement sa cible pour autant.

Une brûlure à la tempe fit perdre l'équilibre à Brent, qui bascula en arrière et atterrit au milieu des champignons, pulvérisant leur chair orange et spongieuse en milliers de fragments qui s'éparpillèrent dans tous les sens. Bien que la neige amortît sa chute, le choc fut assez rude pour l'étourdir un instant.

Quand il rouvrit les yeux, monseigneur Da Hora avait disparu. À l'instar des sapins. Au lieu de la lune, le soleil luisait dans le ciel et, sous lui, le sable avait remplacé la neige.

Il était de retour sur Nayr. Perdu dans le Dédale vague.

Monseigneur Da Hora n'aperçut la licorne qu'au dernier instant. Comment n'avait-il pas remarqué l'animal ? D'un bond, la bête fut sur lui et le frappa du sabot, le projetant à terre. La déflagration du Glock déchira le silence, mais monseigneur Da Hora ne vit pas si le coup atteignait son but. L'odeur âcre du fulminate se répandit dans l'air environnant. Quand il se releva, la licorne avait disparu, et Brent avec elle. Ne subsistait que la forme d'un corps dans la neige.

Le prêtre jura. Que s'était-il passé ?

Au centre de la clairière, il découvrit un magma orange de champignons mêlé de sang. La balle avait donc touché Brent malgré l'intervention intempestive de la licorne. Il examina attentivement le sol avant de devoir se rendre à l'évidence :

les pas ne menait qu'au thalle. Nulle part ailleurs la neige n'était maculée. Cela ne pouvait signifier qu'une chose. Il ignorait comment cet imbécile s'y était pris, mais il avait trouvé le moyen de retourner sur Nayr.

Les dés étaient jetés. Cette fois, il n'avait plus le choix. Il devrait passer outre les ordres de ses supérieurs et s'y rendre à son tour. Ce qui n'était pas pour lui déplaire.

Monseigneur Da Hora replaça le Glock dans sa ceinture et reprit le chemin de l'abbaye.

V. HISTOIRES DE MERDE

Brent se débarrassa de son parka, de sa tuque, de ses gants et de son écharpe. Il en aurait fait autant des bottes si le sable n'avait été parsemé de bouts de silex aussi coupants que des lames de rasoir. Entre les hautes parois rocheuses couronnées de leurs dalles branlantes, il faisait presque aussi chaud que dans un four.

Il s'efforça de faire le point.

Comment diable était-il arrivé là ?

D'abord l'arbre, puis les champignons. Les plantes devaient jouer un rôle dans le passage vers le monde magique, entre la Terre et Nayr. Avant que monseigneur Da Hora ne l'eût fait abattre, le chêne existait dans les deux mondes. La dalle d'obsidienne aussi. Il y en avait un exemplaire dans les entrailles de l'abbaye et un autre dans les ruines de Castelmuir. Mais ici ? Il ne voyait aucun champignon. D'autres éléments devaient intervenir, dont il ignorait la nature.

En gobant la pierre, Brent n'avait pas songé une seconde que son geste le propulserait dans l'autre univers. Son seul objectif était de soustraire provisoirement la larme d'Obéron au prêtre, de lui compliquer la tâche. Désormais, la pierre se baladait dans son système digestif. Était-elle nocive ?

Se logerait-elle quelque part pour y demeurer ou traverserait-elle ses entrailles intacte, sans que l'attaquent les sucs et les enzymes chargés de décomposer les substances alimentaires ? Il eut une moue de dégoût à l'idée qu'il devrait fouiller ses excréments pour vérifier si la pierre s'y trouvait.

Brent porta la main à sa tempe. Elle revint tachée d'un liquide poisseux. Du sang. Avant de s'évanouir, il avait senti une cuisante brûlure. Le projectile tiré par monseigneur Da Hora avait dû le toucher. Des doigts, il suivit le sillon humide et découvrit l'endroit où la balle avait labouré les chairs. Il s'en était fallu de peu. Une bande de peau avait disparu de la tempe à l'oreille. En plus du doigt qui lui manquait déjà, il aurait le visage balafré !

Brent tourna la tête d'un côté, puis de l'autre. Par où aller ? Où était la sortie ? Les souvenirs de son précédent passage dans le Dédale, avec maître Cornufle, lui revinrent à la mémoire. Le labyrinthe au tracé flou refusait de se faire cartographier. Brent avait essayé, en pure perte. Qu'avait dit le vieux mage à ce sujet ? Ah oui ! Que la meilleure façon d'en sortir consistait justement à ne pas tenter de le faire. Facile à dire quand on avait de l'eau et de la nourriture. Or, la soif le tenaillait déjà. Brent chercha autour de lui, mais ne vit que du sable, des pierres, les parois rocheuses surchauffées et, tout là-haut, le soleil qui brillait furieusement dans un ciel sans nuages. Nouant son parka à la taille par les manches, il gagna l'ombre la plus proche, puis se mit à aller sans but, empruntant tel ou tel défilé, sans autre guide que sa fantaisie. Si maître Cornufle disait vrai, en agissant de la sorte, quitter ce trou à rat ne devrait pas poser trop de difficultés.

Malheureusement, après avoir marché pendant un temps qui lui parut interminable, il n'était pas plus avancé. Sa langue et sa gorge étaient aussi sèches que de l'amadou. S'il ne trouvait pas vite de quoi boire, il ne donnait pas cher de sa peau. Et dire que, d'où il venait, le sol était entièrement couvert de neige !

L'ironie était amère. Il s'assit sur un rocher pour se reposer un instant. La fatigue lui écrasa aussitôt les épaules. Qu'aurait fait maître Cornufle en pareilles circonstances ? Il aurait tiré une plante de sa besace.

Les plantes !

Brent scruta le sol alentour. Bien qu'il ne leur eût guère prêté attention à l'époque, les enseignements de maître Cornufle ne s'étaient pas perdus pour autant. Il repéra une tache vert-de-gris dans la caillasse. La plante était minuscule : cinq sépales entourant un bouton de la grosseur d'un petit pois. Pour qui n'avait pas l'œil, le végétal serait passé inaperçu. Brent dégagea délicatement la rosace et plongea les mains dans le sable. Deux minutes plus tard, il en retirait une racine charnue de la taille d'une calebasse. Il décapita la plante d'une torsion de la main et la racine s'ouvrit telle une fleur, révélant l'eau qu'elle renfermait. Il but avec avidité. Dieu que c'était bon !

Désaltéré, il poursuivit ses recherches. Bientôt, il découvrit une graminée dont maître Cornufle avait vanté les vertus. Ses graines étaient si riches en éléments nutritifs qu'on pouvait s'en nourrir sans autre apport alimentaire. Il en croqua quelques-unes et, effectivement, les grondements de son estomac s'apaisèrent rapidement. À présent qu'il savait quoi chercher, il se rendit compte que les lieux étaient moins désertiques qu'il n'y paraissait de prime abord. Il n'aurait même pas besoin de faire des provisions.

Ragaillardi par cette heureuse constatation, il repartit d'un pas allègre, plus confiant en l'avenir. Malheureusement, sa joie fut de courte durée. Sa tête l'élançait, le sang battait à ses tempes et des nausées lui soulevaient l'estomac. Subitement pris de vertiges, il dut s'asseoir. S'était-il trompé ? Avait-il avalé une plante toxique par mégarde ? Non, il s'agissait d'autre chose. Sa blessure ? Il porta la main à sa figure. Le sang avait séché, formant une croûte. Bien que l'endroit fût douloureux, là encore, toutefois il n'y avait pas lieu de s'inquiéter. Alors ?

La pierre ! La larme d'Obéron ! De quoi était-elle faite ? Il n'avait pas eu le temps de l'examiner. Un métal, comme la première, mais plus lourd que l'étain et d'un bleu sombre, violacé, presque noir. Le tableau périodique des éléments qu'il avait mémorisé sur les bancs d'école ressurgit dans son esprit. Quel élément avait ces propriétés ? Le fer ? Non, le métal se serait oxydé au contact de l'air, aurait pris une teinte orangée. Puis il pensa au plomb. Le métal le plus lourd. Un des plus toxiques aussi. On en avait assez parlé : les jouets retirés du marché parce qu'ils étaient recouverts de peinture au plomb ; l'essence dont cet élément avait été banni ; les assiettes et ustensiles qui empoisonnaient les gens dans le passé ; les Romains atteints de saturnisme au temps des Césars… Et il en avait avalé l'équivalent d'un noyau de cerise ! À moins que l'extrémité pointue de la larme ne lui eût perforé l'estomac ?

Sa vue se troubla. Une sueur froide et malsaine l'inonda tandis que la faiblesse l'empêchait de se lever. La tête lui tournait. Brent s'appuya contre la paroi rocheuse qui s'élevait dans son dos, puis un voile noir descendit devant ses yeux et il perdit de nouveau conscience.

Monseigneur Da Hora était furieux. Quelqu'un allait payer.

Brent n'avait pu entrer dans son bureau sans aide. Quelqu'un l'y avait fait pénétrer. Qui et pourquoi ?

Depuis son retour de Rome, il avait considérablement investi dans la sécurité de l'abbaye. Au début, il s'était dit qu'il en faisait trop, qu'il cultivait une paranoïa inutile en faisant placer des caméras de surveillance un peu partout, y compris dans son bureau. Ce qui venait de se produire prouvait le contraire.

Une fois les enregistrements récupérés, le mystère s'élucida de lui-même : le frère Mellitus.

Sous son air bonasse se cachait un enquiquineur de première. Du genre qui se mettait le nez dans les affaires des autres. Ne lui avait-on pas appris que les intérêts de l'Église primaient sur le reste ? Qu'à cela ne tienne, il le regretterait. La main mécanique de monseigneur Da Hora réduisit en miettes le disque vidéonumérique. Cet empêcheur de tourner en rond paierait cher son imprudence. Et il savait comment. Brent disparu, son remplaçant était tout trouvé. Ce serait le frère Mellitus qui l'aiderait à retourner sur Nayr. De nouvelles possibilités voyaient d'ailleurs le jour dans son esprit. Il envisageait une façon de repartir qui rapporterait gros s'il mettait à exécution son projet de christianiser le monde magique.

L'opération serait toutefois délicate et n'allait pas sans danger. S'il optait pour cette solution, une grande prudence s'imposerait. Il devrait prendre des précautions. Mais l'idée le séduisait. Elle chatouillait son goût du risque et de l'aventure.

Après ces mois d'attente, d'inertie et de frustration retenue, la frénésie qui précède les grandes expéditions s'empara de lui. Il commença ses préparatifs, ressortant sa tenue de para, celle qu'il avait si souvent portée durant ses années d'aumônier auprès des troupes américaines, en Afghanistan et en Irak. Il lui faudrait plus de balles pour le Glock – il avait failli en manquer lors de son séjour précédent. Et amplement de matériel pour se concilier les troupes célestes : encens, myrrhe, cierges et autres bondieuseries.

Restait le coffret.

Ce qui venait de se produire prouvait qu'il n'était pas en sécurité à l'abbaye. Mais l'emporter avec lui, là où les pierres risquaient de faire le plus de dommages, c'est-à-dire de rouvrir la porte entre les mondes, entre la magie et le sacré, entre la foi et la superstition, entre l'Église et ses ennemis ?…

Deux larmes seulement restaient : celle en cuivre, de couleur rouge et la verte, dont la nature s'avérait plus mystérieuse – la spectrographie avait révélé qu'il s'agissait de mercure, mais un mercure d'un type différent, solide à la température ambiante, ce que les savants n'avaient pu expliquer. Mais la science pouvait-elle expliquer la magie?

La larme d'étain avait été rendue au miroir; ce petit emmerdeur de Brent avait dérobé celle en plomb; la larme d'argent avait été volée, longtemps auparavant; on avait perdu toute trace de celle en fer, et la larme en or pendait au cou du Saint-Père. On prétendait même qu'il lui devait sa longévité.

Monseigneur Da Hora en vint finalement à la conclusion que les pierres seraient plus en sûreté avec lui. Qui sait, peut-être même lui rendraient-elles service. En les cachant bien, les risques seraient moindres. Judith ne l'avait-elle pas prouvé quand elle avait fait un collier de celle d'étain? Tout le monde n'y avait vu que du feu. Lui procéderait autrement. Avec un canif, il défit les coutures de sa veste, glissa les pierres dans les plis du vêtement et recousit les entailles avec du fil de nylon. Ni vu, ni connu. Ainsi, il aurait les pierres à portée de la main sans que quiconque ne soupçonnât leur présence.

Son travail de couturière terminé, monseigneur Da Hora boucla son havresac, puis décida de dormir quelques heures. Il avait besoin de refaire ses forces. La besogne ne manquerait pas dans les jours à venir.

Brent ouvrit les yeux pour les refermer aussitôt. Il avait l'impression qu'un fer rougi à blanc venait de lui traverser le crâne d'une tempe à l'autre. Il souleva les paupières plus lentement. Les parois du labyrinthe avaient disparu et le soleil le bombardait de ses rayons. Combien de temps était-il resté évanoui? Étendu sur le dos, il ne voyait qu'un ciel d'un bleu agressif dans lequel se bousculaient des blancheurs ouatées. Redressant péniblement la tête, il lutta contre les vertiges qui l'accablaient. Au lieu du canyon, il se trouvait dans un cirque rocheux au centre duquel paressait un bouquet de palmiers, le pied dans un modeste plan d'eau. Brent reconnut dans ce paysage le domaine d'Abduldarek, le zordomm. Comment était-il arrivé là ? Avait-il continué de marcher dans l'état semi-comateux du somnambule ? L'y avait-on traîné ? Ou la géométrie du Dédale vague s'était-elle modifiée de telle façon qu'il avait échoué à cet endroit ? À dire vrai, la réponse n'avait pas tellement d'importance. Maintenant qu'il y était, il obtiendrait de l'aide. Abduldarek n'était visible nulle part, mais quand il reviendrait, l'homme-lézard ne pourrait refuser de le secourir.

De peine et de misère, Brent se leva pour se rendre à la mare. Ses jambes flageolaient et la peau de son ventre était tendue comme celle d'un tambour. Une envie de chiasse lui tordit brutalement les boyaux. Incapable de retenir un « merde ! » prophétique, il chercha fébrilement un endroit où baisser culotte tout en contraignant ses sphincters à contenir le tsunami intestinal qui s'annonçait. Il n'échappa au désastre que de justesse. Sous la pression des gaz qui distendaient sa cavité abdominale, les digues musculaires cédèrent et une bouillie jaunâtre aux relents méphitiques se répandit sur le sol avec un bruit de pétard mouillé. Le jet était si puissant qu'il en eut les fesses et les cuisses badigeonnées. Une bordée de jurons accompagna sa déconvenue. Ne perdant pas le nord, il refoula ses haut-le-cœur le temps de vérifier que la larme d'Obéron ne baignait pas dans la flaque nauséabonde. Puis, ses forces s'étant vidées avec ses entrailles, la tête lui tourna de nouveau et il tomba sans connaissance, le nez à deux doigts de la pestilence.

— Vous avez demandé à me voir ?

Le frère Mellitus parlait en feignant une assurance qu'il n'avait pas.

Monseigneur Da Hora était-il au courant du rôle qu'il avait joué dans l'évasion du petit ami de Judith ? Une fois de plus, sa bonté l'avait perdu. C'était plus fort que lui. Quand il voyait quelqu'un en détresse, il ne pouvait s'empêcher de lui venir en aide, même à son détriment. Pour tout dire, c'était surtout en souvenir de la jeune femme qu'il était intervenu. Depuis qu'il l'avait rencontrée, qu'il lui avait parlé, des sentiments qu'il croyait éteints depuis longtemps s'étaient réveillés dans son cœur. Lui aussi avait aimé quand il était jeune, et il avait sacrifié cet amour pour celui du Seigneur. Parfois, il se demandait s'il n'avait pas commis une erreur.

— Je vais avoir besoin de vous, déclara monseigneur Da Hora. Prenez mon sac et suivez-moi.

Le frère Mellitus respira. Ouf ! ce n'était que cela. Il obtempéra et, presque de bonne humeur, suivit le prélat.

À voir sa tenue, il aurait juré que son supérieur s'apprêtait à participer à une partie de chasse. Monseigneur Da Hora portait des pantalons kaki, un treillis noir sur un tee-shirt vert et une veste de camouflage. De gros bottillons et une casquette de l'armée masquant une partie de son visage complétaient l'ensemble.

Ils quittèrent le bureau du père Herménégilde et empruntèrent en silence les couloirs de l'abbaye.

Le frère Mellitus devina rapidement leur destination.

La pièce à la dalle. Qu'allaient-ils faire là ?

Le frère Mellitus ne l'avait visitée qu'en de rares occasions et il s'en félicitait. Il détestait l'endroit. Dans le minuscule local aux allures de cachot, le grand cercle de pierre noire fragmenté en sept lui fichait la chair de poule. Des caméras fixées aux murs surveillaient en permanence ce qui s'y passait. L'air semblait y être imprégné d'émanations maléfiques. Plus vite il en sortirait, mieux il se porterait.

— Posez le sac par terre. Non, sur la dalle, commanda monseigneur Da Hora. Ne partez pas, j'ai encore besoin de vos services. Fermez la porte, voulez-vous.

— C'est que… l'heure avance. On va bientôt sonner laudes.

— Je vous dispense de vos dévotions. N'oubliez pas que je suis délégué par Rome. En ma personne, vous pouvez voir le Saint-Père.

Le frère Mellitus n'avait pas assez d'imagination pour cela. Et puis, pour quelle occasion le pape se serait-il déguisé en troufion ?

Ouvrant une fermeture à glissière, monseigneur Da Hora sortit deux pochettes de son sac. Le contenu de la première était familier au frère Mellitus. Des hosties. Celui de la seconde, en revanche, s'avéra plus mystérieux. Le cardinal lui tendit une feuille de papier sur laquelle étaient inscrites plusieurs lignes.

— Lisez à voix haute, je vous prie.

Le frère Mellitus reconnut du latin. À l'instar de ses confrères, il avait étudié la langue morte au séminaire, mais n'était jamais parvenu à la maîtriser. Depuis que le latin avait disparu de la pratique du culte – garder les fidèles nécessitait qu'on s'adresse à eux dans un langage qu'ils comprenaient –, ses connaissances de la langue sacrée s'étaient peu à peu amenuisées pour se réduire aujourd'hui aux paroles mille fois rabâchées des prières quotidiennes.

En prononçant le texte, le frère Mellitus ne put néanmoins s'empêcher de tiquer. Que faisait le mot « Satanas » dans cette formule ? Interloqué, il interrompit sa récitation à mi-chemin.

— Terminez, s'il vous plaît. Bien. À présent, prenez une hostie et plongez-la dans ce que renferme ce sac.

À quoi rimait cette mascarade ? De plus en plus inquiet, le frère Mellitus préleva une pastille de pain azyme sur laquelle apparaissaient, délicatement embossées, la croix et les lettres IHS. Quand il ouvrit la pochette contenant la matière brune, une puissante odeur assaillit ses narines. Il ne put réprimer un mouvement de recul.

— Mais c'est de la…

— Oui. Plongez l'hostie à l'intérieur, qu'elle en soit bien badigeonnée. Ensuite, vous la jetterez par terre.

— Mais je… Je… Jamais je ne…

Un déclic coupa court à ses hésitations. Monseigneur Da Hora braquait un pistolet sur sa poitrine.

— Mais si, vous pourrez. Quand on veut jouer les héros, il faut être prêt à en assumer les conséquences. Enfoncez l'hostie dans le sac et jetez-la par terre. Je ne le répéterai pas deux fois.

Le frère Mellitus déglutit. Ses derniers doutes venaient de s'envoler. Monseigneur Da Hora savait que c'était lui qui avait libéré Brent. Il prit l'hostie du bout des doigts et la poussa dans les matières fécales. Le geste l'horrifiait. Il allait à l'encontre de tout ce en quoi il croyait, mais la peur de l'arme qui le menaçait fut la plus forte. Monseigneur Da Hora n'hésiterait pas à tirer. Il en était persuadé.

Il laissa tomber plus qu'il ne jeta l'hostie beurrée de merde sur le sol d'obsidienne.

— Très bien, approuva le prélat. Vous êtes presque au bout de vos peines. Maintenant, piétinez-la.

— Quoi ?!

— Vous m'avez compris. Écrasez l'hostie avec vos sandales.

Le canon du Glock s'agita devant lui jusqu'à ce qu'il obéisse.

— Mettez-y plus de vigueur. Là. C'est bien. Une dernière étape et tout sera fini. Lisez.

Monseigneur Da Hora lui tendit un deuxième bout de papier, sur lequel le mot « Satanas » revenait plus souvent. Le frère Mellitus lut l'incantation avec un trémolo dans la voix. Quand il eut terminé, l'air parut s'épaissir et une odeur de soufre remplaça celle des excréments qui maculaient le sol et la semelle de ses chaussures.

La dernière chose qu'enregistra son cerveau fut l'incandescence qui remplaça le sang coulant dans ses veines.

— Que veux-tu, Francisco ?

La voix du moine avait changé : de gracile et fluette, elle avait pris une sonorité grave et rauque. Le bleu délavé de ses iris avait disparu lui aussi. Une couleur jaune pailletée de rouge l'avait remplacé. Monseigneur Da Hora sourit.

— Je te salue, Lucifer. Je crois que de grandes réalisations nous attendent.

VI. OÙ LA PUDEUR A DES CONSÉQUENCES DRAMATIQUES

Quand il se réveilla pour la deuxième fois, Brent se sentait plus alerte. Son mal de tête s'était enfui et plus aucune crampe ne lui fouaillait le ventre. Totalement nu, il était propre et allongé sur de grandes feuilles de palmier fraîchement cueillies. On l'avait soigné. Drôlement bien même, car l'index de sa main droite avait repoussé. Il avait cinq doigts de nouveau ! Le sillon tracé par la balle de monseigneur Da Hora sur sa tempe avait également disparu. Abduldarek ! Ce ne pouvait être que lui.

Effectivement, à quelques pas se tenait le zordomm.

Sur un corps de forme humaine était posée la tête d'un lézard ; à l'autre extrémité de la colonne vertébrale, le coccyx se prolongeait en une queue courte et trapue. Abduldarek avait la peau écailleuse des reptiles et un épiderme vert, maculé d'orange par endroits. La créature l'observait de ses petits yeux noirs, fichés dans un visage totalement dépourvu d'expression. Bien qu'il fût nu comme un ver lui aussi, aucun organe apparent ne permettait de deviner son sexe. Il aurait aussi bien pu être mâle que femelle, ou les deux. Étalé sur son crâne chauve, Brent reconnut le mouchoir qu'il avait laissé en cadeau au zordomm lors de son passage antérieur pour le remercier de ses conseils.

Un peu gêné par sa nudité, Brent se releva en s'appuyant sur un coude et s'assit en tailleur.

— C'est vous qui m'avez soigné ?

Le zordomm ne broncha pas. Si ses yeux n'avaient pas été ouverts, on aurait pu croire qu'il dormait.

— Bon, eh bien, merci. C'était gentil de votre part. Il faut que j'y aille, à présent.

— Reste.

La voix avait parlé dans sa tête. Abduldarek n'avait pas ouvert la bouche. Ni bougé d'un poil. Enfin, d'une écaille.

— Reste, j'ai des choses à t'apprendre.

Les paroles qui résonnaient sous son crâne étaient plus que des mots. S'y mêlait une force de persuasion à laquelle Brent ne pouvait simplement pas résister. Il se rassit.

— Quelles choses ?

— Patience. Tu verras.

— C'est que… je suis pressé. J'ai à faire… quelque chose d'urgent.

— J'aimerais te remercier pour ton somptueux cadeau, mais tu dois d'abord reprendre des forces. Un grand destin t'est promis si tu réussis les épreuves qui émaillent ton chemin. La plus ardue te viendra de toi-même.

Brent aurait cru entendre parler maître Cornufle.

— Pour reprendre des forces, il faudrait que je mange.

— Eh bien, qu'attends-tu ?

Des fruits, du pain et du fromage se trouvaient à ses pieds. Brent s'y attaqua goulûment sans se demander comment ils étaient arrivés là alors que l'instant d'avant, il n'y avait que des cailloux et du sable.

Monseigneur Da Hora exposa ses projets à Lucifer. Une partie du moins, car le bon sens voulait qu'on évite de tout raconter au Prince des Ténèbres. On s'assurait de garder au moins un atout dans sa manche.

— Et où trouverai-je mon compte là-dedans ?

La voix aurait pu être celle d'un fauve. Les yeux aussi.

— Songes-y. Un monde neuf, des âmes fraîches… Nous ferions une belle équipe, toi et moi.

— À quel jeu joues-tu, Francisco ? À t'entendre, on croirait que tu viens de changer de camp.

— L'univers est vaste. Je crois seulement qu'il y a assez de place pour tout le monde.

— Je vois mal Michel et les autres adhérer à ce genre de discours.

Monseigneur Da Hora balaya l'argument du revers de sa main mécanique.

— Je me fais fort de les convaincre. La moitié d'une pomme vaut mieux que pas de pomme du tout. L'Église l'a compris il y a longtemps. Elle n'hésite pas à faire des compromis.

— Et Lui ? Tu L'oublies. Je doute qu'Il apprécie.

— Pour l'instant, ce n'est pas Lui qui viendra nous le reprocher. Le moment est peut-être venu de faire le point, de voir si certains accommodements n'auraient pas leur raison d'être.

— Des accommodements ! Tu t'aventures sur une pente bien glissante, Francisco, mais ce n'est pas moi qui t'en empêcherai. J'ai toujours eu un faible pour les âmes aventureuses. Et puis, je l'avoue, tu tombes pile. L'ennui me ronge. Les gens se laissent tenter trop facilement de nos jours. J'ai besoin d'un défi. Je ferai donc un bout de chemin avec toi. Nous verrons ce qui en ressortira. Mais prends garde, si ma patience a des limites, ce n'est pas le cas de ma fureur.

Abduldarek n'avait émis aucun son depuis le repas dont Brent avait fait ses délices. La magie ne devait plus avoir de secrets pour le zordomm, puisqu'il pouvait à sa guise faire repousser des doigts et apparaître de la nourriture. Maître Cornufle lui-même en était incapable. Fameux magicien, mais piètre interlocuteur. L'homme-lézard le fixait de ses petits yeux, muet, immobile, le mouchoir sur la tête, comme s'il attendait une révélation.

Brent se leva. Le soleil avait beau luire, il avait perdu le goût du naturisme le jour où les Red Caps avaient lardé son épiderme de coups de pique après l'avoir capturé, durant son premier séjour sur Nayr. Il préférait se vêtir et supporter la chaleur.

— Où sont mes vêtements ? demanda-t-il sans trop espérer une réponse.

Il ne les voyait nulle part. Qu'en avait fait le lézard ?

— Un guerrier doit savoir vaincre son ennemi à mains nues.

Brent sursauta. Il ne s'habituait pas à cette voix qui sortait de nulle part pour résonner dans sa tête.

— Ça ne me dérange pas que mes mains soient nues, grommela-t-il. C'est le reste que je veux couvrir.

— Ce que tu cherches se trouve dans la caverne.

Un tour d'horizon lui permit de découvrir l'anfractuosité qui perçait la paroi de grès. Il se dirigea vers elle en sautillant sur les cailloux rendus brûlants par le soleil. Pourquoi le zordomm avait-il rangé ses vêtements à cet endroit ? À quoi cela rimait-il ? Et cette histoire de guerrier ? Où voulait-il en venir ? Il avait peut-être affaire à un fou, tout compte fait. Un fou homicide. Mieux valait rester sur ses gardes.

Brent examina l'entrée de la grotte avec circonspection. Des tas de saletés pouvaient se cacher là-dedans. La dernière fois, dans les collines du Levant, il s'agissait d'une aragne. La perspective de se retrouver à poil face à une de ces immenses araignées lui donna la chair de poule. Il rebroussa chemin afin de réfléchir à la question.

— Tu renonces ? demanda la voix quand il se fut rassis sous le palmier.

— Il fait trop chaud, grogna-t-il. Je m'habillerai plus tard.

— À ton aise.

Abduldarek se tut.

Une heure, puis deux, passèrent dans un silence complet. Malgré l'ombre, le soleil cuisait. La caillasse réverbérait une bonne partie des ultraviolets. Ses épaules, ses bras, ses cuisses prirent vite une teinte qui rappelait dangereusement celle du homard cuit au court-bouillon. Son épiderme était moins coriace que celui d'un reptile. S'il ne remédiait pas à la situation, il risquait l'insolation.

Brent se tapa soudain le front. Le sort de déplacement instantané ! Il l'avait totalement oublié. Sur Terre, la magie ne fonctionnait pas, mais ici ? Il se remémora ce que lui avait appris maître Cornufle, répétant mentalement le tout plusieurs fois. S'il ne voulait pas mourir électrocuté par la foudre, il avait intérêt à faire gaffe. La formule était longue et devait être prononcée d'une traite. La possibilité de quitter cet endroit abrutissant et d'arriver à Tombelor sans traverser le désert et la Ceinture d'Éole lui donna le courage nécessaire pour retourner à la caverne chercher ses vêtements.

Le tas d'étoffe se trouvait à quelques dizaines de mètres de l'entrée. L'atteindre ne prendrait qu'une minute. Que pouvait-il arriver en si peu de temps ?

Cinq minutes s'écoulèrent tout de même avant qu'il ne se décide. Son petit doigt lui disait qu'Abduldarek n'avait pas déposé ses frusques là uniquement pour s'amuser à ses dépens. Une idée lui trottait dans la tête. Puis, Brent se fit la réflexion qu'il devenait parano. Le zordomm avait sauvé sa vie. Pourquoi la mettrait-il en danger maintenant ? Qui avait dit : « La seule chose à craindre est la peur elle-même » ? Il prit donc une grande inspiration et pénétra dans la grotte.

Arriver aux vêtements ne posa aucune difficulté. Il récupéra caleçon, jeans et tee-shirt, laissant de côté le chandail, l'écharpe, la tuque et le parka. L'opération ne prit que quelques instants.

Juste assez pour que la clarté venant de l'entrée disparaisse et qu'il se retrouve plongé dans le noir.

Avec Satan pour allié, passer de la Terre à Nayr s'avéra un jeu d'enfant. Monseigneur Da Hora et Lucifer se matérialisèrent dans la salle du trône de Castelmuir, sous les yeux éberlués des hommes qui y montaient la garde. Ceux-ci ne tardèrent pas à réagir. La magie ne les effrayait pas, elle avait toujours fait partie de leur vie. Et puis, ils ne voyaient devant eux qu'un vieux moine chauve et bedonnant, pas le Grand Commandeur des légions infernales.

— Je les incinère ? interrogea Lucifer, impavide.

— Laisse, ces gens nous épargneront de chercher à qui nous adresser.

Monseigneur Da Hora apaisa les gardes de la main.

— Il n'y a aucun danger. Nous ne vous voulons aucun mal.

— Qui êtes-vous ? demanda celui qui semblait être le chef. D'où venez-vous ?

— De très loin. Le prince Vorodine, de Syatogor, me connaît. Nous aimerions lui parler.

— Merde !

Malgré la sensation de papier sablé du tissu sur ses coups de soleil, Brent enfila ses vêtements en vitesse. Quel idiot il faisait ! Il aurait dû se méfier davantage. Rien de bon ne pouvait émerger d'un être à moitié reptile. Il plongea ses pieds nus directement dans ses bottes. Au moins ne sentirait-il plus la coupure des pierres qui jonchaient le sol.

L'obscurité était totale. Il avait beau plisser les yeux, il ne voyait strictement rien. Il aurait été incapable de dire de quel côté il était arrivé.

— Merde ! Merde ! Merde !

— Avance.

La voix du zordomm venait d'éclater dans sa tête. Abduldarek – Dieu seul savait comment – le surveillait à distance. En un sens, cela le rassura. Cependant, les intentions de l'homme-lézard étaient pour le moins équivoques.

— Avancer où ? Je ne vois rien.

— Avance.

Brent jura mentalement sans se soucier du fait qu'Abduldarek l'entende ou non. C'était quoi, ce jeu ? Colin-maillard ?

— Encore.

Il fit le deuxième pas avec plus d'assurance.

— À droite maintenant.

Le zordomm avait un plan. Restait à savoir lequel.

— Bien. À présent, ne bouge plus, quoi qu'il advienne. Un guerrier ne cède pas à la panique.

« Un guerrier ne cède pas à la panique » ! Qu'est-ce que c'était que ces conneries ? Brent déglutit bruyamment, cherchant à maîtriser l'angoisse qu'il sentait grandir en lui.

Subitement, quelque chose remua dans le noir. Des cailloux roulèrent. Il y eut des frottements aussi. Puis trois points rouges brillèrent. Des yeux, auxquels s'en ajoutèrent bientôt six autres. Brent sentit les poils se hérisser sur sa nuque. Combien d'yeux avait une araignée ? Huit ou neuf ? Il n'avait jamais été très calé en biologie.

Le bruit et les yeux se rapprochaient, accompagnés d'une puissante odeur de musc qui le prit à la gorge. De nouveaux sons s'ajoutèrent aux premiers : grattements, claquements, crissements. Un pelage le frôla.

— Abduldarek, bordel, qu'est-ce que je fais, là ? hurla-t-il sous son crâne.

S'il y avait eu de la lumière, il aurait pris ses jambes à son cou.

Comme en réponse à son souhait muet, le plafond de la caverne s'éclaira faiblement. La luminescence s'étendit rapidement aux parois et au sol, baignant tout d'un éclat verdâtre, irréel. Brent découvrit enfin ce qui l'avait frôlé.

Par sa taille, le rat dépassait deux fois la sienne. En dépit de sa ressemblance avec le rongeur terrestre, de sérieuses différences l'en distinguaient, à commencer par ses trois têtes et le trio d'yeux rouges que portait chacune d'elles.

Brent évalua rapidement la situation. L'entrée de la caverne demeurait invisible, cependant les cachettes ne manquaient pas. Il repéra une anfractuosité assez spacieuse pour qu'il s'y glisse sans que le rat l'y suive. Il allait s'élancer quand la voix d'Abduldarek se fit entendre de nouveau.

— Tu as bien réfléchi à ce que tu vas faire ?

Brent s'arrêta.

— Il n'y a rien à réfléchir. Si je reste là, je vais me faire bouffer.

— Tu as regardé, mais as-tu ouvert les yeux ?

Brent se força au calme. Le lézard jouait avec ses nerfs. Néanmoins, il retint la suggestion. Une trop grande précipitation n'était peut-être pas indiquée.

Maîtrisant son angoisse, il se rendit compte que, malgré ses neuf yeux, l'animal avançait à l'aveuglette. Il furetait à gauche et à droite, truffe au ras du sol ou humant l'air, agitant parfois la mâchoire comme pour happer quelque chose qui flottait dans l'air. Son odorat ne devait pas être très développé non plus, sans quoi la bête l'aurait déjà repéré. À moins que l'odeur d'un humain lui fût étrangère et que le monstre ne pût l'identifier.

La sueur inondait son front. Quand Brent voulut l'éponger, le rat fit volte-face, stoppant sa main à mi-course. Les neuf yeux dardèrent sur lui un regard mauvais. Le monstre avait peut-être la vue d'une taupe, mais il détectait les mouvements avec la précision d'un radar.

Ne plus bouger.

Il respira le moins possible. Levé en l'air, son bras commençait à s'engourdir et une crampe terrible lui vrillait le mollet lorsque le rat se décida enfin à tourner ses têtes vers un insecte qui rampait sur le sol. Brent profita du répit pour baisser le bras, ce qui ramena les yeux du rat aussitôt vers lui. Avec ses têtes qui pivotaient indépendamment dans tous les sens, c'était comme jouer à « un, deux, trois, soleil » avec un système de détection antimissiles. Le champ de vision de la bête devait friser les trois cent soixante degrés.

Brent n'allait quand même pas faire le pied de grue indéfiniment.

Le rat tricéphale revint dans sa direction. L'odeur qui en émanait était suffocante.

Une stratégie commença à prendre forme dans l'esprit de Brent. Risquée mais réalisable, pourvu que le monstre passât assez près et qu'il eût le courage suicidaire de la mettre à exécution.

Quand le rongeur arriva à sa portée, Brent cessa de réfléchir aux conséquences éventuelles de son geste et sauta sur le dos de la bête, s'agrippant aux poils jaunes, raides et poisseux.

La réaction ne se fit pas attendre. Le rat couina et rua pour se débarrasser de son cavalier. Brent tint bon. Le pelage était dégoûtant – jamais cet animal ne devait s'être lavé de sa vie – mais au moins la prise était solide. Il remonta l'échine de sa monture, arrachant une touffe par-ci par-là, jusqu'à atteindre, sur la nuque, un espace situé entre les têtes.

À présent, l'animal était comme atteint de folie. Il se jeta contre la paroi dans l'espoir d'écraser celui qui le chevauchait et faillit bien réussir. Brent affermit sa prise. Les têtes se tortillaient tels des vers afin de le happer de leurs longues dents jaunes, mais il restait hors de portée.

La deuxième fois que la bête se précipita contre le mur de la caverne, l'épaule et la hanche de Brent heurtèrent violemment le roc, ce qui lui causa une vive souffrance. Encore un coup comme celui-là et il était cuit. Il devait agir.

Brent attrapa le cou le plus proche et serra aussi fort qu'il le put. La tête se mit bientôt à balloter mollement tandis que les yeux viraient du rouge au rose terne. Il ne la lâcha que quand il fut certain qu'elle était morte, puis s'attaqua à la suivante. Les cavalcades du rat perdaient de la vigueur. La deuxième tête passa de vie à trépas. L'animal soufflait tel un catarrheux. Brent ne s'en plaignit pas. Le rodéo l'avait épuisé lui aussi. Le cou plus puissant de la tête centrale l'empêchait toutefois d'achever la bête en l'étranglant. Il devrait trouver autre chose.

Peu après, le monstre s'affala, à bout de souffle, et ne bougea plus. Brent attendit patiemment sur son dos – on ne savait jamais –, mais comme le rongeur restait coi, il finit par descendre de son perchoir. Prudent, il contourna la masse puante par l'arrière.

La faible luminosité lui permettait de s'orienter. Où diable était l'entrée de la caverne ? Un appel muet à Abduldarek demeura sans réponse. Brent ne put s'empêcher de traiter le zordomm de tous les noms, même en sachant que celui-ci épiait sûrement ses pensées.

Les murs rocheux étaient tous identiques. Par quel sortilège ? Il était entré, il devait bien y avoir moyen de sortir !

Un bruit le fit se retourner.

Le rat avait récupéré et fonçait sur lui. Il suffisait de le voir pour deviner qu'il avait décidé d'en finir. Quel idiot il était ! Il aurait dû le tuer sans attendre.

— Merde !

Il chercha désespérément un endroit où se cacher, mais le monstre l'atteignit avant qu'il se fût mis à l'abri. Une terrible douleur le traversa quand les incisives se plantèrent dans son épaule. Brent cogna le museau du poing jusqu'à ce que l'animal lâche prise, puis roula sur le sol. Sa chair était labourée jusqu'à l'os. Seule l'adrénaline que charriaient ses veines l'empêcha de tomber dans les pommes. Le rat revenait à la charge.

Il devait s'en débarrasser avant d'avoir trop perdu de sang, sinon il s'évanouirait et servirait de pâtée à la bête.

Animé par l'énergie du désespoir, Brent s'arc-bouta contre une stalagmite. Fragile, la pierre ne résista pas à la pression, si bien que le jeune homme se retrouva avec un pieu dans les mains. Il se retourna au moment où le rat bondissait sur lui ; l'animal s'empala sur la pointe.

Le choc fut si rude que la base de la stalagmite enfonça la poitrine de Brent, envoyant ses côtes perforer ses poumons.

Il émit un râle et rendit son dernier souffle.

VII. MIEUX VAUT PEU
QUE RIEN DU TOUT

— C'est au seigneur Vorodine que je veux parler.

— Le prince-dragon n'est pas là. Durant son absence, Syatogor est sous mon commandement. À moins que vous ne songiez à Vorodine père, auquel cas je vous souhaite bien du courage. Il n'a pas prononcé une parole sensée depuis le suicide de son épouse, il y a de cela une vingtaine d'années.

La chevauchée de Castelmuir à Syatogor n'avait pas été particulièrement agréable. Un air glacial chargé d'embruns soufflait en permanence de la mer voisine ; au sol, le givre rendait la progression difficile pour les chevaux, dont les sabots glissaient constamment sur les cailloux patinés de glace ; les soldats qui les escortaient n'étaient de toute évidence pas enchantés de sortir dans cette température et, bien que monseigneur Da Hora l'eût enjoint de se faire discret, Lucifer n'avait cessé d'entonner à tue-tête des chansons paillardes tout le long du chemin.

Pourtant, le pire restait à venir.

Arrivés au château, ils avaient été accueillis par un certain Zoltan Boralf qui, après avoir écouté ces hommes, les avait jetés au cachot sans explications.

On les avait laissés croupir la nuit entière dans une geôle au sol couvert de paille moisie dans laquelle proliférait une multitude d'insectes plus répugnants les uns que les autres.

Monseigneur Da Hora eut fort à faire pour convaincre Lucifer de ne pas raser le château et ses habitants par le feu.

— Usez donc plutôt de vos pouvoirs pour trouver Brent, déclara le prélat.

— Il n'est pas ici ou quelque chose m'empêche de le localiser, répondit Lucifer après s'être exécuté. Si nous partions ? Je pourrais vous emmener dans un coin où l'on nous traitera avec plus d'égards.

Monseigneur Da Hora rejeta la proposition.

— Patientons jusqu'à demain ; nous n'en mourrons pas, et vous pouvez certainement agrémenter notre séjour d'une manière quelconque.

Lucifer y consentit en grommelant son mécontentement. Ce soir-là, à l'insu des habitants du château, ils dînèrent donc d'un somptueux repas, digne d'un quatre étoiles.

Zoltan Boralf revint les voir le lendemain.

— Est-ce ainsi qu'on applique les lois de l'hospitalité chez les Vorodine ? attaqua d'emblée monseigneur Da Hora. En mettant les étrangers en prison sans autre forme de procès ?

— Quand de mauvaises intentions les animent, oui.

— Qui vous dit que c'est le cas ?

Zoltan jaugea les deux hommes. Le nimbe de Da Hora rappelait celui de la sorcière blonde dont le jeune Ylian s'était entiché. Il venait donc du même monde qu'elle et, de ce fait, devait être considéré comme dangereux. La situation de son acolyte était plus énigmatique. Quoique sa physionomie de petit homme rondouillard ne parût pas menaçante, l'étrangeté de son nimbe commandait la méfiance. D'un noir absolu, celui-ci semblait avaler la lumière au lieu d'en émettre. Zoltan n'aimait pas cela. Malheureusement, s'il avait appris à discerner le halo lumineux entourant tous les êtres doués de raison lors de ses études avortées de mage, il ne savait en interpréter le sens. Pour sa part, il aurait précipité sur-le-champ les étrangers du haut de la falaise et on n'en aurait plus jamais entendu parler, mais il se fit la réflexion que William de Norfolk pourrait trouver quelque utilité à s'entretenir avec eux.

Il remit donc leur sort à plus tard et décida de signaler sans attendre la situation au seigneur de Bairdenne.

Brent porta la main à son cœur.

Qu'il battît encore suffit à le rassurer qu'il n'était pas mort. La douleur de ses côtes se brisant et crevant ses poumons sous le choc du rat tricéphale qui s'empalait sur la stalagmite était encore toute fraîche dans son esprit.

Pourtant il vivait. Il portait aussi ses jeans et un tee-shirt.

Se dressant sur son séant, il découvrit qu'il était revenu au pied du palmier. Avait-il rêvé ce qui s'était passé dans la caverne ? Le zordomm n'avait pas bougé. Toujours assis en tailleur sur ses jambes trapues, il fixait Brent de ses minuscules yeux de reptile.

Brent lança un « Hou-hou ! Vous êtes là ? » muet. La réponse ne tarda guère.

— Tu as défait ton ennemi avec ton seul courage. Tu as réussi à surmonter ta peur et fait preuve d'ingéniosité. À présent que tu sais ce dont tu es capable, il te faut affiner tes talents. Je vais te remettre une arme avec laquelle tu pourras te défendre contre ton prochain adversaire.

— Bon, écoutez, fit Brent à haute voix, je vous suis reconnaissant de voir ainsi à mon « éducation », mais je n'ai vraiment pas le temps pour ça présentement. Je suis pressé. Je dois retrouver quelqu'un, c'est important.

— À ta guise.

Brent poussa un soupir de soulagement. Il craignait que le zordomm s'oppose à son départ. Maintenant qu'il avait retrouvé ses vêtements, rien ne l'empêchait de rentrer à

Tombelor. Il se leva donc, tendit les bras en entonnoir pour y canaliser l'énergie du ciel ainsi que maître Cornufle le lui avait appris et commença à débiter la formule du sort de déplacement instantané.

Les nuages qui auraient dû s'amonceler au-dessus de lui juste avant qu'un éclair le transporte à l'endroit de son choix ne se matérialisèrent pas. S'était-il trompé ? Il récita la formule de nouveau en prêtant une grande attention à ses paroles et à ses gestes, sans résultat. Le sort ne fonctionnait pas. C'est alors qu'un doute lui vint. Abduldarek y était-il pour quelque chose ?

— La magie n'opère pas en ces lieux, expliqua la voix dans sa tête. Pour que ton incantation fonctionne, tu devras d'abord sortir du Dédale.

— Ah bon ! Eh bien, dans ce cas, merci pour tout et à la revoyure.

— Emporte au moins l'arme. Qui sait ce qui peut arriver en chemin ?

— Où est-elle ?

— À tes pieds.

Baissant les yeux, Brent vit une branchette.

— Ça !? Vous voulez rire ? ricana-t-il en la ramassant. On ne tuerait pas une mouche avec.

— Qui parle d'une mouche ?

Brent haussa les épaules sans oser jeter le bout de bois. Il ne voulait pas froisser le zordomm. Il s'en débarrasserait plus tard.

Puisque la direction à prendre importait peu dans le labyrinthe au tracé flou, Brent emprunta le premier défilé devant lui. La seule manière de trouver la sortie consistait à ne pas la chercher. Il arpenterait donc les gorges en laissant le hasard guider ses pas.

Brent jeta la branchette dès qu'il fut hors de vue, mais un doute l'assaillit, si bien qu'il rebroussa chemin pour la récupérer avant d'atteindre le canyon suivant. La baguette n'était pas très encombrante et rien ne disait qu'elle n'avait pas des vertus insoupçonnées. Brent l'enfonça donc dans la poche arrière de son pantalon en grommelant contre tous ces magiciens à la noix et repartit.

Les heures s'écoulèrent, interminables. Marcher dans cette succession de corridors au sol caillouteux, où régnait une chaleur de four, était un vrai calvaire. S'il n'y était déjà venu avec maître Cornufle, il aurait douté qu'on pût en sortir. Difficile aussi de deviner avec précision le moment de la journée. À cause de leur hauteur, les parois occultaient presque constamment le soleil, sauf lorsqu'il était à son zénith. Quand il fut à bout de force, Brent décida de faire une pause. Grâce aux rudiments d'herboristerie que lui avait inculqués maître Cornufle, il n'avait heureusement pas besoin de transbahuter eau et nourriture. Il suffisait de chercher autour de lui et il trouvait toujours quelque plante dont les feuilles, les graines ou les racines le sustentaient ou le désaltéraient. Malgré cela, Brent espérait qu'il n'aurait pas à déambuler trop longtemps dans cet endroit hallucinant. Il lui tardait d'arriver à Tombelor pour avoir des nouvelles de Judith.

Cette pensée l'incita à reprendre la route en dépit de la fatigue. Ce n'était pas en restant assis qu'il accomplirait quoi que ce fût. Il emprunta un autre défilé en espérant que celui-là serait le bon.

Il avait parcouru la moitié de la gorge quand une sourde appréhension s'empara de lui. Ce canyon était différent. Plus étroit ou alors plus haut et très long. Un vrai traquenard. Le malaise s'accentua quand il entendit des cailloux rouler dans son dos. On le suivait.

— Qui va là ? cria-t-il en regardant derrière lui.

Nul ne répondit et il ne vit personne. Tout en se morigénant pour avoir réagi de la sorte, il ne put s'empêcher de porter la main à sa poche pour s'assurer que la baguette s'y trouvait toujours. L'en sortant, il l'examina de plus près. C'était une branche toute bête, comme il en existait des centaines de milliers. Comment un truc pareil pouvait-il servir d'arme?

Il n'eut pas le loisir d'y réfléchir davantage.

Une galopade le fit se retourner.

Un énorme canidé à six pattes accourait à vive allure. L'animal bondit tous crocs dehors pour le saisir à la gorge. Instinctivement, Brent se laissa choir sur le dos en relevant les jambes. Ses pieds heurtèrent le poitrail de la bête qu'il envoya bouler quelques mètres plus loin d'une puissante détente. Le fauve, surpris par cette feinte d'une proie qu'il croyait sans défense, rata partiellement son atterrissage, ainsi que le prouva le glapissement de douleur qu'il émit en heurtant le sol.

L'animal n'apprécia pas. Pour le montrer, il fit volte-face en grondant. C'était un loup, et de belle taille. Comme celui qui avait défrayé la chronique au Gévaudan, au dix-huitième siècle.

Brent sentit la peur lui touiller le ventre. Se battre contre un rat aveugle et poussif passait encore, mais affronter un loup à six pattes de la taille d'un poney... La bête retroussa ses babines de carnassier, dévoilant une dentition capable de broyer son content d'os.

Sans mesurer le ridicule du geste, Brent la menaça de la branchette.

— Att... Attention, bredouilla-t-il. Je suis armé.

Le loup ne parut pas impressionné. Il continua d'avancer, la bave dégoulinant de sa gueule, les poils du dos hérissés. À chaque pas, Brent reculait d'autant. Puis, l'animal s'arrêta et se ramassa sur lui-même.

Cette fois, Brent détala.

Il courut à perdre haleine jusqu'à la paroi la plus proche. Son seul espoir était de trouver une cachette. Il bifurqua à plusieurs reprises pour dérouter son poursuivant. Un rocher surgit devant lui. S'il arrivait à grimper dessus, au moins aurait-il l'avantage de la situation.

Les pattes qui s'abattirent sur ses épaules mirent abruptement fin à ses projets. Sa figure heurta le sol. Du sang gicla de son nez quand les cartilages cédèrent sous le choc. Animé par l'énergie du désespoir, Brent réussit pourtant à se retourner. Il découvrit la gueule béante du loup à quinze centimètres à peine de lui, prête à l'égorger. Deux secondes de plus et il passerait de vie à trépas. Brent ferma les yeux et leva la main pour se protéger, recommandant son âme à qui voudrait bien la prendre.

Mais la mort ne vint pas.

Il n'y eut qu'un couinement.

Brent rouvrit les yeux.

Jamais il n'avait lâché la baguette. C'était sur elle que les mâchoires du monstre s'étaient refermées quand il avait tendu le bras. Le bois s'était cassé en pointe et chaque extrémité s'était fichée profondément, la première dans le palais, la seconde dans le maxillaire, privant la bête de son arme principale.

La partie n'était cependant pas gagnée pour autant.

De ses pattes, le loup s'efforçait de se débarrasser du bout de bois qui transperçait sa gueule. Deux options s'offraient devant Brent : en profiter pour décamper en espérant que l'animal ne le rattrape pas pour le transformer en charpie une fois délivré ou faire front. La première solution n'était qu'un leurre : l'issue fatale ne s'en trouverait que retardée. Non, pour assurer sa sécurité, il devait tuer le loup. Son unique chance consistait à exploiter son avantage actuel.

Le cœur battant la chamade, il s'élança vers la bête.

Le loup ne savait plus où donner de la tête. D'abord, il y avait cet éperon trop bien fiché pour qu'il le brise et maintenant, sa proie qui lui tombait dessus. Brent ne lui laissa pas le temps de réfléchir. La manœuvre était risquée, mais il n'en voyait pas d'autre. Saisissant une mâchoire dans chaque main, il exerça une violente traction pour les écarter. Le bâton s'extirpa des chairs et chuta au sol. Le loup voulut refermer la gueule sur les doigts qui venaient de le libérer, cependant il avait perdu des forces. Brent tint bon malgré les crocs qui déchiraient ses paumes. C'était un bras de fer étrange qui avait pour enjeu la vie d'un des adversaires. De crainte que le loup ne reprenne le dessus, Brent concentra toute l'énergie qui lui restait dans ses mains. Un craquement sinistre se fit entendre quand l'articulation céda. Il y eut un couinement et le loup s'affala par terre, pantelant, la gueule brisée. Queue entre les pattes, il gémissait lamentablement, en proie à une vive souffrance. Brent aurait pu s'en aller sans crainte à présent, toutefois la bête lui faisait pitié. Il voulut saisir une lourde pierre pour l'achever, mais, ce faisant, il trébucha et tomba tête première contre un silex dont la pointe lui traversa l'œil droit, l'envoyant sur-le-champ *ad patres*.

VIII. CE SONT AMOURS QUE VENT EMPORTE

Après s'être entretenu avec les prisonniers, Zoltan gagna l'officine de maître Olonthe, à qui il demanda d'user d'un de ses charmes pour le mettre en contact avec le seigneur de Bairdenne. Ce dernier compulsait des papiers dans la pièce qui lui tenait lieu de bureau. En voyant l'image de Zoltan se matérialiser devant lui, il interrompit son travail.

— Zoltan ! Il y a du neuf ?

Le commandeur de Syatogor secoua la tête.

— Toujours aucune nouvelle.

— Et le mur ?

— Rien de changé non plus. Mes hommes continuent de monter la garde. Mon appel a un tout autre motif.

William de Norfolk fronça les sourcils, qu'il avait broussailleux. La mimique conféra encore plus de gravité à sa mine déjà rébarbative. Le prince-dragon détestait qu'on le dérange pour des vétilles et ne voyait en Zoltan qu'un balourd tout juste bon à exécuter des ordres.

— Qu'y a-t-il ?

— Nous avons capturé les amis de la sorcière.

William sourit. Zoltan avait pris en grippe cette soi-disant « Main-de-Suie » dès son arrivée, mais plus encore depuis qu'Ylian s'en était énamouré. William se doutait pourquoi : si Judith donnait une progéniture au dernier des Vorodine, ses espoirs de devenir le maître attitré de Syatogor s'envoleraient en fumée.

Zoltan poursuivit.

— Ils sont arrivés à Castelmuir de la même manière que la sorcière. Si vous le désirez, je peux les soumettre à la question et vous en débarrasser dès qu'ils nous auront appris ce qui nous intéresse.

C'eût été la solution la plus simple. Pourtant, William la rejeta.

— Votre empressement à mettre le royaume à l'abri de tout mal est plus que louable, Zoltan, cependant, la pondération aussi a ses vertus. Rien ne dit que les étrangers ne pourraient nous être utiles. Que vous les gardiez à l'œil pour l'instant, soit, mais traitez-les avec un minimum d'égards. La reconstruction de Tombelor va bon train. Ma présence n'y est plus tellement nécessaire. Je vous rejoindrai bientôt à Syatogor. Un peu d'air marin me fera du bien. J'en profiterai pour interroger vos « invités ». Il sera temps alors de voir comment il convient de les soigner.

Brent sut qu'il était de retour à l'oasis sans même avoir à ouvrir les yeux. Un vent léger rafraîchissait l'air et il entendait frémir la frondaison des palmiers.

Bien que crevé, son œil voyait parfaitement et, des crocs qui s'y étaient plantés, ses paumes ne gardaient aucune trace. À peine une nuée de taches rose pâle. Sur sa poitrine, la cicatrice du pieu qui l'avait défoncée avait disparu et son nez n'était plus cassé. Par deux fois Brent avait failli mourir et par deux fois Abduldarek lui avait rendu la vie.

Le zordomm était toujours assis à sa place, imperturbable.

C'était à se demander s'il mangeait, buvait ou satisfaisait les autres besoins normaux de son organisme.

— J'urine et défèque comme toi, déclara la voix désormais familière dans son crâne. Mon rythme biologique est seulement beaucoup plus lent. Une fois par mois me suffit.

— C'est vous qui m'avez ramené ? Vous m'avez soigné ?

Le lézard éluda la question.

— Je te félicite. Tu t'en es bien tiré. Je savais que je pouvais compter sur toi.

Même s'il lui était reconnaissant de l'avoir remis sur pied, Brent n'avait rien à cirer des encouragements du zordomm. Combien de temps s'était-il écoulé depuis son arrivée dans le Dédale. Des jours ? Des semaines ? Des mois ? Il se sentait manipulé et cela l'horripilait. Tout ce qu'il voulait, c'était sortir de ce fichu labyrinthe et partir à la recherche de Judith.

— Avant, il te reste une épreuve, poursuivit la voix.

— Bon sang ! ça ne finira donc jamais, se lamenta-t-il. Avec quoi devrai-je me battre cette fois ? Un lance-pierres ?

— Tu as vaincu avec tes mains nues, tu as vaincu avec une arme ; à présent, il te faut vaincre avec ton esprit.

— Ah oui ! Et comment est-ce que je vais faire ça ?

Le silence fut sa seule réponse.

Brent soupira. Quelles étaient ses options ? Repartir. Il n'en voyait pas d'autre.

Il n'avait pas accompli cent pas dans un nouveau défilé qu'il obtint confirmation que sa décision était la bonne : l'épée qu'il avait abandonnée à l'entrée du Dédale lorsqu'il y était venu avec maître Cornufle pour la première fois était fichée au beau milieu du chemin. Il s'en saisit et fendit l'air à quelques reprises. Son maniement lui revenait aisément. En fin de compte, les leçons de Gromph n'avaient pas été vaines.

Bien que l'arme lui donnât de l'assurance, sa présence en ces lieux laissait entrevoir une perspective plus sinistre : quelqu'un l'avait placée là dans un but et il devinait parfaitement qui.

Devant lui l'attendait une menace autrement plus dangereuse qu'un rat tricéphale ou un loup sextupède. Il n'aimait pas cela. Pas du tout, même. Il en avait plus qu'assez d'Abduldarek et de ses jeux pervers. Tout sage qu'il était, si Brent avait le malheur de le revoir, il lui dirait ses quatre vérités.

Brent avançait avec circonspection, redoublant de prudence, l'œil aux aguets et la peur aux tripes, quand il s'arrêta net.

— Judith !?

Elle se tenait un peu plus loin, fidèle à l'image qu'il avait gardée d'elle quand Jolanthe avait révélé à tout le monde qu'ils avaient couché ensemble, convainquant Judith de rester sur Nayr avec le bel Ylian Vorodine.

— Qu'est-ce que tu fabriques là ?

— Ce serait plutôt à moi de te poser la question. Pourquoi es-tu revenu ? Pour semer la zizanie ? Je t'ai dit que je ne voulais plus te voir. Je ne t'aime plus. Tu n'as pas compris ? C'est Ylian qui est dans ma vie à présent. Retourne d'où tu viens. Je ne veux plus jamais te revoir.

— Mais…

— Il n'y a pas de mais qui tienne. File. Décampe. Sinon…

Elle le menaça d'une épée. Jusque là, Brent ne l'avait pas remarquée, car Judith la tenait cachée derrière elle, dans sa main gantée, celle qui n'était plus qu'un horrible amas de chairs carbonisées, revenues à la vie par un sortilège.

Judith fit un pas dans sa direction, en brandissant son arme.

— Depuis quand ?…

— Ylian m'a donné des leçons et il est autrement meilleur professeur que cet abruti de troll qui t'a entraîné. Va-t-en. Tu n'as aucune chance.

Brent recula malgré lui. Il n'avait jamais vu Judith dans cet état. À croire qu'elle avait mangé de la vache enragée.

— Tu ne vas pas… On ne va quand même pas se…

— Déguerpis. Je ne le répéterai pas une troisième fois. C'est ta dernière chance. Fiche le camp avant qu'il soit trop tard.

Brent leva son épée sans conviction tout en battant lentement en retraite.

— Écoute, je comprends que tu sois en colère, que tu m'en veuilles et tout ça, mais tu pourrais me laisser t'expliquer… Avant, quand on se disputait, tu répétais tout le temps qu'il valait mieux…

Clangggg !

La lame de Judith heurta si fort la sienne que la secousse envoya une vibration jusqu'à son épaule, lui arrachant un cri de surprise.

— Hé ! doucement. Ces machins-là ne sont pas des jouets.

Clangggg !

— Mais tu es complètement folle !

— Fiche le camp ou défends-toi.

— Me battre contre toi ? Jamais je ne pourrais…

— Dans ce cas, dis tes prières.

Clangggg !

Il para le coup de justesse. Pas assez cependant pour éviter que la lame ne lui entaille le gras du bras. Le sang gicla.

— Bordel ! jura-t-il en prenant de la distance. Mais arrête ! Qu'est-ce qui te prend ? Tu aurais pu me tuer !

— C'est bien mon intention.

Brent ne la reconnaissait plus. Judith était transfigurée. Une vraie furie : dure, froide, impitoyable. Et manifestement aguerrie. Aucun doute, s'il voulait rester en vie, il devrait se battre. Cependant, il ne pouvait s'y résoudre. Et s'il la blessait ?

Judith ne partageait manifestement pas les mêmes réticences. Elle avançait toujours froidement, le regard meurtrier, déterminée à en finir. Brent opta pour l'alternative : lui tournant le dos, il détala comme un lapin.

Il l'entendit s'élancer à sa poursuite.

Courir sur ce terrain parsemé de cailloux n'était pas de la tarte. Les pierres roulaient constamment sous ses pieds, risquant de lui faire perdre l'équilibre à chaque pas. Il risqua un œil derrière lui. Plus légère et plus agile, Judith gagnait du terrain. Brent mit plus d'énergie dans ses jarrets sans se faire trop d'illusions. Jamais encore il n'avait réussi à la battre à la course. Apparemment, il ne commencerait pas aujourd'hui.

Il trébucha et se sentit partir en vol plané. L'atterrissage fut plutôt rude. Le bras qu'avait amoché Judith le fut plus encore par la chute. Brent se releva d'un bond et eut à peine le temps de parer le coup qu'elle lui assenait. Cette fois, plus d'échappatoire possible. Le mieux qu'il pouvait espérer était de la désarmer sans trop la malmener.

Il se rendit vite compte qu'il n'y parviendrait pas. Effectivement, Ylian avait bien entraîné son élève. Judith se battait tel un lion et ne montrait aucun signe de fatigue. En revanche, lui n'en menait pas large. Il allait devoir réviser sa tactique et passer à l'attaque. Brent esquiva encore deux coups avant de trouver une ouverture. D'une attaque fulgurante, il perça la défense de Judith et la toucha à l'épaule. Celle-ci rompit, laissant échapper un cri. Son pourpoint rougit à l'endroit où la lame avait entaillé la chair. Brent en fut si navré qu'il baissa sa garde.

— Excuse-moi, fit-il. Je ne voulais pas, mais tu ne m'as pas vraiment laissé le choix.

— Garde tes sentiments pour toi ! explosa-t-elle en l'attaquant derechef.

Brent ne s'attendait pas à cette réaction. L'épée le toucha de nouveau, cette fois au côté gauche, pénétrant son flanc de plusieurs centimètres. Judith retira sa lame aussitôt pour la lever très haut afin d'assener le coup de grâce. Mais Brent s'était déjà fendu. Son épée perça les côtes de la jeune femme. Judith laissa choir la sienne, qui heurta le sol avec un bruit de ferraille. Un hoquet fit mousser un liquide rose à ses lèvres tandis que son visage prenait rapidement une teinte livide.

Stupéfait des conséquences de son geste, Brent, sans réagir, la regarda ployer les genoux puis s'écrouler. Un torrent de larmes lui étrangla la gorge. Qu'avait-il fait ? Sortant de sa stupeur, il se précipita pour la secourir.

— Pourquoi ? Pourquoi ? balbutiait-il sans cesse.

Les yeux déjà rendus vitreux par l'approche de la mort, Judith le dévisagea en remuant les lèvres. Brent se pencha pour mieux l'entendre. Le souffle lui manquait et sa voix était faible.

— Que dis-tu, mon amour ?

— Crève ! éructa-t-elle dans un rauquement.

Et elle lui planta une dague dans la gorge.

IX. DE L'ART D'ATTRAPER LA MIGRAINE

Le nouveau venu s'appelait William de Norfolk et, depuis une heure, il interrogeait monseigneur Da Hora sur tout et sur rien. Bon juge d'hommes, ce dernier avait immédiatement flairé en lui un orgueilleux et un arriviste. La soif du pouvoir exsudait par tous les pores de sa peau. Ils étaient faits pour s'entendre.

Quand monseigneur Da Hora relata la façon dont il avait été contraint à retourner sur Terre, le seigneur de Bairdenne ne put retenir une moue. Les mages se croyaient tout permis parce qu'ils détenaient le savoir. Impossible d'entreprendre quoi que ce fût sans qu'ils ne s'en mêlassent. Il fallait constamment solliciter leur avis, recourir à leurs services à des tarifs exorbitants. Mais les mages étaient vieux ; ils étaient timorés et ne prenaient aucune décision sans analyser chaque petit élément, ce qui prenait des lustres. Forcément, rien n'avançait. S'il n'avait tenu qu'à lui, il y aurait mis bon ordre depuis longtemps en régissant la pratique du Grand Art et en agréant des mages plus jeunes, plus dociles. Les guildemestres abondaient dans le même sens.

— Permettez à un homme d'expérience de parler, déclara monseigneur Da Hora après ces confidences. Pour changer la Magicature, vous devriez vous y prendre autrement.

William eut un reniflement méprisant. Pour qui cet étranger se prenait-il ? Néanmoins, il l'encouragea à poursuivre. Toute suggestion méritait d'être examinée.

— Et que préconisez-vous ?

— Je suggère de placer à sa tête quelqu'un qui vous serait entièrement dévoué.

— J'y ai songé. Il n'y a personne. Quelques-uns accepteraient peut-être de servir sous mes ordres, mais ce ne sont que des mages de bas étage. Aucun n'a l'étoffe pour diriger la Magicature, même sous mon aile. Il faudrait un mage assez puissant pour commander le respect de ses homologues et assez souple pour déroger à la Règle en se pliant à mes ordres. Je n'en connais pas.

— Moi si.

William le dévisagea d'un air incrédule.

— Qui ?

Monseigneur désigna Lucifer.

— Vous l'avez devant vous.

Quand il revint à lui, Brent se pensa une fois de plus dans l'oasis, sous le regard impavide du zordomm. Certes, Abduldarek était là, mais, contrairement à ce à quoi il s'attendait, Brent n'avait pas bougé d'un poil. Il se trouvait toujours à l'endroit où Judith et lui s'étaient mesurés en combat singulier. De cette dernière ne subsistait aucune trace.

Abduldarek était étendu de tout son long sur le sol. En s'approchant, Brent se rendit compte qu'il était à l'article de la mort. De la profonde plaie qu'il avait au côté sourdait un sang vert et épais.

— Qu'est-il arrivé ? interrogea Brent en soulevant l'homme-lézard afin de le soulager.

— Ce qui le devait, répondit Abduldarek à voix haute. Tu t'es bien défendu. Tu n'as pas laissé les sentiments corrompre ton jugement. Ton esprit t'a montré comment vaincre l'ennemi.

— Quel ennemi ? C'était Judith ! Qu'avez-vous fait d'elle ? Où est son corps ?

— Il n'y a jamais eu de Judith. J'ai puisé son image dans ton esprit.

— Mais alors…

— Tu as compris. J'étais le rat et j'étais le loup.

— Impossible !

— La réalité n'est pas toujours ce qu'elle paraît. Tu dois apprendre à discerner le vrai du faux. Ton œil est paresseux. Il ne voit pas ce qui se cache derrière l'enveloppe des choses, pas plus qu'il ne distingue le temps derrière le temps. Exerce-le et tu y arriveras.

Brent ne comprenait pas un traître mot à ce que racontait Abduldarek. Le « temps derrière le temps » ? Et quoi encore ? Le zordomm délirait.

— Après que j'ai tué le rat et le loup, vous vous portiez très bien. Comment se fait-il que vous soyez si mal en point à présent ?

— Les zordomms ont le cuir coriace. Ils ont aussi plusieurs vies. À moi, il en restait trois. Tu viens de me ravir la dernière.

— C'est idiot ! Pourquoi avoir fait ça ?

— Quand ta vie se décline en siècles, arrive un moment où elle te pèse, et tu en viens à avoir hâte de la voir s'achever. J'étais las d'attendre le moment de passer à un autre plan de l'univers. Maintenant, écoute-moi ; c'est important et les minutes me sont comptées. Reste attentif à ce qui t'entoure. Les messages de l'univers abondent, mais il n'est pas donné à chacun de les recevoir et encore moins de les comprendre. Tu as pris de l'assurance et tu t'es endurci. Dorénavant, tu te méfieras de ce que tes sens te rapportent et agiras avec moins de précipitation. Ce n'est pas énorme, mais c'est un début. La sagesse s'acquiert à petites doses. D'autres croiseront ton chemin et ajouteront à ce que je t'ai appris. Toi aussi, tu m'as aidé, bien que tu l'aies fait à ton insu.

Abduldarek s'affaiblissait de plus en plus. De soupir, sa voix était devenue râle.

— J'ai encore besoin de tes services pour que mon périple dans l'ailleurs se déroule sans encombres, car je demeurerai longtemps prisonnier de ma carcasse si elle ne se désagrège pas.

— Que dois-je faire ?

— Sitôt mon dernier souffle enfui, tu écraseras mon crâne afin que l'esprit qui s'y loge puisse s'en échapper. Normalement, un autre zordomm accomplirait ce rite, mais il n'y en a plus. Je suis le dernier.

— Euh… Bon, si vous y tenez vraiment.

— C'est essentiel. En remerciement, je t'offrirai un cadeau. Après m'avoir ouvert le crâne, tranche la tête ou ce qu'il en reste. Au ras du cou, tu verras un os en forme d'anneau que couvre une membrane. Prends-le et porte-le à ton front. Cet os fait partie de l'appareil qui permet aux zordomms de discerner le temps derrière le temps. Tu ne pourras en faire autant, mais il te sera utile d'une autre manière.

Abduldarek fit une pause, visiblement épuisé. Il n'en avait plus pour longtemps. Son épiderme avait pris une teinte grisâtre et l'éclat de ses yeux se ternissait, annonçant la fin. Peut-être est-ce pour cela qu'il n'éleva plus la voix et reprit son moyen de communication usuel : la télépathie.

— Écoute. Aussi désespérée que semble l'être une situation, rien n'est définitif, car des forces dont nous ne possédons pas l'entendement sont à l'œuvre dans l'univers. De nombreuses embûches jonchent ta route. Plus tu progresseras et plus les épreuves te paraîtront dures, jusqu'à ce qu'enfin arrive l'épreuve ultime. Quand tu croiras que tout est perdu, brise l'os qui vient de ma nuque, tu comprendras et tu trouveras la paix. Garde-toi bien de le faire avant cependant, car c'est la folie alors qui t'emporterait. À présent, je dois partir. Mes ancêtres m'appellent.

— Hé ! Attendez… J'ai des questions à vous poser.

— N'aie crainte. Tu sauras quand le moment sera venu.

La présence quitta l'esprit de Brent tandis que s'éteignait la dernière étincelle de vie dans les prunelles du zordomm. Un long silence suivit, durant lequel Brent contempla la dépouille sans parvenir à croire qu'Abduldarek était mort. Peut-être reprenait-il simplement des forces. Mais quand le soir arriva, il dut se rendre à l'évidence : le zordomm n'avait pas bougé d'une écaille, plus aucune chaleur n'irradiait de son corps et son regard avait la matité de celui des cadavres.

La désolation dans l'âme, Brent souleva la plus lourde pierre qu'il put trouver et, ainsi qu'il l'avait promis, brisa le crâne de celui qui avait été si brièvement son maître. Esquilles d'os et fragments de cervelle volèrent dans toutes les directions, l'éclaboussant au passage. Cela fait, il coupa ce qui subsistait de la tête d'Abduldarek avec son épée. L'os se trouvait exactement à l'endroit que lui avait indiqué le zordomm. Une membrane translucide en occupait l'intérieur. Surmontant son dégoût, Brent débarrassa l'os du sang et du cartilage qui y adhéraient. Par curiosité, il le porta à son œil mais ne vit rien de spécial au travers, hormis le paysage, considérablement embrouillé. Certainement pas le « temps derrière le temps ». Brent se demanda si Abduldarek ne l'avait pas mené en bateau. Néanmoins, comme le zordomm ne lui avait jamais menti, il lui accorda le bénéfice du doute et porta l'hexagone osseux à son front.

Mal lui en prit.

Il eut l'impression qu'on lui forait la boîte crânienne et que son cerveau s'enflammait. Brent lâcha l'os en poussant un cri mais l'os ne tomba pas. Il s'était soudé à la chair. Par bonheur, la douleur s'estompa rapidement. Ne subsista bientôt qu'un mal sourd et lancinant, semblable à un début de migraine. Brent tâta son front des doigts. À présent, celui-ci s'ornait d'une protubérance cornée. Il jura. Ah ! Pascal rirait bien quand il le reverrait affublé de cette marque sur la tête.

Revenu de sa mauvaise surprise, Brent se dit qu'il ne pouvait laisser la dépouille d'Abduldarek sans sépulture. La dureté du sol interdisait qu'on y creusât une tombe ; il n'y avait pas non plus assez de bois pour ériger un bûcher funéraire. Il se contenta donc d'empiler des pierres sur le cadavre jusqu'à ce qu'il en fût entièrement recouvert.

Quand il eut terminé, il faisait nuit. Il décida de bivouaquer sur place jusqu'au lever du jour. Moins d'une heure plus tard, il s'assoupissait.

X. POT-POURRI DE RETROUVAILLES, SALMIGONDIS D'INTENTIONS

Monseigneur Da Hora était persuadé que William ne l'avait pas cru. Il ne pouvait l'en blâmer. Difficile de voir un mage puissant dans la barrique paillarde qu'était devenu Lucifer. Néanmoins, le seigneur de Bairdenne était de nature prudente. Que les deux prisonniers vinssent d'un univers parallèle au sien était un fait avéré. Il agirait donc avec circonspection, car dans un autre monde, la magie pouvait prendre des aspects différents. Sans doute fallait-il y voir la raison pour laquelle il avait ordonné qu'on les sortît du cachot pour les loger dans la partie la plus reculée du château. Leur situation s'améliorait.

Par ailleurs, Brent demeurait introuvable. À se demander s'il était revenu sur Nayr. La pierre y était sûrement pour quelque chose. Le pouvoir des larmes d'Obéron gardait son mystère. Sur les quatre que possédait l'Église, une seule avait des vertus sinon magiques, du moins médicinales, puisqu'elle gardait en vie contre toute attente un pape qui avait plus d'un pied dans la tombe. Les trois autres auraient aussi bien pu être de vulgaires cailloux.

Monseigneur Da Hora avait réfléchi toute la nuit à la situation pour finalement en venir à une conclusion : courir après le jeune freluquet ne serait qu'une perte de temps. Tant qu'on ne restituait pas la pierre au miroir qui se trouvait dans la salle du trône, à Castelmuir, la magie restait contenue. Et ils étaient au bon endroit pour garder un œil sur le miroir. Il suffirait d'attendre. Tôt ou tard, Brent réapparaîtrait et il n'y aurait qu'à lui reprendre la pierre. Ce qui lui laissait la latitude voulue pour entreprendre son grand projet : réunir le monde magique et le monde terrestre sous la grande bannière du Christ. William de Norfolk l'y aiderait, mais auparavant, monseigneur Da Hora devait le mettre dans son camp.

Francisco regarda d'un œil dégoûté Lucifer tringler la souillon qui venait de leur apporter à manger. Le Roi des Enfers était réputé être un don Juan ; on prétendait aussi qu'il avait la virilité d'un étalon. Sous l'apparence du frère Mellitus, cependant – avec ses soixante-dix ans bien sonnés, son crâne en boule de billard, la rotondité de son abdomen, ses jambes grêles et ses fesses molles – la scène avait quelque chose de grotesque. Ce qui ne semblait nullement incommoder Lucifer pour autant.

Quand il eut expédié son affaire et renvoyé la domestique rougissante d'une claque sonore sur le postérieur, le Prince des Ténèbres rabattit sa bure pour s'approcher de son compagnon.

— Tu n'as pas l'air d'apprécier, commenta-t-il, goguenard.

— Un tantinet plus de discrétion aurait été bienvenu.

— Quel hypocrite tu fais ! S'il fallait excommunier tous les moines, prêtres et curés qui ont succombé un jour aux plaisirs de la chair, le Vatican aurait du mal à peupler ses églises. D'ailleurs, coller l'étiquette de péché à un plaisir aussi naturel n'est qu'une façon de manipuler une population trop crédule.

Monseigneur Da Hora balaya ces propos du revers de la main.

— Passons. Nous avons plus important à faire que perdre du temps en arguties. Norfolk est méfiant. Il ne se laissera pas facilement convaincre.

— Nous pourrions nous en passer. Si tu me laissais agir à ma guise…

— Restons discrets. La partie est encore jeune. Nous découvrir trop vite serait, à mon avis, une erreur. Je te rappelle que l'objectif est d'enrôler le plus grand nombre d'âmes dans le christianisme afin que nous les partagions. Il nous faut agir avec tact. En nous faisant des alliés, nous parviendrons plus facilement à nos fins.

— Personnellement, foncer dans le tas m'a toujours paru la meilleure stratégie, mais je m'adapterai. Tu ne manges pas ? Dans ce cas, permets que je termine ton repas. La galipette a ce curieux effet d'ouvrir l'appétit chez vous, créatures terrestres. Peu étonnant qu'il y ait tant de problèmes d'obésité sur la Terre.

Monseigneur Da Hora lui fit signe de se servir.

Tout en mangeant, Lucifer lui demanda s'il devait procéder à une nouvelle recherche afin de retrouver Brent.

— Inutile. Laissons Mahomet venir à la montagne. Il suffira de surveiller le miroir. En revanche, j'aimerais en apprendre davantage sur ce Norfolk. Manipuler quelqu'un est toujours plus facile quand on sait sur quelles cordes tirer. Je voudrais que tu nous fasses sortir d'ici sans qu'on le remarque.

— Quels sont tes plans ?

— Je veux m'entretenir avec quelqu'un à Tombelor. Il ne sera pas difficile à trouver. Il vit dans une chapelle et il n'y en a qu'une.

— Alors, je t'attendrai dehors. J'ignore si c'est cette abominable odeur qui flotte dans l'air ou la décoration, mais les endroits de ce genre m'ont toujours filé de l'urticaire.

Lucifer claqua des doigts et ils se retrouvèrent dans une rue animée que monseigneur Da Hora connaissait bien, à deux pas de la chapelle du Bon Pasteur. Personne ne semblait s'être rendu compte de leur subite apparition. Le mode de transport du Prince des Ténèbres était nettement plus discret que le sort de déplacement instantané employé par les mages nayriens ; le hic, toutefois, était que la note que Lucifer lui remettrait à la fin serait plus salée. Selon leur pacte, chacun de ses services, aussi menu fût-il, valait son pesant d'âmes. Monseigneur Da Hora chassa cette pensée. Il trouverait bien une solution. Chaque chose en son temps.

Les travaux de reconstruction consécutifs au séisme qui avait secoué la ville avant que les Ténèbres n'en forcent l'évacuation étaient considérablement avancés. De nouveaux immeubles avaient remplacé ceux qui avaient été abattus ou ébranlés par la colère de la terre, et l'artère où se dressait la chapelle avait repris sa vocation première : des monceaux d'or et d'argent rutilaient sur la devanture des échoppes où des nains vendaient leurs pièces les plus finement ouvragées à un prix exorbitant et cédaient les plus grossières, mais aussi les plus chargées en métaux précieux, contre une bouchée de pain.

Monseigneur Da Hora laissa Lucifer lorgner les jouvencelles qui déambulaient dans la rue pour cogner à la porte de la chapelle. Comme personne n'ouvrait, il poussa le battant qui, conformément à ses instructions, avait été laissé ouvert.

Rien n'avait changé à l'intérieur, hormis la poussière qui s'y était accumulée.

— Aloysius ? Aloysius, vous êtes là ?

Personne ne lui répondit, cependant l'espace au-dessus de l'autel s'illumina, une odeur de myrrhe embauma l'air et un ange parut. À la baguette de messager qu'il tenait à la main droite, monseigneur Da Hora reconnut Gabriel.

Pareille visite était inéluctable, mais il n'avait pas prévu qu'elle se produirait si rapidement. Contrairement à la croyance populaire, les anges suivaient les actions des mortels avec une grande désinvolture. Monseigneur Da Hora s'agenouilla en inclinant la tête.

— Pas de salamalecs, Francisco. Tu sais que la flatterie n'a aucune prise sur moi.

— Ta lumière m'éblouit, divin Gabriel. Je crains de m'y brûler les yeux, déclara-t-il sans quitter sa position.

— Les brûlures ne t'effraient pas tant que ça, si j'en juge la nature de tes fréquentations. Que trafiques-tu avec l'Ange déchu ?

— J'attendais le moment propice pour t'en parler. Je ne voulais pas t'importuner inutilement.

— À d'autres. Relève-toi. Tu ne brûleras rien du tout en me regardant en face et je veux pouvoir lire la duplicité sur ton visage. Tu as intérêt à te montrer convaincant si tu ne veux pas sentir la morsure de ma baguette.

— Sois clément, Gabriel. Je n'ai sollicité l'aide de Lucifer que pour faire progresser l'œuvre de Dieu.

— Voilà qui est inédit. Explique-toi.

— J'ai besoin de quelqu'un qui connaît la magie pour m'aider à la combattre. Avant d'ensemencer un champ, il faut le défricher, et les anges ont mieux à faire en encensant le Seigneur.

— Demander aurait suffi. Le Seigneur t'aurait répondu.

— Tu sais mieux que moi qu'Il n'entend plus nos prières depuis longtemps. Parfois, on dirait qu'Il…

— Silence. Qu'as-tu promis au Malin en échange de ses services ?

— Des âmes.

D'ordinaire, les anges camouflaient bien leurs sentiments. À cette annonce cependant, Gabriel perdit contenance.

— Tu n'y vas pas de main morte !

— On n'attire pas les mouches avec du vinaigre. Mais rassure-toi. Nul ne m'oblige à tenir ma part du marché. Je ne serai pas le premier à le faire.

— Prends garde, Francisco. Tu prends un virage dangereux.

— Il ne le sera pas si tu m'aides.

— Que veux-tu dire ?

— Une fois que nous nous serons débarrassés des mages qui infestent ce monde, il suffira de renvoyer Lucifer d'où il vient.

— Comment comptes-tu t'y prendre ?

— Les anges ont besoin d'entraînement.

— Non content de t'allier Satan, tu veux enrôler les légions célestes ? Tu ne manques pas d'air.

— Vous seriez prêts, lui pas. S'il convoquait les hordes infernales, vous les repousseriez aisément et un monde neuf libéré de la magie s'ouvrirait tout entier à la parole du Christ. Finalement, beaucoup plus d'âmes louangeraient le Très-Haut, qui vous en serait éternellement reconnaissant.

Gabriel parut réfléchir.

— Je veux bien te laisser faire un certain temps, mais je te surveillerai de près. Penche un peu trop du mauvais côté, Francisco, et tu seras puni.

— Cela signifie-t-il que je peux compter sur une aide discrète en cas de besoin ? Dans le seul but de mieux fourvoyer le Démon et de faire place nette à Dieu, il va de soi.

— Je m'en repentirai sans doute, mais, dans l'immédiat, je t'accorderai ce que tu demandes.

— Mer...

L'archange disparut avant qu'il termine sa phrase. Monseigneur Da Hora s'essuya le front. La sueur y laissa une patine sur laquelle se refléta la lueur des lampions. Gabriel avait raison, il risquait gros en misant sur les deux tableaux, mais si cela devait le conduire au trône pontifical, le jeu en valait la chandelle.

— Francisco ?!

La voix le fit sursauter. Elle avait jailli de nulle part au moment où il s'y attendait le moins. En se retournant, monseigneur Da Hora vit une silhouette blafarde se découper sur un mur, prendre consistance puis s'en détacher pour engendrer un être filiforme et gris.

— Aloysius ! Je me demandais où vous étiez.

— Vous me connaissez. Rester sur place m'ennuie, alors j'erre de mur en mur.

Les deux hommes s'étreignirent.

— Je suis heureux de vous revoir, poursuivit Aloysius. À dire vrai, je n'y comptais guère.

— J'avais promis pourtant.

— Les promesses ont cette étrange faculté de se diluer dans le temps.

— Eh bien, vous vous trompiez. Me revoici. Je vais encore avoir besoin de vos services.

— Si c'est pour répandre la Bonne Parole, je crains que vous soyez déçu. Regardez autour de vous : pas une brebis. Je fais un bien piètre apôtre.

— Je pensais à un travail qui serait davantage dans vos cordes.

— Lequel ?

— Voulez-vous être mon espion ?

Le soleil réveilla Brent de sa chaleur et de sa lumière. Le tumulus sous lequel était enterré Abduldarek avait disparu et le désert avait remplacé les hautes falaises de grès ocre et rouge. Il était hors du Dédale, ce qui signifiait qu'ici, la magie opérait. Il leva donc les bras au ciel et récita la formule qui le conduirait à Tombelor. Bientôt, il aurait des nouvelles de Judith.

À l'évidence, il ne maîtrisait pas encore le sort de déplacement instantané, car la foudre le déposa à une quarantaine de kilomètres de Tombelor. Ses cheveux sentaient également le roussi. Enfin, au moins avait-il évité le désert et la Ceinture d'Éole, où soufflait en permanence un vent glacial.

Quand la demeure de maître Cornufle parut au bout d'une des rues torves et étroites qui caractérisaient la seule agglomération de Nayr méritant le nom de cité, le soleil déclinait à l'horizon. Brent était à la fois soulagé et heureux d'arriver. Le vieux mage et son valet lui avaient manqué.

L'habitation ne payait pas de mine. Son propriétaire l'avait choisie dans un des quartiers les plus pauvres de Tombelor. Cependant, dans ce monde où régnait la magie, les apparences étaient souvent trompeuses. En effet, sous ses allures modestes, la bâtisse cachait une suite de pièces de vastes dimensions. Bref, l'intérieur était plus grand que ne le laissait penser l'extérieur. Comme la porte n'était pas fermée, Brent entra sans s'annoncer, déterminé à surprendre ses compagnons de naguère. Mal lui en prit, car une masse lui tomba sur les épaules en criant « Gromph ».

— Arrête, espèce de gnome mal embouché ! protesta-t-il, face contre terre. C'est moi. Tu ne reconnais pas les copains ?

— Gromph !

Le poids qui l'écrasait disparut et une paire de mains lui agrippa énergiquement le collet pour le remettre sur pied.

— Gromph ! Gromph ! fit le troll en le serrant si fort dans ses bras qu'il faillit le broyer.

— Ouais, ouais, moi aussi, je suis content de te revoir. Maître Cornufle est là ?

— Gromph.

Bien que le langage du troll se limitât à cette seule onomatopée, les inflexions qu'il lui donnait enrichissaient considérablement son vocabulaire.

Brent suivit Gromph à la bibliothèque où le mage passait le plus clair de son temps. En voyant son ancien disciple, maître Cornufle abandonna l'ouvrage qu'il étudiait pour l'accueillir.

— Quatre-Doigts ! Comment est-ce possible ? Je croyais que je ne te reverrais plus.

— Il faudra m'appeler Brent, désormais. Regardez mon index.

Il lui montra sa main droite.

— Curieux, fit maître Cornufle avant de l'examiner d'un œil scrutateur. Tu as changé à plus d'un titre. Il y a cette marque sur ton front et ton nimbe n'est plus le même.

Une des premières choses qu'apprenait un mage consistait à discerner et à interpréter la gaine de lumière qui enveloppait les êtres doués de raison. Les variations de son intensité renseignaient sur l'état de santé physique et mentale de son propriétaire. Les Terriens avaient ceci de particulier que leur nimbe ne gardait jamais longtemps sa couleur. Celle-ci fluctuait constamment, tandis que sur Nayr, chaque espèce intelligente naissait avec un nimbe d'une couleur définie.

— Qu'a-t-il de différent ?

— Il n'émane plus de toi que du bleu. Un bleu très profond, presque noir comme celui de l'océan avant la tempête. Les elfes ont un nimbe bleu eux aussi, cependant j'ai rarement rencontré pareille nuance chez eux. Que t'est-il arrivé depuis notre séparation ?

Brent lui narra ses aventures : comment il avait échoué dans le Dédale après avoir englouti la pierre et ce qu'il était advenu par la suite. Maître Cornufle le détrompa sur ses conclusions.

— Tu n'es pas mort comme tu le crois. Si tu l'avais été, Abduldarek n'aurait pu te ressusciter. Personne ne le peut. Il devait s'agir d'une illusion.

— Et mon doigt ? Il a bien repoussé. Comment expliquez cela ?

— La pierre que tu as avalée y est peut-être pour quelque chose. Tu prétends qu'elle avait la même couleur que ton nimbe. À moins qu'on le doive à cet os qui s'est soudé à ton crâne. Sa partie centrale est plus souple. On dirait presque du cartilage. C'est fort étrange. Je n'ai jamais rien vu de semblable.

Quel dommage qu'Abduldarek ne soit plus de ce monde, il nous en apprendrait davantage. Sa disparition est une grande perte, mais ainsi va la vie. L'univers n'est pas statique. Certains partent, d'autres viennent. Il faut s'en réjouir. Mais assez parlé. Je suis heureux de te revoir, mon garçon. Évidemment, tu es toujours le bienvenu. Le seul problème est que ton ancienne chambre est occupée. Tu devras partager celle de Gromph.

Brent fronça les sourcils. Maître Cornufle avait-il un nouveau disciple ?

— Occupée ? Par qui ?

— Dame Malinor loge ici.

Jolanthe ! Celle-là allait l'entendre. Non contente de lui avoir tranché le doigt et de l'humilier à maintes reprises, elle avait causé sa rupture avec Judith. Il allait le lui faire payer.

— Où est-elle ?

— Dans ta chambre, mais… Attends, cria maître Cornufle. Il faut que tu saches…

Trop tard. Brent était déjà parti. Il découvrit Jolanthe assise sur son lit, plongée dans ses pensées. Pour une raison qui lui échappait, l'envie de s'en prendre à elle s'évanouit dès qu'il l'aperçut. À présent, il n'aurait pu lui faire de mal pour rien au monde. Au contraire. Il ne lui voulait que du bien.

— Jolanthe ?

La jeune femme ne broncha pas. Brent soupçonna du louche. D'autres indices renforcèrent cette impression : la chevelure flamboyante était sale et emmêlée ; les vêtements, froissés et mal assortis. Les épaules basses, Jolanthe paraissait totalement amorphe.

— Jolanthe ?

Brent posa un genou à terre pour se placer à sa hauteur et lui souleva le menton. Aucun éclat ne brillait dans ses merveilleux yeux améthyste ; les prunelles étaient mortes, comme si le cerveau qui les animait avait cessé de fonctionner.

Brent sentit une boule d'angoisse lui comprimer l'estomac. Il se tourna vers maître Cornufle qui venait de le rejoindre.

— On dirait un légume, dit-il. Qu'est-ce qu'elle a ?

— La Magicature…

XI. QUI INCITE LE LECTEUR À S'ARMER DE PATIENCE

Aloysius se sentait revivre. Depuis le retour de Francisco, une énergie nouvelle affluait en lui. Bien qu'il ne le lui eût jamais avoué, sa rencontre avec le prêtre avait changé sa vie en lui faisant comprendre à quel point la solitude lui pesait. Avant Francisco, Aloysius n'avait entretenu de véritable relation qu'avec sa mère, mais celle-ci était morte depuis longtemps et il ne subsistait d'elle que les souvenirs enfouis dans son aalma, sa pierre de mémoire. Aloysius avait aimé réaliser avec Francisco toutes ces choses dont il ne saisissait pas toujours le sens, les entretiens qui les rapprochaient le soir, au coin de la table, et l'aide qu'ils s'étaient procurée mutuellement dans les épreuves. L'espèce de camaraderie qui s'était développée entre eux lui avait manqué terriblement depuis que son ami avait fui la ville à l'approche des Ténèbres. Aloysius avait cru ne jamais le revoir, mais Francisco était revenu et, depuis, il se sentait revivre.

Ainsi que Francisco l'avait affirmé, la tâche qu'il lui avait confiée lui convenait à merveille, même si son utilité lui échappait encore. Francisco avait insisté sur son importance.

Aloysius devait surveiller les faits et gestes du seigneur de Bairdenne et les lui rapporter scrupuleusement. Il reviendrait de temps à autre à Tombelor prendre de ses nouvelles puisqu'Aloysius ne pouvait quitter la ville sans son aalma, qui servait de socle aux fonts baptismaux de la chapelle.

La commanderie des Norfolk était peu éloignée de Tombelor, dont elle assurait la protection. Le lien entre Aloysius et sa pierre de mémoire ne serait donc pas rompu. L'aalma connectait Aloysius aux trois cent quarante-six ancêtres du même nom qui l'avaient précédé, ainsi qu'à sa mère. La pierre assurait aussi sa sérénité en le soulageant des émotions intempestives. Faute de descendants pour la nourrir cependant, son aalma se désagrégerait à sa mort et tous les Aloysius, jusqu'au dernier, disparaîtraient avec elle. Francisco lui avait rendu espoir en promettant de l'aider à retrouver les membres de sa race, s'il y en avait encore.

Aloysius se mit à l'ouvrage sans attendre.

Pénétrer dans Bairdenne s'avéra un jeu d'enfant pour quelqu'un qui, à l'insu de tous, déambulait dans les murs aussi aisément que le commun des mortels arpente une rue.

Il dénicha William dans son bureau. Le sort d'hermétisme qui protégeait les lieux était vieux et manquait d'efficacité. Aloysius n'éprouva aucun mal à trouver une faille pour le traverser. William discutait avec son capitaine. Si la conversation parut anodine à Aloysius – il était question de mesures à prendre pour se concilier les guildemestres –, l'exercice lui procura du plaisir, sensation dont l'aalma était friande. La journée se termina rapidement et Aloysius n'eut qu'une hâte : que commence vite la suivante et qu'il revoie Francisco pour lui raconter tout ce qu'il avait surpris.

— C'est ma faute. Je suis l'unique responsable, déclara maître Cornufle, effondré. Dame Malinor m'avait prévenu, mais je n'en ai pas tenu compte. Après les ravages causés par les

Ténèbres, j'étais persuadé que mes collègues comprendraient qu'il était temps d'évoluer, qu'il fallait ouvrir les portes de la Magicature et permettre à d'autres d'exercer le Grand Art, mais lorsque j'ai proposé de la prendre comme assistante, ils se sont ligués contre moi. Une femme mage ! C'était impensable. Les femmes sont trop instables pour pratiquer la magie, on courrait à la catastrophe. Une commission d'enquête a été instituée. On voulait savoir ce qui se cachait derrière ma requête. Pourquoi choisir l'amante du prince-dragon de Valrouge comme apprentie ? Que s'était-il passé dans les Marches septentrionales ? Quelle relation entretenais-je avec cette courtisane avouée ? Ils n'ont pas dû chercher bien longtemps pour découvrir que dame Malinor achetait des livres de magie en secret. La commission a saisi le Conseil de discipline de l'affaire, et elle a été arrêtée. Une fois les sorts d'hermétisme et de confusion qui protégeaient son étude désamorcés, tout ce qu'elle y cachait a été mis à jour et confisqué. C'était mieux qu'un aveu. Le Conseil n'a délibéré que dix minutes. Devant la gravité du crime, ses membres ont condamné dame Malinor au sort d'infantilisme. Depuis, elle vit dans cet état d'hébétude permanent. Je n'ai pu me résoudre à l'abandonner. Sans personne pour en prendre soin, elle serait vite morte de soif ou de faim.

— Ne pouvez-vous la guérir ? demanda Brent. Il y a sûrement moyen de la libérer de cet enchantement.

— Hélas ! Pour l'empêcher, la Magicature a détruit toute trace du contre-sort il y a longtemps.

— Et Geoffroy ? Il n'a rien fait ? Il l'aimait à la folie.

— Je pense qu'il ignore ce qui lui est arrivé. Geoffroy a quitté Ylian peu avant Syatogor, préférant rentrer directement à Valrouge. Dame Malinor a cru que c'était fini entre eux. Sans l'appui d'un prince-dragon, elle ne pouvait rien contre la Magicature. Son esprit demeurera celui d'un nourrisson jusqu'à la fin de ses jours.

Monseigneur Da Hora et Lucifer revirent William deux jours après leur escapade à Tombelor. Zoltan Boralf avait fait servir un repas dans une pièce de l'aile ouest, partie de la forteresse largement délaissée par ses habitants en raison du fracas incessant des vagues battant la falaise, en contrebas. Ils y dîneraient à l'abri des oreilles indiscrètes. Seul Olnir Vorodine, le père d'Ylian, hantait les lieux tel un fantôme. Monseigneur Da Hora l'avait aperçu à quelques reprises, contemplant la mer.

— Nous n'avons rien à craindre de lui, expliqua Zoltan. Sa raison l'a quitté quand dame Vorodine s'est donné la mort en sautant d'une fenêtre. Le drame s'est produit peu après que le père d'Ylian ait perdu le bras en combat singulier.

À l'exception de Lucifer qui bâfrait comme le roi des gloutons, les trois hommes mangeaient et buvaient avec parcimonie.

— J'ai interrogé les guildemestres, coupa le seigneur de Bairdenne. Les guildes en ont assez de payer des sommes extravagantes pour des sorts et des enchantements qu'un apprenti exécuterait sans peine si on lui en laissait la chance. Malheureusement, les guildemestres craignent la réaction de la Magicature advenant le cas où on lui retirait le contrôle de la magie. Les mages pourraient refuser d'exercer. Le royaume s'en trouverait paralysé, ce qui le mettrait en péril. Les princes-dragons pourraient intervenir et la population est derrière eux. Par conséquent, les guildemestres ne bougeront que s'ils obtiennent l'assurance que les princes-dragons ne leur chercheront pas noise. C'est ici que le bât blesse.

— Comment cela ?

— Depuis toujours, les princes-dragons prennent leurs décisions par consensus. Tant que le jeune Vorodine n'est pas revenu de sa quête – et on peut espérer qu'il ne le fasse jamais – Zoltan le remplace. Il nous est donc acquis. Geoffroy Montorgueil, le prince-dragon de Valrouge, s'opposera à ce qu'il qualifiera sûrement de machination. Celui de Shariar, Faris al-Maktoub, est un faible. Il se rangera du côté de la majorité. Shu-Weï Sang-Noir pourrait donc indifféremment faire pencher la balance de l'un ou de l'autre côté.

— Qui est ce Sang-Noir ? interrogea monseigneur Da Hora.

— Une femme, que dire de plus ?

— Mais encore ?

D'un haussement d'épaules, William de Norfolk laissa Zoltan combler les vides.

— La maîtresse de Ryu-Gin est une énigme. Avant elle, il n'y a jamais eu de prince-dragon de sexe féminin, et pour une excellente raison : les dragons refusent de se laisser commander par une femme. Bien qu'elle paraisse aussi jeune qu'Ylian, Shu-Weï en a au moins cinq fois l'âge. La lignée des Sang-Noir est fort courte, car ses membres vivent très vieux. Les registres n'en recensent que deux ou trois. Ryu-Gin n'est pas non moins pétrie de mystère. La forteresse est bâtie dans un repli des Marches australes. Seul un étroit défilé en autorise l'accès, ce qui la rend tout à fait inexpugnable. Ses gens vivent en autarcie, sans échanges avec l'extérieur. Pourtant, la région est dépourvue de tout. Rien n'y pousse. Comment se nourrissent-ils ? Certains prétendent que Shu-Weï dispose de ressources dont elle garde jalousement le secret. Elle y puiserait ce dont elle et les siens ont besoin. Personnellement, je n'y crois guère. Les Confins ne sont pas loin. Exploiter des pauvres d'esprit serait bien dans la nature d'une femme. Quoi qu'il en soit, la princesse-dragon est imprévisible. Elle pourrait aussi bien se ranger du côté de Montorgueil que du nôtre. Impossible de savoir ce qui la motive. Cette femme est de marbre. Rien ne transparaît sur son visage. Du sang de serpent coule certainement dans ses veines. Cela expliquerait pourquoi la pupille de ses yeux est fendue. À mon avis, celui qui arrivera à la réchauffer dans son lit n'est pas encore né.

— C'est parce que vous ne m'avez pas encore vu à l'œuvre, laissa tomber Lucifer sans même lever le nez de son assiette.

Brent n'était pas au bout de ses surprises.

— Que voulez-vous dire, Judith a disparu ?

Le soir était arrivé et ils mangeaient avec appétit le repas que Gromph leur avait préparé : un rôti de tucamuc, de la compote d'airelles des neiges, des pommes de terre et une grande macédoine de légumes d'hiver. Le troll avait englouti les trois quarts de la viande, dédaignant les légumes. À présent, il donnait la becquée à Jolanthe.

— Cela s'est produit peu après notre retour à Syatogor. Au sommet des Marches, là où il n'y avait auparavant que les Ténèbres, se dresse maintenant un mur.

— Un mur ?

— Plutôt un bloc. Un tas de moellons adossés les uns aux autres. Le côté qui fait face à Syatogor mesure au-delà de vingt lieues et ce n'est sans doute que le plus petit. L'ouvrage s'élève à plus d'une lieue dans le ciel. Jamais je n'en ai vu de pareil. Aucune magie n'est assez puissante pour bâtir un tel édifice.

— Et Judith ?

— J'y viens. Quand Ylian est revenu de Castelmuir, William de Norfolk logeait à Syatogor. Il y avait cherché refuge quand les Ténèbres l'ont obligé à quitter Bairdenne. Norfolk l'a aussitôt blâmé pour les malheurs de Nayr, affirmant qu'il avait mis le royaume en danger en abandonnant Syatogor pour aider des étrangers venus d'un autre monde. Pour William, le déferlement des Ténèbres et ce qui avait suivi n'étaient que les conséquences de son insouciance. L'apparition du formidable édifice en haut des Marches le confirmait. Selon lui, Ylian n'avait pas la maturité nécessaire pour assumer les responsabilités associées à la charge de prince-dragon. Il préconisait qu'on désigne un tuteur jusqu'à ce qu'Ylian acquière plus de discernement. Si Geoffroy avait été là, Norfolk n'aurait jamais osé porter pareilles accusations, mais il était déjà parti pour Valrouge. William a si bien humilié Ylian que celui-ci a déclaré qu'il percerait le mystère de la muraille et ne reviendrait qu'après avoir obtenu la preuve qu'elle ne constituait aucune menace pour Nayr. Ylian a réuni une vingtaine d'hommes et monté une expédition. Il n'a pu dissuader Judith de l'accompagner.

— Fichue tête de mule ! Et ensuite ?

— Ensuite, rien. Pas un n'en est revenu.

DEUXIÈME PARTIE
COMMENT L'ORGUEIL MÈNE À BIEN DES DÉCONVENUES

I. DE LA MAIGREUR ET DE L'EMBONPOINT

Judith était sale, elle avait faim, elle n'en pouvait plus…

Assise contre un mur, dans cette pénombre presque perpétuelle, baignée de cette espèce de lumière qui n'en était pas une, qui n'était ni tout à fait la nuit, ni tout à fait le jour, elle leva les yeux et contempla une fois de plus l'immuable paysage qui s'étalait devant elle depuis tant de jours qu'elle en avait perdu le compte : un étroit couloir – à peine la largeur de deux hommes – aux murs d'une formidable hauteur, entrecoupé d'autres couloirs formant un inextricable labyrinthe.

La nausée qui lui souleva l'estomac confirma ce que le léger changement de luminosité lui avait déjà appris : le matin se levait, une autre journée commençait.

Son regard partit au loin et deux Fildefers surgirent de la paroi à sa droite. Ils traversèrent le passage et se fondirent dans le mur opposé sans lui prêter la moindre attention.

Judith les avait baptisés ainsi parce qu'ils lui rappelaient le personnage d'une bande dessinée de sa jeunesse : des êtres très grands, d'une effarante maigreur, au visage long et étroit, qui allaient pieds nus et vêtus le plus souvent d'un pantalon de toile et d'une simple chemise. Seule différence : la couleur grise de leur épiderme. Ils allaient et venaient sans explication, sortant d'un mur pour rentrer aussitôt dans le suivant.

Le cauchemar avait commencé quand Ylian, Judith et les hommes qui les escortaient longeaient le mur est de l'immense parallélépipède de pierre qui était apparu au sommet des Marches septentrionales. Ils avaient entrepris de faire le tour de l'édifice afin d'évaluer s'il présentait un danger.

Quand William de Norfolk avait allégué sans subtilité qu'il était peut-être trop jeune pour commander Syatogor et défendre le royaume, Ylian s'était emporté, jurant de lui prouver le contraire. Judith n'avait osé lui faire remarquer que cet emportement ne faisait qu'apporter de l'eau au moulin du seigneur de Bairdenne. Ce dernier reparti pour Tombelor, plusieurs jours s'étaient écoulés avant que la colère d'Ylian ne s'apaise. De longues journées durant lesquelles Judith n'avait plus paru exister pour ce nouvel Orlando *furioso*. Puis Ylian s'était calmé et leur amour avait refleuri, plus beau, plus fort, plus passionné qu'avant encore.

Hormis ses dimensions, rien de l'étrange construction qui dominait la commanderie ne laissait supposer une menace. Il ne s'agissait que d'un empilement de blocs qui semblait avoir été réalisé par un quelconque mégalomane du passé nayrien, pour des motifs sur lesquels on ne pouvait que conjecturer. Sur la Terre, cela aurait pu être Kheops, Chichen Itza ou Angkor. Au moment de partir en exploration, l'équipée n'avait commis qu'une erreur, mais de taille : la construction en elle-même était inoffensive, le danger venait de l'intérieur.

L'expédition qui avait débuté un peu comme un pique-nique s'était finalement terminée en catastrophe.

Les choses commencèrent à mal tourner la deuxième semaine, quand chevaux et hommes se mirent à disparaître inexplicablement. Rien, autour du camp, ne permettait de dire qu'il y avait eu lutte. Certes, une bête sauvage, un troll ou un ogre étaient toujours à redouter, même si les parages du

« bloc » en paraissaient étrangement dépourvus, mais le bruit les aurait réveillés. Or, les disparitions avaient lieu dans le plus grand silence.

Malgré cela, Ylian refusa de rebrousser chemin. Il s'entêtait. Il doubla le nombre de sentinelles, ce qui ne résolut rien. De la vingtaine qu'ils étaient, leur groupe fut vite réduit de moitié. Effrayés, les hommes se mirent à murmurer. À contre-coeur, Ylian décida finalement de renoncer. Il reviendrait avec un plus grand contingent, des hommes au caractère mieux trempé, et assisté de mages. Ils rebroussèrent donc chemin.

De dix, ils passèrent à sept, puis à quatre. Enfin, un matin, il ne resta qu'eux deux.

La prudence aurait commandé qu'ils s'éloignent du bloc, mais, selon les calculs d'Ylian, ils n'étaient qu'à deux ou trois jours de cheval de Syatogor, et s'écarter du mur allongerait leur route tout en la rendant plus difficile, car le terrain devenait impraticable à mesure qu'on s'enfonçait dans les Marches. Ce matin-là donc, ils partirent à bride abattue, déterminés à chevaucher sans arrêt jusqu'à ce que les tours du château apparaissent à l'horizon. Peu avant minuit, la monture de Judith enfonça le sabot dans un terrier et se cassa la patte. Après avoir abrégé les souffrances de l'animal, Ylian installa Judith sur son destrier et lui intima de partir, ce qu'elle refusa. Sachant qu'elle ne changerait pas d'idée, Ylian accepta de partager la selle avec elle. La bête, déjà exténuée, ne supporta pas longtemps la surcharge. Elle s'abattit moins d'une heure plus tard. Ils repartirent à pied dans l'obscurité, chacun la main sur le pommeau de son épée, à l'affût d'un danger invisible mais bien réel.

Puis Judith se retrouva seule.

Ils ne s'étaient perdus du regard qu'un instant, et pourtant cela suffit pour qu'Ylian disparaisse. Le sentiment d'une profonde injustice envahit Judith. Quel crime avait-elle donc commis pour que le sort s'acharne ainsi sur elle ? Elle ne demandait pourtant pas grand-chose, juste un peu de bonheur. Or, chaque fois que la chance semblait tourner de son côté, le destin s'en mêlait et tout était à recommencer.

Jamais elle n'aurait dû remettre la larme d'Obéron à maître Cornufle, à Castelmuir. Les Ténèbres ne se seraient pas dissipées quand celui-ci avait restitué la pierre au miroir ; le bloc serait resté caché derrière les Ténèbres et on en ignorerait encore l'existence. Ylian n'aurait pas cherché à en percer le secret pour prouver qu'il était digne de son rang et il la serrerait toujours dans ses bras, en échafaudant des plans pour l'avenir. Tout était de sa faute !

Furieuse, elle dégaina l'épée qu'Ylian lui avait offerte afin qu'ils s'exercent ensemble et attaqua rageusement la muraille. Étincelles et éclats volèrent dans tous les sens.

Puis, deux bras émergèrent de la pierre, la saisirent et la tirèrent à l'intérieur.

Quand elle reprit connaissance, Judith était assise sur un sol dallé, dans une espèce de couloir aux parois si hautes qu'on n'en voyait pas le sommet. L'air était tiède et humide, comme dans une serre. Une lumière tamisée, peut-être artificielle, baignait le paysage. Si on lui avait laissé ses vêtements, son épée elle, avait disparu.

Judith se leva. Déjà, elle avait chaud. Elle se dépouilla de sa houppelande. Il ne fallait pas être un génie pour comprendre qu'elle se trouvait dans le bloc. On lui avait fait traverser la paroi, encore qu'elle ne comprenait ni comment ni pourquoi. Si on s'intéressait à elle au point de la kidnapper, pour quelle raison l'abandonner ensuite ?

— Montrez-vous, qui que vous soyez !

Ses paroles s'étaient réverbérées sur les murs avant de s'éteindre, sans réponse.

Devait-elle partir ou rester ? Elle patienta jusqu'à ce que l'inaction lui pèse. Elle n'allait quand même pas poireauter éternellement. Ylian et les autres erraient quelque part.

Elle devait aller à leur recherche. Elle choisit arbitrairement une direction et partit, lançant un cri à l'occasion, dans l'espoir toujours vain qu'on lui réponde. Lorsque sa houppelande devint trop lourde à porter, elle se décida à l'abandonner, se disant qu'elle la récupérerait au retour.

Le premier Fildefer qu'elle croisa surgit presque sous son nez. Elle eut la peur de sa vie lorsque la forme émergea du mur, franchit le couloir et pénétra dans la paroi opposée sans lui accorder le moindre regard. D'autres se manifestèrent par la suite, et elle comprit que ces êtres étranges appartenaient à la même espèce que celui dont les bras l'avaient tirée à l'intérieur. Les Fildefers traversaient le couloir devant elle ou derrière, mais ils demeuraient sourds à ses appels.

Judith marcha si longtemps que vint un moment où elle le fit en automate. Ses pieds la portaient pendant que son esprit battait la campagne. Bien qu'elle n'eût plus songé à lui depuis leur séparation, elle se surprit à penser à Brent. Que devenait-il ? Sans doute s'était-il consolé dans les bras d'une fille. Peut-être une des nombreuses inscrites dans le petit calepin noir de Pascal. L'avait-il oubliée ? Cela ne l'aurait guère étonnée. Elle le chassa de sa tête. C'était fini entre eux. Sa vie était ici désormais. Avec Ylian. D'ailleurs, elle avait des préoccupations beaucoup plus sérieuses. Ses nausées matinales, par exemple.

Lorsque ses règles ne s'étaient pas manifestées au terme du premier mois passé sur Nayr, Judith ne s'était pas inquiétée outre mesure. De multiples raisons pouvaient l'expliquer. Son organisme s'adaptait. Après tout, elle avait cessé de prendre la pilule de façon assez draconienne, en changeant d'univers. D'autres signes plus troublants s'étaient néanmoins ajoutés et, le second mois, elle avait bien dû se rendre à l'évidence : elle était enceinte. Elle pouvait raisonnablement dire quand avait eu lieu la conception : la nuit où elle avait couché pour la première fois avec Ylian, à Valrouge. S'amorçait maintenant le troisième mois de sa grossesse.

Ylian n'était pas encore au courant. Judith avait tenu à en être absolument sûre avant de lui en parler, mais sur Nayr, pas de petits tests miracle capables de vous renseigner dans la minute. Il fallait attendre, vivre avec ses impressions jusqu'à ce que la certitude vienne, comme autrefois sur la Terre. Les préparatifs de l'expédition l'avaient prise de court. Ylian était si préoccupé qu'elle avait jugé préférable de remettre l'annonce à plus tard. Maintenant qu'ils étaient séparés, elle regrettait cette décision. Mais elle réparerait sa négligence sitôt qu'ils se retrouveraient. Elle était tellement heureuse ! Son plus grand rêve se réalisait enfin.

Les jambes de Judith commençaient à la faire souffrir quand une solution de continuité apparut dans le mur. Un deuxième couloir se connectait au premier. Elle s'arrêta à leur intersection. Le nouveau corridor était identique à celui qu'elle arpentait depuis des heures. Que faire si elle voulait revenir sur ses pas ? Puis elle se rappela sa main. Elle était en charbon. Elle pouvait donc s'en servir pour marquer sa route, comme le Petit Poucet l'avait fait dans le conte en semant du pain, puis des cailloux sur la sienne. Après s'être dégantée, elle traça une croix sur un mur avec son index et emprunta le second couloir. Peu après, un troisième s'embrancha à celui qu'elle longeait, puis un quatrième et un cinquième. Ils furent bientôt si nombreux qu'elle en perdit le compte. L'endroit était un véritable labyrinthe.

Elle persista malgré tout jusqu'à ce que la fatigue lui interdise de faire un pas de plus. Malgré la soif et la faim qui la tenaillaient, elle se laissa glisser à terre et s'endormit d'un sommeil de brute.

À son réveil, rien n'avait changé.

Enfin, presque.

Quelqu'un avait posé des fruits, du pain et un bol d'eau à côté d'elle. Judith dévora le tout à belles dents, s'interrogeant sur l'identité de son bienfaiteur. Elle n'avait jamais rien mangé d'aussi bon. Pourtant les fruits étaient blets, le pain rassis et l'eau croupie.

Elle eut à peine posé le bol vide sur le sol qu'une main sortit de nulle part pour le récupérer. Judith se leva d'un bond et tapa contre le mur avec ses poings.

— Qui êtes-vous ? Montrez-vous. Je veux vous parler.

Personne ne lui répondit.

Sa situation n'était pas reluisante. L'avait-on prise en pitié ou s'amusait-on à ses dépens, tel que l'aurait fait un chat avec une souris ? La pensée la fit frissonner tout en lui donnant l'énergie qu'il fallait pour repartir.

Cette journée-là fut identique à la précédente.

Et à celle qui suivit.

Et à celles qui leur succédèrent.

Des couloirs, toujours des couloirs. Certains plus courts ou finissant en cul-de-sac, parfois coupés d'une multitude de corridors, souvent sans autres ouvertures que leurs extrémités. Des couloirs, encore des couloirs et aucun espoir de sortie.

Et chaque matin, ces fruits défraîchis et ce quignon accompagnés d'eau.

L'Enfer ou le Purgatoire devaient ressembler à cela.

À force de marquer les murs, son index s'était usé jusqu'à la dernière phalange. Le voir ainsi lui rappela Brent. À lui aussi, il manquait l'index. D'autres souvenirs affluèrent : leur premier Noël ; le tour du lac Saint-Jean à bicyclette ; les dimanches matin lovés dans le lit… Des larmes humectèrent ses joues. Ce temps-là ne reviendrait pas. Elle se ressaisit. La fatigue la rendait hypersensible. Il devenait impérieux de quitter le labyrinthe. Mais de sortie, il n'y avait pas.

Après elle ne savait combien de repas, Judith en eut assez. Ses jambes étaient devenues noueuses, et ses pieds, calleux. Elle avait maigri et une nouvelle angoisse s'était ajoutée à celles qui la taraudaient depuis plusieurs jours : et si elle perdait le bébé qui poussait dans son ventre ?

Pour éviter que cela ne se produise, elle s'assit et décida de ne plus bouger.

II. OÙ LES FAIBLES ET LES FORTS SONT LOGÉS À LA MÊME ENSEIGNE

Ylian enrageait.

Depuis combien de jours errait-il dans cet univers affolant, uniquement composé de murs et peuplé d'êtres étranges et immatériels ? Des créatures évanescentes, aussi discrètes que des ombres, qui ne se souciaient aucunement de lui, et pourtant en tous points semblables à celles qui l'avaient enlevé et agressé, et qu'il avait dû occire pour garder la vie.

Ylian n'espérait qu'une chose : que Judith fût saine et sauve, qu'elle eût rallié Syatogor et qu'elle y attendît son retour.

Plusieurs paires de bras l'avaient propulsé à travers le mur et il s'était retrouvé luttant contre une vingtaine d'hommes gris armés de bâtons. Il s'était débarrassé sans trop de peine de ceux, peu robustes, qui s'efforçaient de l'immobiliser uniquement pour voir les autres se ruer vers lui. Sans doute aurait-il succombé au nombre si ses assaillants n'avaient été de si piètres adversaires. Ils n'avaient aucune science du combat et son épée taillait leurs chairs comme si elle ne rencontrait pas plus de résistance que dans de la glaise. Comprenant qu'ils n'auraient pas le dessus, les hommes gris encore valides s'étaient fondus dans un mur. Ylian s'était éloigné à la hâte. En se retournant une dernière fois vers le carnage, il avait assisté à une scène horrible : les survivants revenaient achever les blessés pour ensuite les dévorer.

Si cela se reproduisait maintenant, il ne pourrait les terrasser, car le manque de nourriture l'avait considérablement affaibli, et s'il n'était pas encore mort de soif, il le devait à cette eau malodorante qui sourdait par endroits des parois. Une eau au goût terreux qui désaltérait peu. Était-il condamné à périr d'inanition entre deux murs, sans revoir sa douce Judith ? Il refusait de le croire.

Au détour d'un couloir, Ylian déboucha subitement sur une esplanade au centre de laquelle se dressait une pyramide tronquée. L'espoir lui rendit des forces. Il gagna la construction, dont il gravit péniblement les marches. Au sommet, il ne découvrit qu'une terrasse rectangulaire de deux toises sur trois. Un quadrilatère marqué d'un pilier à chaque coin en occupait le centre. Ylian fit un tour d'horizon. La place circulaire était percée régulièrement d'ouvertures marquant chacune l'entrée d'un couloir. Il n'en fut guère plus avancé. Un faux ciel luisait faiblement très haut au-dessus de lui. Ylian se dirigea vers le quadrilatère pour l'examiner de plus près. Dès qu'il posa le pied entre les piliers, une lueur bleue éclaira le sol, lui causant un malaise passager. Craignant un maléfice, Ylian recula vivement et revint vers l'escalier.

Étrange, l'esplanade avait changé. Les ouvertures n'étaient plus espacées aussi régulièrement. À un endroit, elles évoquaient même un grand désordre. Les couloirs qui y aboutissaient avaient été aménagés pêle-mêle plutôt qu'au cordeau, comme c'était apparemment le cas ailleurs. Comment était-ce possible ? Ylian prit cette direction afin de mieux se rendre compte.

Les couloirs étaient effectivement plus rapprochés. Plus vétustes aussi. Leurs parois s'effritaient, dévoilant des fibres parcourues d'étincelles. Une couche de poussière mêlée de gravats couvrait le sol, comme si cette partie du labyrinthe avait été laissée à l'abandon.

Toujours à la recherche d'une sortie, il emprunta un couloir et s'y engagea.

Les débris jonchant le sol rendaient la marche difficile, d'autant que la privation d'aliments sapait sa vitalité. Ylian remercia Geoffroy de ne pas l'avoir ménagé quand il l'emmenait des jours entiers dans la lande, sans autre nourriture que quelques graines de virtule et un peu d'eau. Grâce à cet entraînement, il pouvait rester sur sa faim durant de longues périodes.

Plus il avançait, plus les murs se délabraient. Les débris étaient plus gros également. Exténué, Ylian s'assit sur l'un d'eux et ramassa un fragment pour l'examiner de plus près. Bien qu'il en eût la dureté et l'aspect, le matériau n'était pas vraiment de la pierre. Sa texture était fibreuse et, à l'endroit où elles étaient rompues, une substance grise sourdait des fibres. On eût dit de la résine ou du sang qui se coagulait. Les fibres luisaient légèrement d'une lueur identique à celle qui avait éclairé le sommet de la pyramide.

Ylian était perplexe. Ces constatations lui rappelaient ce que maître Olonthe lui avait appris lorsqu'il avait analysé le moellon découvert dans la demeure de monseigneur Da Hora, à Tombelor. Se pourrait-il qu'il s'agisse du même matériau ? Comment était-ce possible ?

Il n'eut pas le loisir de s'interroger davantage. Il reçut un violent coup sur la nuque et sombra dans le noir.

Non, Judith ne bougerait plus. Sa décision était prise. Elle en avait soupé de cette mascarade. Pour qui la prenait-on ? Pour un cobaye ? Des yeux l'observaient, l'épiaient, suivaient le moindre de ses mouvements, elle en était persuadée. Alors, de mouvements, il n'y aurait plus.

La nourriture que son « bienfaiteur » laissait chaque matin la sustentait, mais à peine. Il lui aurait fallu de la viande, des protéines. Combien de jours résisterait-elle encore ? L'enfant qu'elle portait s'alimentait à ses dépens, protégeant sa minuscule vie en puisant des forces qui lui faisaient de plus en plus défaut. Qu'adviendrait-il si elle devenait trop faible pour se nourrir ? Son état rendait ses idées confuses. Les visages d'Ylian et de Brent se succédaient dans sa tête, l'un chassant l'autre au point qu'elle en arrivait parfois à les confondre. Qui aimait-elle au bout du compte ? Le prince-dragon de Syatogor ou l'adolescent attardé de Montréal ? La journée s'écoula sans qu'elle trouvât réponse à cette question.

Elle passa le lendemain tantôt assise, tantôt allongée contre le mur, à attendre. Attendre quoi ? Que ceux qui la nourrissaient finissent par se montrer ? Qu'Ylian surgisse tout à coup au bout du couloir et accoure pour la sauver ? Qu'elle tombe dans le coma ? Que le mur s'écroule et l'écrase avant que la folie ne la gagne ? Elle l'ignorait. Le cortège des secondes, des minutes, des heures défilait devant elle, et elle le regardait passer sans pouvoir l'arrêter.

Dans la chaleur moite de sa prison, l'assoupissement la gagna. Elle sommeilla jusqu'à ce que des mains l'empoignent subitement.

— Vous ne devez pas rester là, lui souffla-t-on à l'oreille. Les Harponneurs arrivent.

Et elle se retrouva dans le mur, un Fildefer serré contre elle.

— Que… ?

— Chut ! fit l'inconnu.

Elle obtempéra. De toute manière, elle n'aurait pas eu la force de résister.

L'expérience était étrange. La matière qui l'enveloppait ne semblait pas exister. Au plus avait-elle un voile devant les yeux, une sorte de fumée qui obscurcissait tout encore davantage.

Du coin de l'œil, elle vit d'autres Fildefers qui attendaient, immobiles comme eux, dans le mur.

Puis vint le bruit : un crissement, un frottement, un raclement. Le Fildefer posa le doigt sur sa bouche afin de lui intimer le silence.

À travers le voile, le couloir se distinguait des murs par sa teinte plus pâle. La désagréable stridence augmenta de volume. On aurait juré une craie dérapant sur un tableau noir ou les dents d'une fourchette malmenant une assiette. Les poils de Judith se hérissèrent sur sa nuque. Elle n'avait jamais pu supporter ce bruit. Elle voulut se boucher les oreilles, mais le Fildefer l'en empêcha.

— Ne bougez surtout pas, souffla-t-il, cela pourrait nous être fatal.

Judith serra les dents. Elle n'était pas la seule. Visiblement, son compagnon faisait lui aussi des efforts pour garder son calme : ses muscles étaient tendus, ses poings, fermés ; un filet de sueur ruisselait sur ses tempes grises. Autour d'eux, des silhouettes se raidissaient, s'étreignaient la poitrine ou les bras comme pour s'empêcher de tressaillir.

Soudain, il fut là.

Le Harponneur.

Il devait mesurer cinq fois la taille d'un homme. Les plaques de métal dont il était bardé cliquetaient à chacun de ses pas. Deux yeux verts trouaient une tête aux traits figés d'automate, coiffée d'un heaume rappelant ceux des samouraïs du Japon médiéval. Ils roulaient sans cesse de gauche à droite, de droite à gauche, de haut en bas et vice versa, inspectant chaque centimètre carré de la paroi. À la ceinture du géant ballottait ce que Judith prit d'abord pour une jupette. Elle constata cependant vite qu'il s'agissait d'un jeu de crochets, de fines lames de métal à l'extrémité recourbée. Celles qui pendaient devant le personnage étaient libres, mais à celles de derrière étaient accrochées des dépouilles flasques et grises laissant une traînée humide sur le sol.

Le monstre était chaussé de bottes hérissées de pointes. C'étaient elles, en griffant les murs, qui engendraient l'affreux bruit. Le Harponneur avançait d'un pas lent et ample qui avait pour effet de prolonger l'horrible crissement causé par ses incroyables bottes.

Un Fildefer à la droite de Judith ne put résister davantage. Il pivota sur lui-même comme pour s'enfuir. Le Harponneur réagit à la vitesse de l'éclair. Saisissant un crochet, il le projeta avec une facilité déconcertante à travers la pierre ; le bout recourbé happa le Fildefer à l'épaule, pénétrant profondément dans sa chair tel un hameçon ferrant un poisson. D'un coup sec, le géant sortit sa prise du mur. Le Fildefer eut beau se débattre, le harpon était solidement accroché. Pour se libérer, il aurait dû arracher une partie de son épaule. Même s'il avait voulu tenter de le faire, le géant ne lui en laissa pas la chance. Sa main gauche fila à sa ceinture et y décrocha un couperet qu'il abattit violemment sur la tête du malheureux. Le corps sans vie du Fildefer, comme vidé de ses os, alla rejoindre les autres méduses grises qui bringuebalaient dans le dos du colosse.

Les autres Fildefers n'avaient pas bronché durant le supplice. Judith dut convoquer toute sa volonté pour parvenir à en faire autant.

Le Harponneur repartit d'un pas mesuré et lourd, ses yeux émeraude courant tantôt vers la gauche, tantôt vers la droite, à l'affut du moindre mouvement dans la pierre.

Le bruit décrût à mesure que l'horreur s'éloignait. Il n'était guère plus fort qu'une stridulation d'insecte quand le compagnon de Judith se détendit et la ramena dans le couloir sans toutefois lui lâcher la main.

— Allons, dit-il. Il est temps de rejoindre les autres.

III. CONVERSATION, OU TOUR D'HORIZON D'UN MONDE QUI EN SEMBLE PRIVÉ

Quand Ylian revint à lui, il constata aussitôt qu'on lui avait dérobé son épée. La pénombre dans laquelle il baignait depuis son arrivée dans le labyrinthe avait elle aussi disparu, laissant place à l'obscurité. Il attendit que ses yeux s'y accommodent, mais le noir demeura complet. C'était la cécité des aveugles, l'absence de lumière comme on l'expérimente dans les cavernes les plus profondes. Il entreprit donc, à tâtons, de se faire une idée des lieux.

Ses doigts rencontrèrent une texture lisse et froide, différente de celle – plus rugueuse et tiède – de la pierre omniprésente dans le labyrinthe. Le matériau inconnu recouvrait les quatre murs, y compris le rectangle haut et étroit se découpant sur l'un d'eux et qui devait constituer une porte, close pour l'instant.

Durant ce court périple, son pied heurta un plat qui rendit un son mouillé. Se penchant, il découvrit un bol d'eau grâce auquel il étancha sa soif. À proximité était posée une sorte de galette, qu'il dévora avidement. Le biscuit avait un goût d'épices indéfinissable. Malgré la frugalité du repas, Ylian sentit rapidement ses forces revenir. L'aliment regorgeait de nutriments.

— Qui êtes-vous?

La voix le fit sursauter. Il n'avait entendu personne arriver et encore moins la porte de son cachot s'ouvrir.

— Montrez-vous si vous voulez que je vous réponde.

— Vous n'êtes pas en mesure de dicter vos conditions. Qui êtes-vous?

Ylian pesa les possibilités. Il devait s'agir d'un de ces hommes gris pour lesquels la matière ne posait aucun obstacle. Au son de la voix, Ylian devina à peu près où se trouvait l'inconnu. La pièce n'était pas grande. Il pourrait bondir et le faucher au vol, puis maîtriser l'homme et le contraindre à le libérer. Toutefois, rien ne disait que celui-ci était seul. En outre, sa réaction pourrait davantage lui nuire que l'aider. Il opta donc pour la coopération.

— Je m'appelle Ylian Vorodine et je suis prince-dragon de Syatogor, un fief au bord de la mer Océane, dans la partie occidentale de Nayr.

— Qu'est-ce qu'un prince-dragon?

— Les princes-dragons défendent le royaume. Ils en assurent la protection. Cette charge est à l'origine de leur anoblissement par le roi Obéron. Avec elle venait la garde d'un dragon qui les secondait dans leurs fonctions, mais ces animaux ont disparu voilà très longtemps. Seul est resté le nom.

— Je vois. Vous êtes assurément très loin de ce royaume que vous êtes censé protéger. Que faites-vous ici? Ce n'est pas votre place.

— S'il n'en tenait qu'à moi, il y a longtemps que j'aurais quitté ce lieu.

— Comment y êtes-vous arrivé?

— Avant de poursuivre, j'aimerais savoir à qui je parle.

Le ton de son interlocuteur se radoucit.

— Pardonnez-moi. J'oublie les bonnes manières. Mon nom officiel est Rabdon 431, mais je préfère que vous m'appeliez Kal. Je propose que nous gagnions un endroit plus confortable. Si vous voulez me suivre.

— Alors, vous devrez me donner la main, car je n'y vois goutte.

— C'est vrai, j'oubliais combien votre vue est défaillante à vous autres, Hors-Murs.

Un silence suivit, comme si Kal avait quitté la pièce, mais il revint presque aussitôt, une pierre oblongue à la main d'où irradiait une vive lumière blanche.

— Avec cela, vous verrez où vous mettez les pieds.

Dans le halo de la pierre lumineuse se tenait un être d'une maigreur incroyable qui faisait une fois et demie sa taille. Son teint gris confirmait qu'il était bien de la race de ceux qui l'avaient enlevé.

Ils sortirent et empruntèrent plusieurs couloirs qui les conduisirent dans une pièce plus grande, pourvue d'un mobilier rudimentaire – des chaises, une table et deux ou trois fauteuils. À l'instar de ceux des corridors et de sa cellule, les murs étaient revêtus de plaques d'un métal lisse et mat. D'autres pierres lumineuses avaient été posées ici et là pour reproduire le clair-obscur omniprésent ailleurs dans le labyrinthe.

Kal s'assit dans un fauteuil et désigna de sa main grise aux doigts démesurés celui qui lui faisait face.

— Prenez place, je vous prie.

Ylian obtempéra. Malgré le tissu élimé qui le recouvrait, le siège était tout à fait inconfortable. On aurait juré s'asseoir sur un tas de cailloux ou un sac de pommes de terre.

— Où sommes-nous ?

— Dans une partie désaffectée de la ville. La plus ancienne, en fait. Nous y avons établi notre quartier général.

— Nous ?

— Les Affranchis. Ceux qui rejettent l'esclavage de l'aalma.

— L'aalma ? De quoi s'agit-il ?

Kal parut réfléchir. Ylian en profita pour noter diverses choses. Les vêtements de son interlocuteur, par exemple, qui étaient usés et déchirés par endroits. L'homme paraissait épuisé et las, comme on le serait au terme d'une bataille qui n'en finit plus. Ses pieds – nus, à l'instar de ceux de ses congénères – étaient étrangement épais et larges, alors que le reste de sa personne évoquait la fluidité, la légèreté, l'évanescence.

— Dites-moi d'abord ce que vous savez d'Urbimuros, déclara finalement Kal.

— Si c'est de ce labyrinthe que vous parlez, presque rien. J'en ignorais jusqu'à l'existence avant la dissolution des Ténèbres.

— Les Ténèbres ? Ah oui ! La Nuée. Les pétrarques nous avaient caché sa disparition, mais ils se sont trahis en interdisant l'accès à l'Allée magne sans explications. Une manière très efficace d'exciter la curiosité. Résultat, il n'a guère fallu de temps avant qu'un petit malin se risque dans l'Allée et jette un œil de l'autre côté du Mur prime. Le bruit racontant que la Nuée avait disparu et qu'il n'y avait pas de néant derrière, contrairement à ce que prétendent les amnontes, s'est vite répandu. L'administration pétrarchique s'est empressée d'étouffer la rumeur, menaçant de décérébrer ceux qui la colporteraient. Quelques-uns n'ont pas tenu compte de l'avertissement et ont fini exécutés sur la Grande Place d'Orbe. La population en a été outrée. Du coup, on a commencé à voir dans les Affranchis autre chose qu'une bande d'exaltés. Les gens en ont assez du Culte et de la Pétrarchie, mais personne n'ose quoi que ce soit. La Milice est trop puissante, et la crainte de perdre son aalma, bien trop grande.

— Voilà deux fois que vous mentionnez ce mot, et j'ignore totalement de quoi il s'agit.

— Je ne puis vous en montrer une, pour la bonne la raison que les Affranchis s'en sont libérés, mais imaginez un parasite qui a l'aspect de la pierre et qui grandit en se nourrissant de vos émotions, de vos sentiments, de vos expériences grâce à un canal invisible. On l'appelle aussi « pierre de mémoire », car elle conserve dans ses fibres l'empreinte des événements qui marquent la vie de celui ou de celle qu'elle parasite. Les premiers Ubsalites ne pouvaient tolérer l'idée que leur souvenir s'efface et qu'on finisse par les oublier. Ils ont créé cette matière semi-organique qui se densifie avec les ans en se gavant de ce que vous avez de plus intime et qui enregistre vos moindres faits et gestes, y voyant le moyen de transcender la mort. Ils ont instauré le Culte en ordonnant que leur aalma soit restituée à la Matrice aalmique à leur mort et qu'une partie de cette dernière soit greffée aux nourrissons afin de perpétuer leur souvenir éternellement jusqu'à la Réunification ultime. Le Moi est devenu une religion d'État. Dans Urbimuros, on sacrifie tout à son aalma, sans quoi on devient un paria, la lie de la société. L'aalma a certainement un lien avec notre aspect. Cette damnée substance éteint les couleurs de la vie. Les Ubsalites laissent leur aalma se nourrir de la moindre émotion, au point qu'ils sont devenus des spectres, l'ombre d'eux-mêmes. Grâce à cette nourriture, la Matrice aalmique s'est tant développée qu'elle a peu à peu enveloppé la ville. Elle en constitue aujourd'hui la majeure partie des murs, y compris le Mur prime, qui la ceinture. Les Affranchis refusent l'esclavage de l'aalma. Chacun a tranché le canal qui le liait à sa pierre de mémoire, a détruit celle-ci et a choisi un nom différent de celui que lui ont a légué ses aïeux. Ils revendiquent le droit d'agir à leur guise et de vivre une vie autonome au lieu de prolonger celle des fondateurs par procuration. Au début, les amnontes nous ont tournés en dérision, voyant dans nos contestations les actes sans conséquences de quelques illuminés, mais depuis que nos rangs grossissent et que la population nous écoute, ils perçoivent en nous une réelle menace. Avec le concours de la Pétrarchie, les amnontes ont interdit les rassemblements et la Milice nous donne la chasse. Heureusement, personne ne songe à venir nous chercher dans la vieille ville. Nous avons eu la chance de mettre la main sur un lot d'orikalque dont nous avons tapissé les murs. Rien ne traverse ce métal. Ici, nous sommes à l'abri. À vous, à présent. Comment êtes-vous arrivé ici ?

— Mes compagnons et moi voulions jauger les dimensions de votre… « ville », voir si elle représentait une menace. Ils ont disparu les uns après les autres jusqu'à ce qu'arrive mon tour. Je me suis retrouvé devant une poignée de vos semblables. Ils s'en sont pris à moi pour une raison que j'ignore. Après les avoir défaits, j'ai erré longtemps à la recherche d'une sortie, puis j'ai découvert l'esplanade et sa pyramide. Du sommet, j'ai aperçu la partie du labyrinthe où vous m'avez trouvé. Comme elle paraissait différente, j'espérais qu'elle mènerait vers l'extérieur.

— La seule façon de sortir d'Urbimuros est de traverser le Mur prime. La pyramide dont vous parlez est un translateur public. Les Ubsalites s'en servent pour se rendre d'un quadrant de la ville à un autre instantanément. Sans doute avez-vous activé le moyen de transport à votre insu. Sans indication précise de la destination où vous désiriez aller, le système vous aura déposé au hasard au sommet d'un autre translateur. Celui de ce quadrant, en l'occurrence. C'est une chance. Eussiez-vous atterri ailleurs, la Milice vous aurait cueilli sur-le-champ. Mais le quadrant où se trouve la vieille ville est presque désert. Plus personne n'y vit.

— Pourquoi m'a-t-on enlevé ?

— L'Allée magne – c'est le nom que nous donnons au couloir d'enceinte – attire beaucoup de monde : des curieux qui scrutent le Dehors dans l'espoir d'y voir quelque chose, des jeunes qui se défient de traverser le Mur prime, des fous qui veulent goûter à l'air libre, des marchands en quête d'une curiosité à revendre aux oisifs du quadrant des Premiers, mais aussi des dépravés comme les Carnels.

— Les Carnels ?

— Des Ubsalites qui ont pris goût à la viande. La viande humaine.

IV. GENS QUI RIENT, GENS QUI PLEURENT

Avec le Fildefer, traverser les murs était un jeu d'enfant. La pierre devenait intangible.

— Surtout ne lâchez pas ma main, prévint-il Judith. Vous vous retrouveriez incrustée. La mort serait immédiate.

Au bout de quelques tours et détours sans logique apparente – pour elle, un mur valait l'autre –, ils parvinrent dans une salle qu'occupaient une vingtaine de Fildefers, principalement des femmes et des enfants, la plupart en haillons.

Leur arrivée causa un certain émoi que son compagnon s'ingénia à apaiser. Judith profita du répit pour examiner son sauveur.

Tous les Fildefers se ressemblaient. De haute taille et d'une minceur rappelant les mannequins anorexiques de la Terre, ils avaient la figure longue et étroite creusée d'yeux chevalins au regard impavide et fuyant. Le visage de son compagnon présentait néanmoins des différences : une forme plus carrée que rectangulaire ; des yeux rapprochés, petits et vifs ; une bouche aux lèvres lippues, qui trahissait une sensualité latente, absente chez ses congénères. Il était aussi moins svelte et, bien qu'il dépassât Judith d'une tête, sa taille était inférieure à celle de la majorité des membres de leur groupe, hormis les enfants.

Quand son compagnon revint, il tenait dans les mains un fruit et un bout de pain.

— Tout est arrangé. Ici, nous pourrons nous restaurer et prendre un peu de repos.

— On dirait que je leur fais peur.

— C'est exact.

— Moi ! Comment cela ?

— C'est votre apparence et le halo qui vous entoure. Ils croient que vous portez la maladie.

Le Fildefer devait parler du nimbe qui auréolait toutes les créatures douées de raison, selon les mages de Nayr.

— Et vous ? Vous n'avez pas peur ?

— Non.

— Ah bon ! Pourquoi ?

— Vous venez du Dehors. Vous êtes une Hors-Murs.

Étrange… Comment le savait-il ?

— Qui sont ces gens ? demanda-t-elle, changeant le sujet de conversation.

— Des Sans-Murs. Comme ils sont trop pauvres pour avoir leur propre logis, ils investissent ceux laissés vacants par les propriétaires négligents. Ils se déplacent souvent pour ne pas se faire attraper. Beaucoup d'Ubsalites ont déposé plainte contre eux à la Milice. C'est pourquoi on a mis les Harponneurs à leurs trousses.

Ils s'étaient écartés des membres du groupe qui leur jetaient des regards méfiants.

— Merci de m'aider. Comment vous appelez-vous ?

— Lorca 203. Et vous ?

— Judith.

Lorca la fixa avec des yeux étonnés, presque révérencieux.

— Vous êtes la première de votre lignée ?!

— La première ? Non. Vous vous méprenez. Ma mère est décédée, mais mon père et mes grands-parents vivent toujours. Judith n'est que mon prénom.

— Ici, c'est un chiffre qui nous différencie. Je suis le deux cent troisième des Lorca. Malheureusement, je crains que la lignée s'achève avec moi. Il n'y aura pas de Lorca 204.

— Pourquoi ?

— Je n'ai pas trouvé de compagne.

— Il ne faut pas désespérer.

— Si je n'ai pas de progéniture cette année, je serai stérilisé. Ainsi en ont décidé les pétrarques. Enfanter au-delà d'un certain âge entraîne des tares et pourrait compromettre la pureté de la race.

— C'est horrible !

— Mais nécessaire.

Judith n'était pas d'accord, cependant elle n'en dit rien. Qui était-elle pour critiquer les us et coutumes d'un peuple dont elle ne savait rien ?

— J'ignore sur quelles bases s'appuie le choix d'une compagne dans votre société, cependant je demeure persuadée que rien n'est perdu.

— Sans vouloir vous contredire, je n'ai plus grand espoir, d'autant que je suis difforme, vous l'avez sûrement remarqué. Ma mère était trop vieille lorsqu'elle m'a conçu.

— Différent peut-être, mais pas difforme.

Lorca baissa la voix. Sur le ton de la confidence, il lui dit :

— La majorité des femmes me trouvent répugnant. Elles refusent de se laisser approcher. De toute manière, je ne les trouve pas très séduisantes moi-même. Pas autant que vous en tout cas. Peut-être parce que nous nous ressemblons davantage.

Judith fut touchée par cette façon indirecte de la complimenter.

— Est-ce vous qui m'avez nourrie ? Qui laissait ces aliments près de moi tous les matins ?

Lorca baissa la tête.

— Vous paraissiez en difficulté. Je voulais seulement vous venir en aide.

Sa vulnérabilité dans cet univers dépourvu de sens frappa soudain Judith de plein fouet. Elle sentit monter en elle un sentiment de détresse qui la submergea, tel un raz-de-marée. Les larmes affluèrent sans qu'elle puisse les retenir. Quand elle réussit enfin à se maîtriser, ses joues luisaient d'humidité. Et tout le monde la dévisageait d'un air horrifié. Dans les grands yeux de Lorca lui-même se lisait la stupéfaction.

— Qu'y a-t-il ? demanda Judith, inquiète. Pourquoi me regardez-vous ainsi ?

— Ce… cette eau qui sort de vos yeux. Est-ce que cela fait mal ?

Les Sans-Murs avaient déjà retrouvé leur air bovin. Ils serraient encore plus les rangs, s'éloignant d'elle comme s'ils avaient affaire à une pestiférée.

— Mal ? Au contraire, cela soulage. Garder sa peine n'est jamais bon. Il vaut mieux lui donner libre cours. Ne pleurez-vous donc jamais ?

Lorca secoua la tête. Dans son regard, un peu d'envie se mêlait curieusement à la crainte.

— Les émotions appartiennent à l'aalma, récita-t-il d'une voix mécanique. Les afficher au grand jour est un signe de dépravation.

Longtemps, ils avaient parlé et tous avaient appris beaucoup sur leur monde respectif. Lorsqu'ils eurent terminé et se furent rassasiés de pain, de fruits et de légumes, Ylian demanda à Kal s'il était en mesure de l'informer sur le sort de ses compagnons.

— En admettant qu'ils aient échappé aux Carnels, maints dangers hantent les couloirs de la cité, les stryes – les esprits de folie – n'étant pas le moindre. Oubliez-les. Si vos amis étaient encore en vie quelque part, j'en aurai entendu parler. C'est un miracle que vous-même ayez survécu.

— Pourriez-vous me faire sortir d'ici ?

— Oui, mais vous devrez attendre. J'entreprends une tournée, car les Affranchis s'apprêtent à donner un grand coup. Vous pouvez rester ici. C'est l'affaire de quelques jours.

— Si vous n'y voyez pas d'inconvénient, je préfèrerais vous accompagner.

— Soit, mais je vous avertis. Le voyage n'ira pas sans risques, ne serait-ce qu'à cause des patrouilles.

— Si vous me rendez mon épée, cela ne m'effraie pas.

— Très bien. Dans ce cas, allons nous reposer. Nous nous lèverons de bonne heure demain.

— Réveillez-vous, il faut partir.

Judith eut du mal à ouvrir les yeux. Elle était épuisée. Le manque de nourriture, la fatigue, le stress et cette graine qui avait germé et qui poussait dans son ventre… Depuis qu'on l'avait enlevée, c'était la première fois qu'elle se sentait tant soit peu en sécurité. La tension s'était relâchée, ce qui expliquait pourquoi elle avait dormi si profondément.

— Qu'y a-t-il ? demanda-t-elle à Lorca.

Autour d'eux, hommes et femmes rassemblaient leurs maigres bagages.

— Les propriétaires reviennent. On ne doit pas nous trouver ici.

— Comment le savez-vous ?

— Les Sans-Murs ont de bons guetteurs. Allons-nous-en maintenant.

Lorca lui tendit la main. Judith la prit et ils s'enfoncèrent dans la pierre.

Le trajet fut bref. Ils aboutirent dans un couloir qu'encombrait déjà une colonne de Sans-Murs. Lorca lui avait déniché des vêtements moins voyants que les siens – des pantalons grisâtres et une simple chemise, aussi terne. Ce qui n'empêchait pas les gens de se retourner pour la dévisager. Le nimbe, bien sûr. Lorca le lui confirma.

— Outre sa couleur vive, il a la particularité d'être double.

— Double ?

— Un plus petit en occupe le centre. C'est fort étrange. Vous ne vous en étiez pas rendu compte ?

— Non. À dire vrai, je ne distingue même pas le vôtre.

— Vous ne perdez rien. Il est minuscule, presque incolore et si peu lumineux qu'on éprouve parfois du mal à le voir ! Certains disent qu'il n'en a pas toujours été ainsi, qu'il s'est atrophié avec le temps.

La colonne poursuivit sa route. Les Sans-Murs semblaient aller au hasard, sans destination précise, cependant Judith finit par remarquer une certaine logique dans ces déplacements. Ils empruntaient des couloirs situés tantôt à droite, tantôt à gauche selon une progression qui rappelait la suite des nombres premiers : le premier à droite, le second à gauche, le troisième à droite, puis le cinquième à gauche et ainsi de suite jusqu'à treize. Ensuite, la séquence recommençait. Au bout d'un temps, une poignée d'individus se détacha du groupe et disparut dans un mur. Bientôt, une deuxième l'imita, suivie d'une troisième. La cohorte rapetissait. Judith supposa que chaque départ coïncidait avec la découverte d'un logement inoccupé que les Sans-Murs squatteraient jusqu'au retour du légitime propriétaire. Puis la transhumance reprendrait. Jamais elle ne saurait vivre de cette façon. Elle n'était pas de nature nomade. Il lui fallait un port d'attache où jeter l'ancre. Vivre dans une valise, très peu pour elle.

Bientôt, il ne resta qu'eux deux. Où Lorca l'emmenait-il ? Comme s'il avait lu dans ses pensées, celui-ci déclara :

— J'aimerais vous montrer quelque chose. Ce n'est pas très loin. Ensuite, nous rejoindrons les autres.

Quelques détours plus tard, il lui prit la main.

— Voilà, c'est ici, dit-il, l'entraînant dans le mur.

Ils échouèrent dans une espèce d'alcôve à peine assez grande pour accueillir deux personnes. Lorca plongea les mains dans le sol et en sortit un moellon de cinquante centimètres d'arête. La pierre aurait dû peser assez lourd. Pourtant, il la manipulait comme s'il s'agissait d'une plume. Le moellon rappela à Judith celui qu'Ylian et elle avaient découvert dans la demeure de monseigneur Da Hora, à Tombelor, peu après le séisme.

— C'est mon aalma.

Il lui donna plus de détails.

L'aalma était le double minéral des Ubsalites. Le Jour de l'Éveil, lors d'une grande cérémonie, les bébés d'Urbimuros recevaient des amnontes un fragment extrait de la Matrice aalmique guère plus gros qu'une noix. À l'aide d'un stylet spécial, ils greffaient un lien invisible et élastique entre le système nerveux du nourrisson et la pierre vivante. C'est par ce lien que voyageaient sentiments et émotions.

Au cours des premières années, l'aalma se développait, apaisant l'enfant chaque fois qu'une émotion trop intense naissait en lui, grâce au canal qui les unissait, jusqu'à ce que cela devienne un automatisme. L'aalma enregistrait dans ses fibres les événements qui ponctuaient la vie du jeune Ubsalite, les ajoutant à ceux déjà contenus dans la Matrice. L'aalma jouait donc le double rôle de mémoire collective et d'éponge émotionnelle. Les Ubsalites lui confiaient leurs sentiments, et la quasi totale absence d'affectivité qui en résultait expliquait la stabilité de la société ubsalite. Colère et ressentiment étaient évacués dans l'aalma. Au décès de l'Ubsalite, cette dernière réintégrait la Matrice. De cette façon, son souvenir s'ajoutait à celui de ses aïeux et serait perpétué pour l'éternité dans la mémoire de la race.

Lorca rappela alors à Judith qu'à moins que pétrarques et amnontes n'en décident autrement, les couples ubsalites n'avaient le droit d'engendrer qu'un enfant de chaque sexe. L'idée était de maintenir la population dans des limites raisonnables pour la ville.

— Qu'arrive-t-il si les enfants sont du même sexe ? l'interrompit Judith.

— Les pétrarques prennent les surnuméraires pour en faire des serviteurs de l'État après leur stérilisation. Du moins ceux de sexe féminin.

— Et les garçons ?

— Les amnontes se les réservent, mais je n'en sais pas plus. On ne les revoit jamais.

V. BRÈVE RENCONTRE AU SOMMET

Obal 134 sentit poindre en lui une émotion. Du moins le crut-il. La sensation n'était pas neuve, mais elle gardait son étrangeté. C'était comme si quelque chose en lui se fracturait, comme si le tissu étroitement serré de son intégrité morale se fissurait. Une sensation légère mais ô combien délicieuse de perdre la maîtrise de soi.

Une onde lui heurta le dos. Quelqu'un souhaitait lui parler. Il rangea à la hâte l'aalma du Sans-Murs récemment harponné et utilisa son communicateur pour envoyer à son tour une onde signifiant qu'il acceptait de recevoir le visiteur.

Valtor 98 pénétra dans la vaste pièce de travail de l'Amnonte majeur, chef suprême du pouvoir religieux à Urbimuros. Le motif de cette visite devait être sérieux, car le directeur de la Milice se déplaçait rarement et encore moins sans escorte.

— Excusez-moi de vous déranger dans vos activités, Obal, déclara le nouveau venu, mais je dois absolument vous parler.

— Que se passe-t-il ? Les Affranchis ?

— Eux et d'autres choses aussi inquiétantes, sinon davantage.

— Nous serons plus à l'aise dans la Verrière. On nous y apportera de quoi nous désaltérer.

La Verrière était un lieu unique à Urbimuros et, de son usage, l'Amnonte majeur était le seul à avoir le privilège. Le Grand Pétrarque répétait à qui voulait bien l'entendre qu'un jour, ce serait la Pétrarchie et non le Culte qui occuperait le Palais amnontial, comme il se devrait, et qu'il profiterait alors à son tour de la Verrière.

Située au sommet du plus haut édifice du quadrant des Premiers, la Verrière avait des parois faites d'un ancien matériau, aujourd'hui introuvable, beaucoup plus fragile que la pierre et dont la propriété principale était que l'on pouvait voir au travers sans qu'il fût nécessaire de le pénétrer.

De ce lieu exceptionnel, symbole de la suprématie des amnontes sur la vie d'Urbimuros, on embrassait la ville entière, de l'ancienne cité aux jardins hélioponiques d'où la ville tirait sa subsistance. Au pied du Palais amnontial, polyèdre qui abritait dans son sous-sol le cœur de la Matrice aalmique, s'ouvrait une des deux artères principales convergeant vers la Grande Place d'Orbe, avec sa pyramide et le translateur public donnant accès aux autres quadrants de la ville.

L'une des craintes d'Obal – et de la Pétrarchie – était que les Affranchis s'emparent d'une de ces pyramides et l'utilisent soit pour prendre d'assaut le quadrant des Premiers, soit pour l'affamer en perturbant le transport des denrées. La Milice veillait au grain, mais le fait qu'elle relevait à la fois des amnontes et des pétrarques compliquait la situation, car le Culte et la Pétrarchie étaient à couteaux tirés, et tout ce qu'ordonnait le Grand Pétrarque, l'Archonte majeur s'empressait de l'annuler, et vice-versa.

Valtor et Obal prirent place sur des sièges aux formes extravagantes garnis de coussins moelleux, évoquant l'incroyable luxe dont profitaient les plus hauts échelons de la caste religieuse. Bien qu'il fût au sommet de la Milice, Valtor ne disposait pour sa part que de chaises austères totalement dépourvues de confort.

Un jeune homme aux traits efféminés et en courte tenue déposa sur la table voisine un plateau couvert des fruits les plus appétissants que Valtor avait vus depuis longtemps. Décidément, les amnontes ne se refusaient rien.

— Alors, racontez-moi ce qui vous tracasse, commença Obal en gobant une baie de bramanthe écarlate avec délectation.

Il avait la voix suave de celui si haut placé qu'il est certain que rien ne peut l'atteindre.

— Des Hors-Murs se baladent en ville.

Obal faillit s'étrangler.

— D'où tenez-vous l'information ?

— Depuis une dizaine de jours, les capteurs enregistrent des anomalies dans le Mur prime.

— Des curieux qui bravent l'interdit. Ce ne serait pas la première fois.

— Non. Le mur a été franchi de l'extérieur, pas l'inverse. La Milice s'est rendue sur place, mais est chaque fois arrivée trop tard. À l'exception d'un couloir où un groupe de Carnels s'entre-dévoraient, les lieux étaient déserts. Les miliciens y ont promptement mis terme en décérébrant ces dépravés. Puis, il y a deux jours, le translateur du troisième quadrant a fait défaut. Une équipe de techniciens a été dépêchée. Elle en a profité pour récupérer les enregistrements. Sur l'un d'eux apparaît un Hors-Murs. C'est même à lui qu'on doit la défectuosité du système. La bande le montre descendant l'escalier pour se diriger vers la vieille ville.

— Où les Affranchis ont établi leur quartier général ?

— Précisément. Je vous avais prévenu que les systèmes de surveillance étaient insuffisants, qu'il fallait faire garder les places d'Orbe.

— Ne pouvez-vous le retrouver ?

— Les Hors-Murs n'ont pas d'aalma. C'est ce qui les rend si difficiles à repérer, à l'instar des Affranchis.

— Peut-être ces derniers nous en débarrasseront-ils, suggéra Obal en reprenant un fruit.

— Peut-être… À moins qu'ils ne s'en fassent un allié.

Cette baie de bramanthe eut autant de difficulté à franchir le gosier de l'Amnonte majeur que la précédente.

— Que voulez-vous dire ?

— Les Affranchis sont tranquilles ces jours-ci. Trop, si vous voulez mon avis. Ils trament quelque chose. Et puis, il y a la prophétie…

— Vous ne songez tout de même pas…

— L'enregistrement ne permet pas de le dire. Cependant, après la disparition de la Nuée, voici que des Hors-Murs pénètrent dans Urbimuros. Avouez que la coïncidence est étrange. Les Affranchis pourraient vouloir en profiter.

Valtor appréciait la manière dont l'Amnonte majeur se tortillait sur son siège.

— Faites ce que vous voulez, mais retrouvez-le.

— Une fouille méthodique du quadrant donnerait peut-être des résultats, cependant je n'ai pas assez d'hommes, surtout avec le Jour de l'Éveil qui approche. Pour garder les places d'Orbe, patrouiller l'Allée magne, protéger les jardins hélioponiques et le quadrant des Premiers, assurer la sécurité lors de la cérémonie et entreprendre des fouilles, il m'en faudrait trois mille de plus. C'est ce que recommande Rhoiman.

— Le Grand Pétrarque exagère. Trois mille ! La Milice deviendrait une véritable armée.

— Une armée à votre solde.

— Et à la sienne, ne l'oublions pas.

— Rhoiman est mon supérieur au même titre que vous, pas plus. Par-dessus tout, c'est Urbimuros que je sers.

L'Amnonte majeur réfléchit. Valtor avait raison. Il fallait accroître la sécurité, mais le directeur de la Milice était-il aussi impartial qu'il le prétendait ? Valtor n'était pas vénal, cependant il avait de l'ambition.

— Deux mille suffiront. Je vous laisse le soin de l'annoncer à Rhoiman.

Valtor remercia l'Amnonte majeur. Deux mille, c'était mille de plus qu'il espérait. Bien des choses étaient sur le point de changer dans Urbimuros.

VI. QUAND ON N'EST EN SÉCURITÉ NULLE PART, POURQUOI RESTER CHEZ SOI?

Kal voulait haranguer ses hommes pour leur insuffler un courage qui leur faisait souvent défaut. Ils en auraient besoin le Jour de l'Éveil, date prévue de l'insurrection. La présence d'Ylian à ses côtés renforcerait leur sentiment que la vie était possible sans aalma.

Pour un Affranchi, trancher le lien avec sa pierre de mémoire était le pas ultime, le plus difficile aussi. Ceux qui joignaient les rangs des rebelles n'y parvenaient qu'au prix d'efforts énormes, soutenus par les encouragements incessants de leurs pairs. De longs atermoiements précédaient invariablement la décision de renoncer définitivement à ce qui s'était avéré jusque-là une précieuse béquille.

Les premiers Affranchis – les purs et durs – affirmaient avoir traversé cette étape sans difficulté, parfois de manière spectaculaire – à coups de masse ou de pic, voire en débitant le bloc de fibres semi-organiques qu'était l'aalma à l'aide d'un pétrolyseur. Ils s'étaient néanmoins vite rendu compte qu'ils ne pouvaient en demander autant à ceux qui leur emboîtaient le pas. Au début, les chefs du mouvement avaient offert de détruire l'aalma de ceux qui n'y parvenaient pas, uniquement pour voir ces derniers devenir suicidaires ou forcenés parce qu'ils n'assumaient pas la disparition d'une aussi grande partie d'eux-mêmes. Vivre avec son aalma était une chose, supporter le flot non endigué de ses émotions, une autre.

En fin de compte, il avait été convenu qu'on mettrait sur pied des groupes de soutien qui œuvreraient auprès des plus fragiles et des indécis jusqu'à ce que ceux-ci acquièrent assez d'assurance pour passer à l'acte. Pareille tactique s'était avérée plus profitable que la manière forte et les rangs des Affranchis s'en étaient trouvés passablement grossis.

Par mesure de sécurité, les Affranchis étaient scindés en cellules disséminées un peu partout dans la ville. Des capitaines en prenaient dix en charge ; un comité supervisait les capitaines de chaque quadrant et l'organisation était chapeautée par un conseil de sept membres dont Kal assurait la présidence. De temps à autre, ce dernier se rendait dans les quadrants stimuler les troupes. Cette fois, l'opération s'avérait plus périlleuse. D'abord parce que la Milice redoublait de vigilance à l'approche du Jour de l'Éveil, ensuite parce qu'une tournée des quadrants multipliait les risques.

— Nous commencerons par le quadrant le plus près, déclara Kal. Les militants y sont nombreux. Les compagnons de la première heure s'y trouvent presque tous. Tenez, cela nous facilitera la tâche.

Kal lui tendit un objet métallique rond sur lequel étaient gravés des symboles sans signification apparente.

— Qu'est-ce que c'est ?

— Un translateur portatif. On s'en sert pour déplacer les gros chargements. Grâce à lui, vous traverserez les murs sans difficulté. Sa réserve d'énergie suffira pour les deux ou trois prochains jours. Un voyant lumineux signale quand approche le moment de refaire le plein. Méfiez-vous. J'ai vu des cargaisons entières perdues parce qu'un contremaître avait négligé de renouveler la réserve d'énergie de son translateur. Le spectacle n'est pas joli à voir. Les molécules se répartissent partout où subsistent des espaces dans la pierre. Ensuite, le mur doit être condamné. Il n'est plus qu'une masse que sa densité rend infranchissable.

— Je tâcherai de m'en souvenir.

— Pour actionner l'appareil, enfoncez ce bouton. Appuyez de nouveau pour l'éteindre quand vous n'en aurez plus besoin, cela économisera les réserves.

Ylian fit un test. Il sentit un courant traverser son corps. Cela rappelait les picotements d'un muscle endolori dans lequel le sang se remet à circuler. Tendant la main vers le mur devant lui, il la vit y disparaître comme par enchantement.

Kal approuva.

— Parfait. Allons-y. Le temps presse. Vous n'aurez qu'à me suivre.

Ils partirent, traversant les murs comme s'ils n'existaient pas. Avec l'appareil, la pierre devenait intangible, n'était plus qu'une illusion, pas un obstacle. Ylian songea qu'avec un tel instrument, il lui serait facile de quitter la ville. Cependant, encore fallait-il savoir quelle direction prendre. Ainsi qu'il avait pu le constater, pour qui ne la connaissait pas, Urbimuros était un inextricable labyrinthe.

Ils se déplaçaient depuis près d'une heure, franchissant indistinctement murs et couloirs, quand Kal s'arrêta. Ylian en fit autant. Posant le doigt sur les lèvres, son guide lui signala de garder le silence. Un danger approchait. Kal se glissa prestement dans son dos pour l'entourer de ses bras avant de fermer le translateur. Bien qu'elle demeurât impalpable, Ylian eut l'impression que la matière se resserrait, que les molécules de la pierre et celles de son corps se faisaient plus denses et que les forces d'attraction qui animaient les unes et les autres luttaient entre elles.

— Plus un geste, lui souffla Kal à l'oreille.

Ainsi enlacés, ils attendirent.

Ils n'eurent pas à patienter longtemps.

Dans le couloir succédant au mur dans lequel ils se cachaient apparurent bientôt cinq êtres dépenaillés. Leurs yeux n'étaient que des orbites creuses au fond desquelles un point orange brûlait d'une lueur malsaine. De longs poils noirs couvraient les parties visibles de leur corps squelettique et des griffes effilées et jaunes pendaient à leurs mains, faisant office de doigts.

Les membres du groupe avançaient d'un pas lourd et traînant. Ils communiquaient entre eux par une suite de cliquetis d'ongles et de claquements de langue.

Le dernier passait devant Kal et Ylian quand celui-ci eut un mouvement involontaire. La créature s'arrêta aussitôt et tourna la tête vers lui, scrutant intensément la paroi de ses petits yeux abricot. S'approchant du mur, il passa sa main décharnée sur la paroi, griffant la pierre de ses appendices en corne. Ylian sentit Kal se contracter derrière lui. Son front se couvrit de sueur. L'être le percevait-il à travers la pierre, tout comme lui-même pouvait le voir ou n'était-ce qu'une impression engendrée par l'acuité de son regard ? Ylian retint sa respiration. Les griffes continuaient de courir sur la pierre avec ce crissement insupportable. S'il s'était trouvé dans le couloir, Ylian aurait dégainé et attaqué, mais à l'intérieur du mur, dans les bras tétanisés de Kal, il était aussi impuissant que l'enfant qui vient de naître. Au bout d'un temps qui lui parut interminable, la créature tourna la tête et rejoignit ses congénères qui s'éloignaient.

Une fois le danger écarté, Kal lâcha un soupir de soulagement et remit le translateur d'Ylian en marche avant de lui rendre sa liberté.

— Qu'était-ce ? interrogea ce dernier, lorsqu'ils émergèrent dans le couloir.

— Des stryes. Elles sont très habiles à discerner les harmoniques.

— Les harmoniques ?

— Organique ou pas, la matière émet des ondes. Prenez-en pour gage le halo lumineux qui vous entoure. Les ondes émises par l'aalma et nos appareils sont particulièrement puissantes. Nous les appelons des harmoniques. C'est pour cela que j'ai éteint le vôtre. Comme ni vous ni moi n'avons d'aalma, les stryes n'auraient pu nous repérer que si nous avions bougé. Pour débusquer les Ubsalites cachés dans les murs, les stryes agitent constamment leurs stylets. Nous résistons très difficilement aux crissements que produisent ces excroissances cornées quand les stryes s'en servent pour griffer la pierre. Si les stryes avaient senti notre présence, leur échapper n'aurait pas été si facile.

— Qu'arrive-t-il quand une strye détecte un Ubsalite ?

— Avec ses stylets, elle happe le fil invisible qui le rattache à son aalma et vide celle-ci de sa substance jusqu'à ce qu'il ne subsiste plus qu'une coquille vide. Les émotions emmagasinées depuis l'enfance fuient à travers le malheureux. Habituellement, il n'y résiste pas, il sombre dans la folie. C'est la raison pour laquelle on surnomme les stryes « esprits de folie ». Ne croyez pas que les Affranchis sont à l'abri parce qu'ils n'ont plus d'aalma. Les stryes sont de véritables maelströms émotionnels. Impossible de s'en approcher sans avoir le cerveau grillé par la décharge émotive qui en émane.

L'image de Judith s'imposa subitement dans la tête d'Ylian. Avait-elle réussi à regagner Syatogor ainsi qu'il l'espérait ? Certes, elle ne manquait pas de ressources, cependant, il n'en demeurait pas moins que cet univers n'était pas le sien. Une foule d'embûches pouvaient se dresser sur son chemin. L'imaginer aux mains d'une horde de hobgobelins ou entre les crocs d'un dracoloup le secoua. Il devait quitter cette ville au plus vite et déployer tous les efforts pour retrouver son aimée.

Judith dormait profondément quand elle sentit un corps se lover contre le sien. Plongée dans les brumes du songe, elle crut qu'Ylian l'avait retrouvée et l'enveloppait de ses bras. L'illusion ne dura qu'un instant. Ce n'étaient pas les mains de son amour qui couraient sur elle, c'étaient celles de Lorca.

Elle se dégagea vivement et bondit sur ses pieds.

— Qu'est-ce qui vous prend ?

Lorca se recroquevilla. Tête et cou s'enfoncèrent entre ses épaules, puis son corps se roula en boule sur ses jambes repliées. On aurait juré un escargot rentrant dans sa coquille après avoir été saupoudré de sel.

— Je vous demande pardon. Je… Je… C'était plus fort que moi. Vous êtes si belle. Si… Si… Différente. Je n'ai pu m'en empêcher.

— Votre aalma ne sert-elle pas justement à prévenir ce genre de comportement ? Je croyais qu'elle vous débarrassait des émotions que vous ne savez maîtriser !

— Excusez-moi. Cela ne se reproduira plus.

La colère de Judith s'évanouit rapidement. Évidemment qu'il n'y pouvait rien. Une société si répressive ne pouvait aboutir qu'à une chose : transformer sa population en gigantesque cocotte-minute. Tôt ou tard, la pression serait si forte que le couvercle en sauterait, et tout ce qui y avait été si soigneusement contenu engendrerait les pires excès. La mèche de cette bombe à retardement se raccourcissait de plus en plus avec chaque année qui passait. L'attitude de Lorca n'en était que la confirmation.

— Je connais mal vos coutumes, tempéra Judith, mais vous devez comprendre que j'ai donné mon cœur.

L'Ubsalite ouvrit de grands yeux.

— Vous n'avez plus de cœur ?

— C'est une façon de parler, se reprit-elle. Je veux dire que j'en aime un autre.

L'air de Lorca se fit songeur.

— Aimer. Je connais ce mot. Il fait partie des sentiments qu'on apprend très tôt à confier à l'aalma.

— Mais, dans ce cas, les couples… Comment se forment-ils ?

— Un Ubsalite sait qu'il a rencontré une compagne acceptable aux réactions qui se produisent dans son corps lorsqu'il est près d'elle. Des tractations s'ensuivent. En général, l'imprégnation survient peu après.

— L'imprégnation !

Judith réprima un frisson.

— Eh bien, chez nous, cela ne se passe pas du tout comme ça. Si les partenaires n'éprouvent pas de sentiments l'un pour l'autre, il n'y a pas euh… imprégnation. Du moins, généralement.

— Pourriez-vous m'apprendre ce sentiment ?

— Cela ne s'apprend pas vraiment. Quand on n'a pas d'aalma, cela vient naturellement.

— Ah !

Il y avait de la déception dans cette syllabe. Judith s'en voulut de tuer dans l'œuf ce qui s'avérait peut-être le réveil d'une vie affective considérablement atrophiée, pour ne pas dire mort-née.

— Enfin, je pourrais essayer, se ravisa-t-elle. Sans toutefois garantir le résultat. Nous verrons.

— Merci.

— Mettez-y plus d'enthousiasme. Comme… Comme si vous veniez de retrouver un objet que vous aviez perdu et auquel vous teniez beaucoup. Laissez l'émotion monter en vous, vous emplir. C'est ce qu'on appelle la joie. Ce sera ma première leçon.

— Je… Je… Oui, je sens quelque chose. On dirait une… Une sorte d'impatience.

— Bravo ! Surtout ne la réprimez pas. Et ne laissez pas votre aalma s'en nourrir. Laissez l'émotion prendre toute sa place.

Lorca sourit. Avec un tel professeur, il sut qu'il réussirait à déchiffrer cet assemblage de réactions psychiques et chimiques que la jeune femme appelait « amour ». Une fois qu'il en aurait maîtrisé les complexités, aucun doute n'était permis dans sa tête : il imprégnerait Judith et sa lignée s'en trouverait perpétuée.

Ylian comprit vite pourquoi Kal avait si facilement accepté qu'il l'accompagne dans sa tournée.

— À ceux qui hésitent encore à faire le grand saut et à se libérer du joug de l'aalma, je répondrai ceci, avait-il déclaré d'une voix haute et vibrante devant la centaine de personnes entassées dans la minuscule salle aux parois revêtues d'orikalque. Voyez ce Hors-Murs. Vous paraît-il avoir perdu la raison ? Semble-t-il connaître les affres d'émotions mal contenues ? Non. Vous avez devant vous un spécimen d'une santé robuste et parfaitement équilibré. Si un Hors-Murs est capable d'un tel exploit, que dire d'un Ubsalite qui a derrière lui des milliers d'années de civilisation ? Aurez-vous moins de courage qu'un de ces sauvages du Dehors qui survivent sans autre intelligence que la force de leurs muscles ? Ne valez-vous pas mieux qu'un Hors-Murs ? Alors prouvez-le en vous détachant de votre aalma, et montrons à la Pétrarchie et aux amnontes de quoi sont capables les Affranchis.

À Tombelor, pareille harangue eût engendré une explosion de vivats ; ici, elle ne suscita qu'un vague murmure approbateur.

— Merci pour le sauvage, grommela Ylian lorsqu'ils furent de nouveau seuls.

Kal ne se confondit pas en excuses.

— Mes hommes ont besoin de motivation. Je suis persuadé qu'à ma place, vous en feriez autant.

Ylian ne partageait pas cette opinion. De par le code auquel ils adhéraient tacitement, les princes-dragons étaient tenus à une conduite irréprochable, tant en paroles qu'en gestes. Il laissa néanmoins passer l'offense. Kal était son seul allié, pratiquement son unique espoir de quitter cet univers dangereux dont il ignorait les rouages. Ylian devait peser ses gestes et mesurer ses paroles tout en demeurant sur ses gardes, car Kal n'hésiterait pas à se servir de lui pour parvenir à ses fins. Ylian n'était qu'un pion sur l'échiquier de la partie qui était en train de se jouer dans Urbimuros et nul n'ignore que, dans n'importe quel jeu, les pions sont ceux qu'on sacrifie en premier.

VII. AMOUR, VICES ET MORGUE

— Alors ? interrogea le Grand Pétrarque Rhoiman 88.

— Obal est d'accord. Il consent au renforcement de la Milice.

— Bravo ! De combien ?

— Mille hommes, mentit Valtor.

— Mille ! Fantastique ! Comment vous y êtes-vous pris ? La dernière fois, je lui en avais proposé cinq cents et cet abruti m'a envoyé paître.

— Disons que j'ai exagéré un tantinet la menace des Affranchis. L'Amnonte majeur est un vieillard. La peur est sa plus mauvaise conseillère. Mais j'avais d'autres atouts dans ma manche. Obal n'est pas blanc comme neige…

— Ah bon ! Expliquez-vous.

— Les aalmas des condamnés ne finissent pas toutes dans la Matrice aalmique ainsi qu'il aimerait le faire croire.

— Prenez garde, Valtor. Pareilles calomnies pourraient vous coûter cher.

— J'ai mes informateurs. L'Amnonte majeur a développé un goût immodéré pour les sensations fortes. Saviez-vous qu'il a décérébré une strye qu'il manipule pour extraire les émotions les plus juteuses des aalmas avant leur restitution au patrimoine ubsalite ?

— C'est ignoble !

— Mais fort pratique. Qui irait se plaindre qu'une tranche de la vie d'un condamné a été effacée à jamais ? Le cas échéant, Obal ne pourra rien me refuser.

— Que proposez-vous à présent ?

— Recruter les miliciens et les poster aux endroits stratégiques. Ensuite, il suffira d'une petite crise pour décréter le couvre-feu. Quand le quadrant des Premiers sera sous verrou, qui sait ? Les Affranchis pourraient lancer une opération qui m'obligerait à porter secours aux membres du Culte. L'assiègement du Palais amnontial, par exemple. Évidemment, dans les cas de ce genre, un accident est vite arrivé…

— Vous êtes un homme redoutable, Valtor ! J'étais sûr que je ne me trompais pas en vous courtisant. Une fois Obal hors du chemin, diriger cette ville deviendra une sinécure. Je ne serai pas ingrat, Valtor.

— Merci.

— Tout de même, je dois avouer que, parfois, votre science de l'intrigue m'effraie.

— Il n'y a rien à craindre, Excellence. Je vous suis tout dévoué. Je ne vous causerai jamais le moindre tort.

Puis Valtor songea : « Il me suffira de laisser ce soin à d'autres. »

Après le départ de Valtor, Obal ne put s'empêcher de s'adonner une fois de plus à son vice. La strye aux yeux morts qui lui servait d'assistant était d'une dextérité phénoménale, ainsi qu'en témoignaient la longueur et la finesse de ses stylets digitaux. C'était pour cette raison, d'ailleurs, qu'il l'avait sauvée de la destruction pure et simple, et avait commandé qu'on se borne à la décérébrer pour supprimer toute volonté en elle. De ses doigts, la strye pouvait dénouer les fibres de n'importe quelle aalma, y compris les plus anciennes et les plus intriquées. Il suffisait de la laisser agir, puis de saisir la fibre avant que ses griffes l'arrachent pour ensuite en savourer le contenu.

Le plus souvent, les souvenirs étaient sans importance, cependant le monstre tombait parfois sur un nœud gorgé d'émotions, un passage particulièrement éprouvant ou agité de la vie du défunt propriétaire. Alors, Obal sentait monter en lui une bribe d'émotion. Un jour, il avait même cru sentir une larme perler au coin de son œil !

— Je constate que le plaisir croît avec l'usage.

Obal lâcha un cri avant de faire volte-face, furieux.

— Bragh ! Si je ne te l'ai pas répété cent fois, je ne te l'ai pas dit une fois. Perds cette sale habitude que tu as d'arriver ainsi sans prévenir dans mon dos. Je déteste cela au plus haut point.

Bragh 78 était son confident. Jeune, beau et insolent, c'est lui qui, le premier, l'avait initié aux plaisirs du viol de l'aalma.

Bragh faisait partie d'un groupe de jeunes Ubsalites décadents qui contestaient les enseignements fondamentaux du Culte, notamment celui du caractère sacro-saint de l'aalma.

Ces jeunes se réunissaient en secret pour extraire de leur propre aalma les sentiments et émotions qui s'y trouvaient enfouis depuis leur plus tendre enfance. Certains allaient jusqu'à subtiliser l'aalma de leurs parents pour se livrer à leurs turpitudes ou même jusqu'à détruire la mémoire de leurs aïeux afin de satisfaire leur appétit. Parce qu'ils venaient des plus nobles familles des Premiers, ces dépravés, quoique sévèrement réprimandés lorsqu'ils étaient pris, échappaient la plupart du temps à toute autorité.

Lorsque Bragh avait proposé à Obal de goûter aux plaisirs coupables qu'il pratiquait, l'Amnonte majeur s'était récrié, mais sa détermination avait fléchi peu à peu, jusqu'au jour où il avait cédé par curiosité. Bragh lui avait montré comment extraire de son aalma une émotion réprimée longtemps auparavant.

Obal en avait éprouvé tant de plaisir qu'il avait aussitôt récidivé. Accro du premier coup.

Évidemment, pour l'Amnonte majeur, il n'était pas question de profaner davantage sa propre aalma et encore moins la mémoire ancestrale qui y était intimement mêlée, ainsi que le faisaient ces jeunes sots. Tôt ou tard, ils en paieraient le prix : ils saccageraient quelque partie vitale de leur passé. Sans compter qu'une fois toutes les émotions extirpées de l'aalma — car le besoin ne cessait de grandir — , ne resterait que la bête sous le vernis de la civilisation. Obal avait donc pris la ferme décision de ne plus jamais toucher à la sienne. En revanche, son poste au sommet de la hiérarchie amnontiale mettait à sa disposition des ressources auxquelles peu avaient accès, en l'occurrence des aalmas de condamnés ou d'Ubsalites décédés devant réintégrer la Matrice aalmique. Depuis le lancement de la campagne contre les Sans-Murs, le nombre d'aalmas disponibles ne cessait de grossir. Pour qui avait accès à pareille ressource, rien n'était plus facile ni plus tentant que de puiser ici et là des émotions sans que nul ne s'en aperçoive.

Bragh avait aussi initié Obal au désir. Depuis, ce dernier accomplissait l'innommable : il forniquait uniquement pour le plaisir, pas pour procréer.

— Comment s'est déroulée l'entrevue avec Valtor ? interrogea Bragh en prenant Obal par la taille.

L'Amnonte majeur se dégagea avec humeur.

— Valtor a réitéré ses demandes. Il a beau affirmer ne vouloir que le bien d'Urbimuros, je sens Rhoiman derrière ces manigances. Le Grand Pétrarque n'a jamais digéré que le Palais amnontial ait un étage de plus que la Tour pétrarchique.

— Que voulait-il, cette fois ?

— Augmenter la Milice de trois mille hommes. Non mais, tu imagines ? Trois mille ! Presque le tiers des habitants du quadrant des Premiers. Ridicule !

— Et combien lui en as-tu accordés ?

Obal ne releva pas l'insolence.

— Deux. J'aurais peut-être dû en consentir davantage. Valtor n'a pas tort sur un point : les Affranchis se font de plus en plus audacieux.

— Oui, c'est à se demander ce que fabrique la Milice.

— Que veux-tu dire ?

— Ne trouves-tu pas curieux que cette Milice, dont Valtor vante tellement l'efficacité et qui compte des informateurs un peu partout, éprouve tant de mal à dénicher une bande d'exaltés qui ne manquent certainement pas de laisser une multitude de traces derrière eux ?

— Tu crois qu'il ne donne pas assez la chasse aux Affranchis ? Pourquoi ferait-il cela ?

— Je ne sais pas. Je m'interroge, c'est tout.

VIII. *DR. JEKYLL, I PRESUME?*, OU DU DANGER DE JOUER AVEC LES ALLUMETTES

Prise au piège, voilà ce qu'était Judith ! Lorca soutenait le contraire, mais elle était bel et bien sa prisonnière. Elle n'avait plus quitté le logement inhabité de deux pièces depuis qu'ils s'y étaient réfugiés. Selon Lorca, les parages n'étaient pas sûrs. La Milice multipliait les patrouilles et les Harponneurs se faisaient plus nombreux. S'il la tenait séquestrée, c'était pour son bien, arguait-il. Judith n'en croyait pas un traître mot.

Le problème était qu'à l'inverse de Lorca et des Fildefers en général – les Ubsalites comme ils se désignaient eux-mêmes –, Judith ne pouvait traverser de mur sans aide. Et à qui pouvait-elle en demander, à part Lorca ? Il n'y avait qu'eux dans l'appartement sans porte ni fenêtre.

Une fente de quelques centimètres de largeur découpait les murs à leur sommet. Un faible courant d'air s'en échappait, sans doute pour renouveler celui, vicié, de la pièce. Une cuve assez profonde pour qu'on y tienne debout jusqu'à la taille était creusée dans le sol ; elle se remplissait automatiquement d'eau tiède quand on y pénétrait. D'une dalle en grès rectangulaire fixée à un mur, à la hauteur de la poitrine, jaillissait un filet d'eau dès qu'on y posait les mains. Enfin, un entonnoir, en pierre également, accueillait les excréments, qui disparaissaient instantanément.

Judith ne pouvait laisser pareille situation s'éterniser. Lorca avait beau être prévenant et attentif, il n'était qu'un magma d'émotions en ébullition, à l'instar de beaucoup de ses semblables, sans doute. Il suffirait d'un rien, d'une piqûre d'épingle, pour que la pression fasse tout exploser. Et Judith avait l'impression qu'elle serait cet élément déclencheur qui risquait de rompre le très fragile équilibre maintenant Lorca en état de fonctionner.

Tel que promis, elle avait entrepris l'« éducation sentimentale » du jeune Ubsalite. Lorca était un bon élève. Trop, peut-être. Il en voulait toujours plus. Au point de friser parfois la démesure. Quand elle lui avait expliqué le rire, par exemple, il avait passé des heures à s'esclaffer jusqu'à ce qu'elle le somme d'arrêter, car elle était sur le point de devenir folle.

À présent, Lorca n'avait qu'une hâte : qu'elle lui enseigne l'amour. Judith avait beau lui répéter que, de tous les sentiments, celui-là était le plus complexe, qu'on pouvait y consacrer une vie entière dans parvenir à le maîtriser complètement, il ne voulait rien entendre.

Chaque fois qu'elle lui opposait un refus, des lueurs d'orage envahissaient aussitôt ses yeux gris. Pour l'instant, l'aalma du jeune homme absorbait ces flambées de colère naissantes, cependant l'enseignement de Judith en atténuait l'efficacité. Le canal qui acheminait les émotions de Lorca à cet exutoire se refermait peu à peu par ses propres soins.

Elle résolut alors de redoubler de finesse et de profiter de l'inexpérience du jeune homme pour qu'il la laisse partir. Quitte à jouer les séductrices pour parvenir à ses fins.

Ylian commençait à en avoir assez de ces réunions secrètes, de ces discours interminables, de ce rôle de phénomène dont il avait hérité. D'accord, il avait accepté de jouer le jeu – avait-il vraiment le choix ? – cependant l'inaction mettait ses nerfs à rude épreuve. Il ne cessait de penser à Judith et ne saisissait désormais que trop bien la folie qui l'avait poussé à partir à la découverte de cette ville devenue sa prison. Que se passait-il à Syatogor durant ce temps ? Il bouillait d'impatience d'y retourner.

Kal dut s'en rendre compte, car, au terme d'une énième rencontre durant laquelle il chauffa ses troupes et exhiba Ylian comme le modèle dont tout Ubsalite devait s'inspirer, il prit ce dernier à part pour lui faire une proposition.

— Je vous sens tendu, déclara-t-il. Je devine que, là d'où vous venez, on agit plus qu'on perd son temps en palabres. Est-ce que je me trompe ?

— J'ai beau me répéter de prendre mon mal en patience, je ne peux m'empêcher de penser à ceux que j'ai abandonnés.

— Cette Judith dont vous m'avez parlé ?

— Entre autres.

— De par mon éducation, je saisis mal cet attachement qui vous pousse vers une autre, parfois même à ce qui me paraît être votre détriment. Néanmoins, j'ai pu constater par moi-même combien l'attachement à une cause change le comportement d'un individu.

— Vous confondez amour et fanatisme.

— N'importe, les égarements sont les mêmes. Rassurez-vous, il n'y en a plus pour longtemps. Bientôt je vous conduirai où vous souhaitez tant aller et vous pourrez repartir. Dans l'intervalle, une petite distraction ne nous ferait pas de mal. Nous ne sommes pas loin des jardins hélioponiques. Cela vous plairait-il de les voir ?

Ylian fronça les sourcils.

— Une balade d'agrément n'est-elle pas inappropriée pour quelqu'un que les autorités recherchent avec autant d'acharnement ?

— Les jardins sont automatisés et peu d'Ubsalites s'y aventurent. Le sentiment d'espace qu'on y éprouve y est trop intense. Sans parler de la luminosité. On raconte que les bâtisseurs d'Urbimuros ont aménagé les jardins en souvenir du monde qu'ils avaient décidé de quitter.

— Ils alimentent la ville entière, avez-vous dit. Ne sont-ils pas surveillés ?

— Bien sûr, mais la Milice est trop occupée à nous faire la chasse et à empêcher les Sans-Murs d'envahir le quadrant des Premiers. Elle laisse la protection des jardins aux systèmes automatiques et, si complexe soit-il, aucun mécanisme n'est infaillible pour qui le connaît suffisamment. Tant que nous ne touchons à aucun fruit ou légume, les risques sont minimes.

Ylian accepta l'offre.

Sans plus attendre, ils filèrent à travers les murs. Ylian était maintenant rompu au fonctionnement du translateur. Pour être réellement autonome toutefois, il lui manquait et lui manquerait toujours l'acuité visuelle de son compagnon. Une fois coulés dans la pierre, les Ubsalites en discernaient les moindres variations et utilisaient celles-ci pour se guider, un peu comme l'œil humain distingue les nuances pour restituer les couleurs d'un paysage. Pour Ylian, la pierre ne serait jamais que de la pierre, un tableau monochrome dont la représentation resterait toujours un mystère. L'opacité de la matière elle-même représentait un obstacle. Passée une courte distance, il n'y voyait plus rien, alors que la vue de son compagnon portait beaucoup plus loin.

Près d'une demi-heure après leur départ, ils débouchèrent dans un lieu brillamment éclairé. Ylian cligna plusieurs fois des paupières. Depuis son arrivée, il vivait dans la pénombre et ses yeux avaient perdu l'habitude de la clarté. Or, ici, on se serait cru en plein soleil. L'expérience devait être encore plus pénible pour Kal, car il s'était couvert les yeux d'un épais bandeau noir. Devant eux s'étirait un couloir très large, comme il n'en avait encore jamais rencontré. D'autres couloirs s'y connectaient, non pas de manière aléatoire, mais perpendiculairement et à intervalles réguliers. Une lumière digne des plus beaux jours d'été sur Nayr baignait l'ensemble. De l'autre côté de la vaste allée, dans les couloirs secondaires, poussait une végétation d'une luxuriance qu'Ylian n'aurait pas crue possible, lui qui était habitué aux landes incultes et aux chiches récoltes des terres entourant Syatogor. Une profusion de fruits et de légumes alourdissaient tiges, vignes et branches qui frémissaient doucement dans une brise légère, chargée d'humidité et de parfums capiteux.

— Bienvenue dans le grenier d'Urbimuros, déclara son guide. L'air qui circule dans les jardins est saturé d'une eau que les plantes puisent par leurs feuilles, mais elles se nourrissent aussi à même la pierre poreuse dans laquelle elles sont enracinées et qu'irrigue un liquide très riche en éléments nutritifs venant des cuves de récupération qui parsèment la ville. Évidemment, la récolte et la distribution des fruits et des légumes sont sévèrement contrôlées. Pour simplifier, disons que les plus beaux spécimens échouent rarement dans d'autres mains que celles des Premiers.

— Étant donné la facilité avec laquelle vous traversez les murs, il me paraît difficile d'empêcher quiconque de se servir.

— Seule l'allée où nous sommes échappe à la surveillance. C'est voulu, elle sert d'appât.

— D'appât?

— Notre société est loin d'être sans défauts. Chacun y mange à sa faim pourvu qu'il respecte les règles et s'abstienne de ruer dans les brancards. Ceux qui ont le malheur d'élever la voix contre l'administration pétrarchique constatent vite que leurs rations hebdomadaires s'amenuisent. S'ils persistent dans leurs errements, elles peuvent même se tarir.

— C'est ignoble.

— Mais fort commode. Les rebelles se transforment rapidement en affamés. Dès lors, les jardins deviennent une tentation trop grande pour y résister longtemps. Le vol de nourriture étant passible de la peine capitale, les jardins constituent un excellent moyen de se débarrasser une fois pour toutes des éléments indésirables.

— Comment les Affranchis se ravitaillent-ils, dans ce cas ?

— Nous avons nos filières, répondit Kal sans entrer dans les détails. Nous arriverons bientôt au prochain quadrant. C'est le dernier de ma tournée. Ensuite, je ne vous demanderai qu'une chose : paraître à mes côtés le Jour de l'Éveil lorsque je lancerai le signal de ralliement. Après, vous serez libre.

Force lui était de l'admettre : elle avait commis une bêtise monumentale. En voulant enseigner à Lorca comment laisser libre cours à ses sentiments et en l'incitant à s'affranchir de son aalma, Judith avait ouvert la boîte de Pandore.

Le jeune homme n'avait strictement aucune maîtrise de lui-même. Faute d'avoir acquis, peu à peu, au cours de sa vie, l'expérience qui lui aurait permis de canaliser le flot d'émotions qui le submergeait, il sautait sans transition de la colère à la joie, puis à la tristesse ou à un amour sirupeux. Au lieu de l'être sensible et civilisé que Judith avait espéré former, se tenait devant elle une sorte de monstre entièrement commandé par ses émotions. Un monstre dangereux.

Lorca était en pleine crise.

Par inadvertance, Judith venait de déclencher sa colère en exprimant une réflexion idiote et Lorca s'était mué en véritable furie. Il hurlait tel un dément. S'ils n'avaient traversé si facilement les murs, ses poings ne seraient depuis longtemps qu'une bouillie de chairs sanguinolentes.

Judith s'était prudemment retranchée dans un coin et faite aussi petite que possible pour échapper à l'ouragan. Par bonheur, Lorca était si enveloppé de la rage qui l'animait qu'il ne semblait plus rien voir. C'était comme si un rideau opaque était descendu devant ses yeux.

Le cœur battant la chamade, Judith le regardait virevolter en proférant des insanités et en frappant les murs. Même chez son père, dont le sang bouillait plus souvent qu'à son tour, elle n'avait jamais assisté à pareil déchaînement.

L'idée que cette colère fût assez violente pour terrasser Lorca lui traversa l'esprit. Elle s'imagina enfermée avec le cadavre de l'Ubsalite dans cette pièce sans issue. Personne ne se soucierait d'elle, et Dieu seul savait quand les propriétaires du logement reviendraient. Emmurée vivante. Voilà ce qu'elle deviendrait.

L'atroce perspective la poussa à intervenir.

Abandonnant son refuge, elle s'efforça d'apaiser son compagnon.

— Lorca, calmez-vous, fit-elle en prenant sa voix la plus douce. Vous vous méprenez sur le sens de mes paroles. Je vous prie de m'excuser. Inutile de vous énerver. Le seul à qui vous faites du mal, c'est vous.

Elle posa les mains sur ses frêles épaules dans l'espoir de lui faire entendre raison. Au lieu de quoi, Lorca se retourna vivement et lui assena un coup de poing à la poitrine. Judith atterrit violemment sur le sol, le souffle coupé.

Quand il comprit ce qu'il venait de faire, Lorca se resaisit. Sa colère s'évanouit, aussitôt remplacée par une tristesse larmoyante.

— Qu'ai-je fait ? Oh ! Qu'ai-je fait ? Je n'aurais jamais dû vous écouter et trancher le canal qui me reliait à mon aalma.

Judith... Judith... Vous allez bien ? Répondez-moi. Où avez-vous mal ?

À moitié sonnée, Judith peinait à se remettre du coup. Son sein gauche l'élançait terriblement. Lorca l'avait frappée avec une telle violence, lui qui traversait si aisément les murs ! L'ironie de la situation avait un goût amer. Elle porta la main à sa poitrine pour se faire une idée des dégâts.

— Là ? Cela vous fait mal là ?

La voix de Lorca lui parvenait comme déformée. Elle hocha machinalement la tête. Deux mains soulevèrent sa chemise, puis ce fut le silence.

Par un effort surhumain, elle reprit possession de ses sens et comprit la situation dans laquelle elle se trouvait : étendue sur le dos, poitrine nue, Lorca à califourchon sur elle. À présent, ce n'était plus la frayeur ni la compassion qui brillaient dans les yeux de l'Ubsalite, mais un sentiment qu'elle avait souvent vu s'allumer dans le regard des hommes : la concupiscence.

IX. À COUTEAUX TIRÉS

— Que voulez-vous, Rhoiman ? Cette rencontre est totalement contraire à l'usage. D'ailleurs, je me demande pourquoi j'ai accédé à votre requête.

Le Grand Pétrarque avait appelé Obal sous prétexte qu'il avait à lui transmettre une communication qui ne souffrait aucun délai. Rhoiman s'était empressé d'ajouter qu'il était dans l'incapacité de se rendre au Palais amnontial et que, s'il voulait savoir de quoi il retournait, ce serait à lui, Obal, de venir le trouver. Ce dernier avait failli s'étouffer devant un tel affront, mais la curiosité l'avait emporté. À présent, la colère bouillait tant en lui que son aalma peinait à l'absorber.

Ils se trouvaient à la Tour pétrarchique, dans une pièce qui ne figurait sur aucun plan, croquis ni archive. Une pièce à l'abri des indiscrets, entièrement plaquée d'orikalque et à laquelle seul le Grand Pétrarque avait accès.

Pétrarques et amnontes s'étaient toujours plus supportés qu'entraidés. Les deux groupes – le Culte et la Pétrarchie – ne collaboraient que par nécessité et à seule fin de protéger leurs acquis. Dans la réalité, tous deux se jalousaient et chacun n'aspirait qu'à voir l'autre tomber pour s'approprier la totalité du pouvoir.

D'un signe, Rhoiman invita son homologue à s'asseoir. La pièce était petite, mais le luxe qui y régnait compensait son exiguïté. Pas plus que l'Amnonte majeur, le Grand Pétrarque ne se privait de rien. Derrière lui trônait un saladier en cristal empli à ras bord de balliches, ces fruits au goût exquis qui mettaient des années à parvenir à maturité et que la majorité des Ubsalites n'avaient jamais vus qu'en rêve. À l'Amnonte majeur lui-même, on en avait rarement servi plus d'une trentaine à la fois.

Pour montrer combien cette extravagance lui coûtait peu, le Grand Pétrarque préleva une pleine poignée des baies mordorées qu'il engouffra dans sa bouche, laissant un peu de jus purpurin s'échapper de ses lèvres pour couler sur son menton.

— Alors, qu'avez-vous de si important à m'apprendre ? s'impatienta Obal.

— J'ai fait apporter quelques changements à la cérémonie de l'Éveil.

— Des changements ? Quels changements ?

Après la colère, l'aalma d'Obal reçut une décharge d'étonnement. Ce jour-là était un jour faste ; il y avait longtemps qu'elle ne s'était si bien nourrie.

— L'assistance à la cérémonie ne cesse de diminuer depuis quelques années, vous êtes mieux placé que moi pour le savoir. Je ne blâme pas la population. Toujours le même prêchi-prêcha, ces sempiternelles simagrées… Cela manque de punch.

— Le Jour de l'Éveil est un des moments les plus importants dans la vie d'un Ubsalite. C'est aussi un des piliers du Culte. Nous ne parlons pas d'une foire ou d'un spectacle.

— Bien sûr, bien sûr. Néanmoins, vous conviendrez que la simple lecture de la prophétie ne donne plus les résultats escomptés. Puisque la Pétrarchie est chargée d'organiser les fêtes et que le Jour de l'Éveil en est une, j'ai donc pensé qu'au lieu du Palais amnontial, nous pourrions tenir la cérémonie sur la Grande Place d'Orbe.

— Sur la G… !

— Je sais, vous me direz que c'est dangereux, plus encore avec la menace des Affranchis. Mais puisque vous avez eu la prévoyance d'augmenter les forces de la Milice, Valtor aura la situation bien en main et, grâce au courage dont vous ferez preuve, vous n'en ressortirez que plus glorieux. La nouvelle a été diffusée ce matin. Nous érigerons une estrade et des loges juste devant l'Orbe, pour les dignitaires. Ce sera très impressionnant. Je suis convaincu que les Ubsalites en parleront pendant des années. Surtout après avoir entendu la prophétie.

— Pourquoi ?

— Je me suis dit qu'elle aurait beaucoup plus d'impact si la population l'entendait de la bouche même de l'Oracle plutôt que de la vôtre.

Tandis que l'Amnonte majeur s'étranglait à moitié, le Grand Pétrarque prit une autre poignée de balliches qu'il avala goulûment. Bientôt, ce serait sous le dôme de la Verrière qu'il dégusterait ces fruits succulents.

X. OÙ LA PATIENCE DU LECTEUR EST MISE À RUDE ÉPREUVE

— Qui êtes-vous ? Que faites-vous là ?

La voix indignée s'éleva au moment où Lorca s'apprêtait à faire subir à Judith les derniers outrages. Elle appartenait à un Ubsalite manifestement plus âgé, sidéré par le spectacle qu'il avait sous les yeux.

Judith profita de l'occasion pour se dégager et couvrir sa poitrine. Abandonnant ses plans, Lorca se leva pour faire front. Dans ses yeux brûlait la flamme qui illumine le regard de ceux qui ont perdu la raison.

— Sortez immédiatement ou j'appelle la Milice.

Une personne normale, emportée par l'indignation, aurait rugi cet ordre, mais l'inconnu le donna plutôt sur un ton qui ressemblait davantage à celui qu'on emploie pour demander : « Un sucre ou deux dans votre café ? » Bien que plus costaud, le propriétaire accusait un sérieux désavantage sur Lorca : son aalma le privait du réservoir d'énergie qu'étaient ses sentiments. En revanche, la rage transforma son benjamin en taureau furieux.

Lorca bondit sur l'étranger, qu'il faucha en plein vol. Les deux roulèrent sur le sol, puis le poing de Lorca s'abattit sur la figure de l'Ubsalite qui se laissa pilonner sans réagir, ou si peu.

L'issue du combat parut évidente à Judith : Lorca tuerait l'intrus. Ensuite, plus rien ne le stopperait. Elle deviendrait son jouet. Il la violerait et lui ferait subir Dieu savait quels supplices encore. Les rires hystériques sortant de la gorge du jeune homme étaient plus qu'éloquents : c'étaient ceux d'un dément. Au lieu d'un être civilisé, elle avait créé un nouveau Hyde. Elle songea au bébé dans son ventre et se résolut d'agir.

Elle chercha fébrilement de quoi se défendre. L'appartement, fort dépouillé, ne contenait malheureusement pas grand-chose d'utilisable. Elle découvrit tout de même une courte barre en métal, s'en empara et courut jusqu'au lieu du pugilat.

Lorca serrait le cou de l'inconnu dont le teint naturellement gris avait pris une pâleur inquiétante. Un liseré d'écume maculait la bouche de Lorca, que déformait un rictus meurtrier.

Plus question d'hésiter.

Judith leva la barre et l'abattit sur la nuque du jeune homme qui lui tournait le dos.

Soit elle ne mesurait pas sa force, soit les Ubsalites étaient d'une grande fragilité, car un craquement sinistre accompagna le coup. Lorca s'écroula tel un pantin désarticulé.

— Mon Dieu ! s'alarma-t-elle en se penchant sur celui qu'elle venait d'assommer. Excusez-moi, Lorca… Lorca… Vous m'entendez ? Répondez. Je ne le voulais pas, mais vous ne m'en avez pas laissé le choix. Lorca, réveillez-vous, je vous en supplie… Lorca.

Elle fit basculer l'inconscient sur le dos, puis posa l'oreille sur sa poitrine sans capter le moindre son. « Ça ne veut rien dire », s'encouragea-t-elle. Elle ignorait tout de la physiologie des Ubsalites. Avaient-ils seulement un cœur ? Laissant Lorca un instant, elle se tourna vers l'inconnu.

— Monsieur, monsieur ? M'entendez-vous ?

Elle le secoua à plusieurs reprises dans l'espoir qu'il revînt à lui, en pure perte.

De plus en plus affolée, elle courut chercher de l'eau dont elle lui aspergea le visage, sans plus de résultats. Revenant à Lorca, elle le palpa partout où elle aurait pu sentir son pouls ou percevoir le sang qui circulait sous la peau, puis elle souleva les paupières du Sans-Murs. Que du blanc !

Elle comprit alors que ce qu'elle avait imaginé n'était pas le pire qui pouvait lui arriver : non seulement Lorca était-il mort, mais le propriétaire du logis qu'ils squattaient venait également de trépasser. Plus personne ne viendrait. Elle était emmurée vivante. Le deux-pièces allait devenir son tombeau.

Ils arrivaient au bout des jardins. Jamais Ylian n'avait vu pareille profusion de fruits et de légumes. À croire que la lumière et l'eau artificielles étaient plus bénéfiques aux plantes que le soleil et la pluie véritables.

À quelques reprises, ils avaient vu des machines prélever le produit des cultures pour le charger dans des véhicules sans roues qui empruntaient aussitôt une large allée conduisant aux centres de distribution du quadrant des Premiers, où la nourriture serait répartie entre les habitants d'Urbimuros. Évidemment, ni les Affranchis, ni les Sans-Murs ne recevraient leur part de provisions. Kal expliqua à Ylian que des sympathisants approvisionnaient les Affranchis, qui avaient aussi aménagé des serres miniatures dans certains lieux désaffectés de la cité.

— La situation changera dès que nous serons plus nombreux. Pour se nourrir, les Sans-Murs dévalisent les habitants. Avant, ils s'attaquaient aux convois, mais la sécurité

a été renforcée. Maintenant, ils ne s'y risquent plus guère. Ah !
Voici qui vous intéressera.

Aux jardins brillamment éclairés succéda une aire
grillagée, divisée en espaces plus petits, de dimensions inégales.
L'éclairage variait d'une cage à l'autre, l'ensemble évoquant une
sorte de labyrinthe miniature. D'abord, Ylian ne remarqua rien
de spécial, puis quelque chose bougea derrière un grillage.

— Une trancharette ! s'exclama-t-il en reconnaissant la
fourrure verte, en piètre état, de l'animal.

— Ceci est le zoothérium. Du moins, ce qu'il en reste, car
plus personne ne s'en occupe. Les autorités ont tenté à diverses
reprises d'en récupérer l'espace pour agrandir les jardins, mais
un groupe d'Ubsalites s'y est toujours farouchement opposé
sous prétexte qu'avec les jardins, le zoothérium est le seul lien
qui subsiste entre Urbimuros et le monde extérieur. Comme
vous avez pu le remarquer, la ville ne compte pas d'animaux.
Pour parvenir à ses fins, l'administration a cessé d'entretenir le
zoothérium, arguant que des investissements plus importants
monopolisaient les ressources. La majorité des animaux ont
péri faute de soins. Sans les Ubsalites qui se sont ligués pour
sauver les bêtes restantes, il n'y aurait que des cages vides à
présent. Malheureusement, la cause est perdue d'avance. Il y
a trop à faire et les bénévoles ne suffisent pas à la tâche. Ah !
Voilà ce que je voulais vous montrer. Je crois que cela vous
intéressera. C'est le clou de la collection. Une bête très âgée.
Les gens viennent encore l'admirer à l'occasion.

La cage devant laquelle ils s'étaient arrêtés dépassait
les autres par ses dimensions. À dire vrai, un bâtiment de
petite taille aurait pu s'y loger. Le sol était jonché de pierre
volcanique. Une masse imposante en occupait le centre. Dans
le clair-obscur, Ylian eut du mal à distinguer les contours de la
bête assoupie. Celle-ci dut cependant sentir leur présence, car
son corps se déploya lentement. Des pattes trapues aux griffes
courtes et robustes apparurent, puis une queue écailleuse se

terminant en pointe de flèche, un cou démesuré et de petites ailes membraneuses. Deux yeux jaunes s'allumèrent dans le noir. Des yeux où se lisaient de la résignation ainsi qu'une grande intelligence.

— Les barreaux sont en orikalque. C'est le seul métal à résister au feu que dégage cet animal, qui est l'un des derniers spécimens de son espèce. Vous devez le connaître...

— Je sais. C'est un dragon.

TROISIÈME PARTIE
RIEN N'ARRÊTE LE CŒUR VALEUREUX

I. QUAND LA LUMIÈRE JAILLIT, ENCORE FAUT-IL QU'ELLE ÉCLAIRE

— Ah non ! Mais ce n'est plus possible ! Tu as encore salopé tes vêtements.

À la remarque de Brent, Jolanthe opposa un regard d'imbécile heureux. Rien ! Elle ne comprenait rien ! Il avait beau lui montrer, essayer, réessayer et essayer encore de lui apprendre quoi que ce fût, cinq minutes plus tard, tout était à recommencer.

Brent épongea le dégât du mieux qu'il le put. La pâtée avait dégouliné des lèvres jusqu'au menton, où elle s'était accumulée juste avant de chuter sur le pourpoint constellé de taches. Merde ! Y en avait marre de jouer les nounous. Et pourtant, chaque fois que son regard plongeait dans ces grands yeux vides couleur améthyste, quelque chose de plus fort que lui le contraignait à se radoucir et il continuait de s'occuper d'elle.

Devant lui se tenait la Jolanthe qu'il avait connue, avec sa chevelure de flammes, son nez mutin et son corps d'amazone si désirable, ce corps qui ne s'était uni au sien qu'une fois, mais dont la chaleur resterait à jamais marquée sur sa chair, telle l'empreinte d'un fer rougi à blanc.

Seul l'esprit rebelle et avide de connaissances s'était enfui. Avec leurs sortilèges, les mages l'avait réduit à celui d'un éternel nourrisson ; ils avaient cadenassé la porte de sa prison à double tour et en avaient jeté la clé afin qu'il n'en sorte plus jamais. Pour l'exemple. De crainte que d'autres femmes, voyant une des leurs accéder à un art exclusivement réservé aux membres de l'autre sexe, ne veuillent l'apprendre elles aussi et finissent par supplanter les hommes dans un domaine dont ils se réservaient jalousement le monopole.

Après avoir nettoyé et changé Jolanthe, Brent jeta sa serviette à terre par dépit et se rendit d'un pas rageur à la bibliothèque où maître Cornufle passait le plus clair de son temps, bousculant au passage Gromph qui s'occupait de la ménagerie.

— Ça ne peut plus durer, se plaignit-il. Vous devez faire quelque chose.

Maître Cornufle leva le nez de son livre avec un soupir.

— Je n'ai de plus cher désir, mais il n'y a aucun remède. C'est la raison pour laquelle on réserve le sort d'infantilisme aux condamnés. Impossible d'y échapper.

— Tout sort a son contre-sort. Vous me l'avez répété mille fois.

— Pas celui-là. La Magicature s'en est assurée en le détruisant, puis en effaçant systématiquement tout document qui le mentionnait.

— Alors, je ne sais pas... Inventez une autre formule. Vous êtes l'un des plus grands mages de Nayr. Ça ne dépasse sûrement pas vos compétences.

— Avec du temps, peut-être... C'est un sort très complexe. La moindre erreur...

Le découragement envahit Brent.

— On ne peut pas la laisser comme ça. C'est un crime. Et puis, j'ai autre chose à faire que m'en occuper continuellement. Je dois retrouver Judith.

Maître Cornufle baissa la tête. Il était aussi désemparé que son disciple.

— Je suis d'accord avec toi. Et de ce crime, je suis le principal responsable. Si je l'avais écoutée… Dame Malinor était persuadée que si je soufflais mot de ses activités à quiconque, elle serait punie. Elle m'avait fait promettre – jurer, même – de ne pas en parler. Mais je n'en ai fait qu'à ma tête. Je ne suis qu'un sot. J'ai cru pouvoir faire confiance à maître Hélégia, mon vieil ami et collègue. Je pensais qu'il comprendrait. Et sitôt dans la confidence, qu'a-t-il fait ? Il en a référé au Conseil de discipline, qui a pris des mesures pour que dame Malinor n'exerce plus jamais la magie. Je n'ai même pas osé affronter son regard le jour où la sentence a été exécutée. Depuis, on m'a radié de l'Ordre et on me traite en paria.

Brent n'en démordait pas :

— Tout n'est pas perdu, j'en suis sûr.

— Cette absence qui prive notre amie de ses facultés n'est pas sans rappeler l'état dans lequel se trouvaient les victimes des Ténèbres. Peut-être que si nous cherchions de ce côté… Judith a prouvé qu'on peut rendre l'esprit à ceux qui l'ont perdu. La chose serait facile à vérifier si nous avions encore la larme d'Obéron, mais tel n'est pas le cas : nous l'avons restituée au miroir.

Brent s'anima soudain.

— Moi ! Moi, j'en ai un fragment ! Un morceau de la pierre a pénétré dans mon doigt quand je l'ai trouvée, et puis, il y a celle que j'ai avalée. Pensez-vous que, par mon entremise… ?

— Je ne sais pas.

Le soir de son retour à Tombelor, ils avaient longuement parlé, maître Cornufle et lui. Fidèle à son habitude, le vieux mage avait émis plus d'hypothèses qu'il n'avait fourni de réponses.

— Tout est relié, avait-il dit. Ce qui se produit quelque part a fatalement des répercussions ailleurs, et vice-versa.

L'univers est naturellement ordonné. Quand quelque chose le perturbe, cela prend parfois une éternité, mais l'ordre finit par se rétablir. Songe à une mare dans laquelle on jette un caillou : l'eau se trouble, des rides la parcourent, mais, peu à peu, elle retrouve sa tranquillité. L'harmonie qui règnait à l'époque d'Obéron a disparu, cependant elle reviendra. Peut-être est-ce le destin qui t'est promis. Après tout, c'est toi qui as trouvé la première pierre ; c'est toi qui, le premier, as rétabli le pont entre nos deux mondes…

— Mais je n'en veux pas, moi, de ce destin. Tout ce qui m'intéresse, c'est de retrouver Judith.

— On n'est que le maître de ses propres pas.

Brent ne fouillait plus ses excréments depuis longtemps. Soit la pierre avait été évacuée de ses entrailles sans qu'il s'en aperçoive, soit elle avait emprunté un chemin différent pour se loger quelque part dans son organisme. Dans un cas comme dans l'autre, elle était perdue. Ses principes s'étaient-ils mêlés à son sang à l'instar de ceux de la première ? La chose était possible. En lui tranchant le doigt pour en répandre le sang sur le miroir d'Obéron, Jolanthe l'avait prouvé. S'il avait hérité d'un peu des pouvoirs de la pierre, peut-être pouvait-il rendre à celle-ci sa lucidité.

Mû par cet espoir, Brent repartit voir Jolanthe, bousculant une fois de plus Gromph, qui lâcha un grognement irrité.

La jeune femme n'avait pas bougé. Elle occupait l'exacte position dans laquelle Brent l'avait laissée : assise au bord du lit, yeux dans le vague, cuillère à la main.

Pour ranimer les victimes des Ténèbres, Judith appliquait ses paumes sur leurs tempes. Elle récitait aussi une formule de son invention, mais la seule utilité de cette dernière était de détourner l'attention tandis que la pierre suspendue à son cou agissait. Brent se contenta donc de saisir la tête de Jolanthe entre ses mains, en murmurant tout bas : « Mon Dieu, ou quiconque m'écoute là-haut, si vous lui rendez la raison, je vous promets de devenir un homme meilleur. »

Il garda longtemps les yeux clos en se concentrant, en commandant aux forces magiques qu'il imaginait courant dans ses veines de se rassembler et de guérir son amie. Puis, il souleva les paupières et plongea son regard dans celui de Jolanthe. D'abord il ne vit rien. Les prunelles mauves demeuraient inertes, privées de toute lueur d'intelligence. Il supplia plus fort, promettant mer et monde afin que l'esprit jadis si alerte retrouve sa vivacité. Cette fois, les yeux violets remuèrent. Au fond d'eux brilla fugitivement un éclair. Il persévéra, puisant aux tréfonds de son être ce qu'avaient pu y laisser la larme d'étain et celle de plomb. Quand leurs regards se croisèrent de nouveau, Brent crut discerner une étincelle d'intelligence dans celui de Jolanthe. Le reconnaissait-elle ? La jeune femme ouvrit la bouche. Ses lèvres frémirent. Elle se mit à balbutier :

— Ba... Be... Br...

— Brent ? Brent ?

— Br... Bo... Boire.

C'était un début.

II. QUI VOIT DES PLANS S'ÉCHAFAUDER ET DES GRAINS DE SABLE SE GLISSER DANS LA MÉCANIQUE

Lucifer s'ennuyait.

— Tu m'avais promis des âmes à tourmenter, reprocha-t-il à monseigneur Da Hora. Tu n'en as encore converti aucune. Je commence à me demander si je n'ai pas commis une erreur en participant à ton entreprise.

— Rome ne s'est pas bâtie en un jour. Le seigneur de Bairdenne n'a pas les étrangers autant en horreur que ce Zoltan, mais il est méfiant. Il ne m'a pas cru sur parole quand je lui ai affirmé que la magie n'avait pas de secret pour toi. S'il l'avait fait, nous serions à Tombelor, en train de réorganiser la Magicature, au lieu de moisir ici.

— Je pourrais convoquer une horde de démons pour l'en convaincre.

— Norfolk n'est pas du genre à céder sous la contrainte. Pour nous le concilier, il faudra user de finesse. D'autre part, je doute que Michel, Gabriel et les autres nous laissent agir de la sorte sans intervenir. Sois certain qu'ils nous ont à l'œil, perchés sur leur nuée. La seule raison pour laquelle ils se tiennent cois est que nous foulons une terre impie. Nous n'érodons pas le domaine de Dieu.

— Ces emplumés ne me font pas peur.

— C'est ce qui m'inquiète. Déclencher les hostilités parce que tu ne trouves pas de quoi te distraire n'est pas la solution. D'ailleurs, de quoi te plains-tu ? Tu t'empiffres comme un porc, tu trousses tout ce qui porte jupon et tu passes le reste du temps à te prélasser au lit. En cherchant bien, je suis persuadé que tu dénicheras de quoi t'amuser en attendant un plat plus copieux.

« Toi, par exemple », songea Lucifer en regardant Francisco porter machinalement la main à la doublure de sa veste, un tic étrange qu'il avait développé depuis leur arrivée sur Nayr.

Parmi les pouvoirs du Prince des Ténèbres figurait celui de discerner les choses cachées. Malheureusement, lorsque Lucifer avait voulu s'en servir pour satisfaire sa curiosité, il n'avait pu le faire. Des petits tests lui avaient par la suite confirmé ce qu'il redoutait depuis peu : sur ce monde où Dieu et Satan n'étaient que d'illustres inconnus, il avait perdu de sa puissance. Ses pouvoirs étaient diminués. Ils ne retrouveraient toute leur force que lorsque la religion aurait supplanté la magie sur Nayr. Lucifer ne voyait aucun intérêt à mettre Francisco dans la confidence. Quant à ce que ce dernier dissimulait sous sa veste, une occasion de le découvrir finirait bien par se présenter. Il lui suffirait d'en profiter.

La joie de Brent fut de courte durée. Certes, Jolanthe avait dépassé le stade du navet, néanmoins beaucoup de chemin restait à accomplir. Selon maître Cornufle, sa mentalité correspondait maintenant à celle d'un enfant de deux ans.

— C'est une amélioration gigantesque, s'était extasié le mage. Nous devons persévérer.

Pour encourageant qu'il fût, le résultat n'était pas à la satisfaction de Brent. Jolanthe restait incapable de prendre soin d'elle-même. Il fallait encore la nourrir, faire sa toilette, la vêtir, la surveiller, l'occuper… Il n'avait pas envie de servir de nourrice à qui que ce fût, pas même à cette gamine aux formes voluptueuses. Il piaffait d'impatience à l'idée de partir à la recherche de Judith et de découvrir ce qu'elle était devenue mais, pour une raison inexplicable, il lui était physiquement impossible d'abandonner Jolanthe tant qu'il n'avait pas l'assurance qu'elle serait en sécurité.

Et le seul qui pouvait lui procurer cette assurance était Geoffroy Montorgueil.

Amant et mécène de Jolanthe, Geoffroy était aussi follement épris d'elle. Le couple était bien assorti : le rude guerrier au grand cœur, viril jusqu'à la couenne, et sa flamboyante égérie, farouche, intelligente, avec juste assez d'aplomb pour le remettre à sa place. Les deux avaient coulé le parfait amour jusqu'à ce qu'un grain de sable grippe la mécanique. Un grain de sable nommé Brent.

Ce dernier ignorait pourquoi exactement Jolanthe avait fini par révéler la brève liaison qu'ils avaient eue ensemble, mais cela ne changeait en rien le résultat : par dépit, par colère ou par ressentiment, le seigneur de Valrouge l'avait abandonnée et n'avait plus cherché à la revoir. Il ignorait tout de la condition actuelle de Jolanthe. S'il aimait réellement sa maîtresse, il accepterait sans aucun doute d'en prendre soin.

Brent prit donc une résolution : il irait voir Geoffroy à Valrouge et essayerait de rectifier la situation. Et tant pis pour les conséquences.

Le seigneur de Bairdenne n'était pas un bon vivant, Aloysius s'en rendit vite compte. Il mangeait peu et maigrement, buvait encore moins, ne fréquentait pas les représentants de l'autre sexe. Enfin, il se désintéressait de la connaissance. A priori, une seule chose l'animait : la quête du pouvoir.

William de Norfolk adorait commander et il excellait dans ce domaine. Il ordonnait, d'autres exécutaient. Le prince-dragon était aussi avide de pouvoir qu'il était répugné à l'idée d'en céder. Sa table de travail était encombrée de rapports, de plans et de cartes détaillant tous les aspects du royaume : population, reliefs, richesses… Le seigneur de Bairdenne recevait régulièrement des visiteurs qui le renseignaient sur ce qui se passait à Tombelor ou ailleurs et il les récompensait avec plus ou moins de largesse. Il entretenait une ribambelle d'informateurs dans les différentes guildes.

— Tout cela lui coûte cher. À dire vrai, la commanderie est criblée de dettes. Ses coffres renferment juste assez de kippers pour payer la garnison. Norfolk aimerait augmenter les taxes qu'il perçoit, en tant que protecteur de Tombelor, sur les ventes de marchandises, mais il craint que les guildemestres se rebiffent. Et sans eux pour l'appuyer, il ne pourra prendre le contrôle de la Magicature. Il est dans un cul-de-sac.

— Très intéressant. Un homme acculé est toujours plus enclin à se montrer raisonnable. Vous faites du bon travail, Aloysius.

Tel que convenu, au bout d'une semaine, monseigneur Da Hora et lui s'étaient retrouvés à la chapelle du Bon Pasteur pour y faire le point. Grâce aux talents de Lucifer, leurs escapades demeuraient inaperçues. Du moins, pour l'instant.

— Vous êtes sûr que Norfolk ne se doute de rien ? reprit monseigneur Da Hora.

— Le mage qu'il emploie est d'un âge canonique. Malgré sa science, l'inattention le rend maladroit. Il néglige de renouveler le sort d'hermétisme aussi souvent qu'il le devrait. Ses sens le trahissent tant que je suis parvenu à me glisser dans son officine sans qu'il ne détecte ma présence.

— Restez tout de même prudent. Vous êtes un allié précieux. Vos renseignements m'indiquent une voie à laquelle je n'avais pas songé pour atteindre le cœur du prince-dragon.

— Qu'allez-vous faire ?

— En profiter. Retenez cela, Aloysius : il ne faut jamais laisser passer une occasion.

Si très peu de qualités figuraient au compte du Prince des Ténèbres, on ne pouvait en dire autant des défauts.

Lucifer arpentait la rue devant la chapelle, se redemandant s'il n'avait pas commis une erreur en s'alliant à monseigneur Da Hora. Certes, la récolte promettait d'être fructueuse, mais dans combien de temps se produirait-elle ? Sa patience risquait d'être mise à rude épreuve.

Pour se distraire, il fit trébucher une petite vieille dans la gadoue avant de jeter son dévolu sur un tendron qui passait, un panier de provisions sous le bras. Bien que le physique ingrat du corps qu'il occupait rendît la séduction plus ardue, il avait pris la précaution de doter le vieux moine des attributs d'un étalon. Les belles qui cédaient à ses avances se plaignaient rarement de ce qu'elles découvraient en plongeant la main sous sa bure miteuse.

Après avoir culbuté la jouvencelle derrière une pile de cageots où pourrissaient trognons de chou et pommes blettes, Lucifer rajusta son vêtement. Il s'apprêtait à retourner du côté de la chapelle pour vérifier si Francisco en avait fini avec ses cachotteries quand une épouvantable odeur de rose et de lilas imprégna l'air. L'allée s'illumina d'un éclat mordoré.

Lucifer ne put retenir une moue devant l'incarnation angélique qui apparut devant lui. Une fois de plus, il déplora le manque d'imagination des puissances du haut. À l'inverse des démons, qui pratiquaient la fantaisie avec une truculence frisant parfois le grotesque – il fallait l'avouer –, les anges s'avéraient d'une banalité à mourir dans leurs manifestations.

Persuadés d'avoir atteint la perfection, ils n'avaient pas conscience que le modèle emprunté, bien qu'il suscitât l'admiration des masses ignares au Moyen-Âge, n'était plus qu'objet de dérision dans la société contemporaine, avide de sensations fortes. À part pour quelques illuminés et bigots, les figures efféminées pourvues d'ailes n'avaient plus la cote.

— Prosterne-toi devant l'être de lumière que je suis, immonde larve sortie de la pourriture de la terre.

Les anges montraient aussi un net penchant pour les formules ampoulées.

— Pour m'y forcer, il en faudra de plus costauds que toi, mon biquet, répondit Lucifer, gouailleur. En revanche, si tu veux te pencher un peu, je me ferai un plaisir de t'enculer. Qui t'envoie ? Michel ?

Des sept archanges, Michel était celui que Lucifer abhorrait le plus. Une vraie teigne. Toujours à lui chercher noise. Un jour qu'il s'était déguisé en dragon pour s'amuser aux dépens de la populace, l'archange l'avait vaincu en combat singulier. Mais Lucifer n'avait pas dit son dernier mot. Viendrait bien un moment où il prendrait sa revanche.

Le visage de l'ange s'empourpra. Peut-être n'était-il pas insensible à sa proposition après tout. Bien qu'ils demeurassent discrets sur leurs relations charnelles, les anges n'étaient pas aussi nets qu'ils aimaient à le faire croire.

— Tu as perdu ta langue, lèche-cul ?

— Euh… Non, je viens de la part de Gabriel, finit par répondre l'ange en perdant sa superbe.

— Qu'est-ce qu'il me veut, cet emmerdeur ?

— Il m'a chargé de te prévenir qu'il n'apprécie pas ton comportement. Ce qui vient de se produire ne doit pas se répéter sinon…

— Sinon ?

— Il interviendra, peu importe l'accord.

L'accord ? De quoi cette tête de piaf parlait-elle ?

— Cette partie de l'univers est un *no angel's land*. Dis à Gaby qu'il aille se faire pendre. Il a intérêt à réfléchir plutôt deux fois qu'une avant de me chercher des poux. Compris ? Maintenant fous-moi le camp avant que je me fasse un oreiller de tes plumes, petite merde.

L'ange s'évanouit avec beaucoup moins de panache qu'il n'en avait déployé à son arrivée.

Lucifer arriva à la chapelle au moment où monseigneur Da Hora en sortait. L'accord évoqué par l'ange devait concerner ce dernier. Le prêtre jouait sur les deux tableaux. Sans doute essaierait-il de se soustraire au pacte qui les liait. Les hommes étaient tous pareils : prêts à céder leur âme pour satisfaire une envie, ils se défilaient au moment de régler la note. Mais on ne l'appelait pas le Malin pour rien. Francisco se pensait le plus fin. Restait à voir qui, des deux, serait le dindon de la farce.

William de Norfolk échafaudait une stratégie, exercice qui réclamait patience et réflexion. L'arrivée d'un nouveau pion sur l'échiquier (deux, en fait) lui apportait un renfort inattendu. À condition que ce Da Hora dît vrai et que l'espèce de dépravé qui l'accompagnait fût bien un mage de la trempe annoncée.

Si les guildemestres affirmaient être de son côté, ils tardaient à en faire la preuve. William avait sondé discrètement quelques mages connus pour leur vénalité afin de savoir à quel prix ils estimaient leur coopération, advenant le cas où la direction de la Magicature viendrait à tomber entre des mains « laïques ». La somme réclamée était beaucoup trop lourde pour les coffres de Bairdenne, déjà considérablement dégarnis. Or, pareille « coopération » serait essentielle si jamais les mages refusaient d'exercer lorsqu'ils verraient le monopole du Grand Art leur échapper.

L'équinoxe vernale approchait et, avec lui, le Conventum durant lequel on examinerait les cas de faute professionnelle, conférerait les grades, débattrait des dossiers épineux et accorderait des privilèges à ceux qui les avaient mérités. S'il fallait tenter quelque chose, ce serait à ce moment-là, car les mages seraient tous réunis à Tombelor.

William était persuadé que ces derniers n'opposeraient aucune résistance à une intervention musclée ; cependant, mieux valait tout prévoir. Da Hora et son acolyte pouvaient lui être utiles.

Restaient les autres princes-dragons. William devait les convaincre qu'il agissait pour le bien de Nayr, que la Magicature devait absolument changer de main si on voulait mettre le royaume à l'abri d'autres calamités semblables aux Ténèbres. La population suivrait les princes-dragons les yeux fermés, car Obéron lui-même avait laissé son sort entre leurs mains.

Geoffroy Montorgueil serait le plus coriace. Il se rebifferait, jusqu'à ce que la majorité l'emporte. Zoltan suivrait William comme son ombre. Ce qui signifiait qu'il devait persuader Faris al-Maktoub ou Shu-Weï Sang-Noir de se rallier à lui.

Il résolut de ne pas attendre. Dès le lendemain, il irait rendre visite à la maîtresse de Ryu-Gin.

Zoltan Boralf en était sûr ! Le prêtre et son complice quittaient Syatogor à l'insu de tous. Maître Olonthe lui-même n'y avait vu que du feu. Après interrogation, selon ce dernier, le moyen employé n'avait rien à voir avec la magie. Du moins avec la magie qui se pratiquait sur Nayr.

Les soupçons de Zoltan étaient nés le jour où il avait fait mander Da Hora : une fouille complète du château et de ses environs n'avait rien donné. Puis, au moment où il allait lancer une battue, les étrangers avaient ressurgi sans explication. Zoltan avait prié maître Olonthe d'établir une surveillance discrète. Da Hora et ce Lucifer disparaissaient à intervalles réguliers pour une destination inconnue. Retournaient-ils dans leur monde afin d'y accomplir quelque obscure besogne dans le dessein de nuire au royaume ? Telle était l'hypothèse la plus plausible. En tout cas, c'était celle que ruminait Zoltan. Les deux hommes étaient dangereux. Beaucoup plus que se plaisait à le croire William de Norfolk. Contrairement à ce dernier, Zoltan considérait qu'on aurait dû les passer par le fil de l'épée, voire les précipiter du haut de la falaise, sort que réservait la coutume à Syatogor pour les condamnés. Mais le seigneur de Bairdenne s'était laissé séduire par de fallacieuses promesses. Comme si l'on pouvait faire confiance à des étrangers !

Pour prouver à William qu'il avait tort, Zoltan irait au fond des choses. Il découvrirait ce que tramait Da Hora, puis dévoilerait le pot aux roses. Alors, le prince-dragon prendrait les dispositions qui s'imposaient pour se débarrasser des importuns et tout rentrerait dans l'ordre.

III. BOIRES ET DÉBOIRES D'UN CŒUR DÉVASTÉ

— Geoffroy, Geoffroy, réveille-toi.

— Hein ! Quoi ?

Geoffroy avait les idées confuses et la bouche pâteuse. Rien d'étonnant : depuis son retour à Valrouge, il ne dessoûlait pas.

Quand Jolanthe avait révélé à chacun son infidélité, ce misérable jour qui avait vu la disparition des Ténèbres, son orgueil en avait pris un sérieux coup. Le tromper avec ce freluquet d'un autre monde qui peinait à soulever une épée ! Geoffroy lui en avait voulu sans tenter d'obtenir excuses ni explications. Il avait laissé Jolanthe avec maître Cornufle à Castelmuir et était parti chercher du secours en compagnie d'Ylian et de Judith. Peu avant d'arriver à Syatogor, un grand accablement s'était emparé de lui et il avait préféré regagner Valrouge sur-le-champ. La solitude du voyage lui ferait du bien. Si elle tenait vraiment à lui, Jolanthe chercherait à renouer.

C'était mal la connaître.

Jolanthe n'avait plus donné signe de vie.

Geoffroy avait vite compris qu'il aurait dû ravaler son orgueil et courir retrouver celle pour qui il aurait sacrifié sa vie.

Malheureusement, avec chaque jour qui passait, il s'enfonçait sans cesse davantage dans la mélancolie, le ressentiment et le désir de punir celle qui l'avait si cruellement blessé.

Pour se consoler, Geoffroy s'était rabattu sur la dive bouteille. Il buvait du matin au soir et couchait dans son lit le moindre laideron qui acceptait de se donner à lui. Ce comportement lui attirait le mépris des hommes qui le révéraient naguère et en avait fait l'opprobre du château, mais il n'en avait cure. Tous les gens de Valrouge le fuyaient, hormis quelques proches qui, ayant deviné son désarroi, lui vouaient toujours fidélité.

Reinhardt figurait parmi ceux-là et c'était lui qui, en le secouant, venait de le sortir de sa stupeur avinée.

— Un mage veut te parler, Geoffroy.

Le prince-dragon toisa son capitaine sans comprendre.

— Un mage ? Que radotes-tu, Reinhardt ? Il n'y a plus de mage à Valrouge.

Les Ténèbres avaient emporté maître Loclyne et Geoffroy avait négligé de réclamer un remplaçant à la Magicature.

— C'en est un. Un garde a vu l'éclair quand il s'est matérialisé devant le château. D'ailleurs, tu le connais. Il vous accompagnait quand vous nous avez tirés des griffes des hobgobelins, dans les Marches.

Les brumes de l'alcool se dissipaient lentement dans l'esprit de Geoffroy.

— Maître Cornufle ? Que vient-il faire ici ?

— Pas lui, son disciple. Le jeune, le novice.

— Le jeune ?

Geoffroy fit un effort surhumain pour structurer ses pensées. Un jeune qui connaissait le sort de déplacement instantané. Il ne pouvait s'agir que de cet avorton qui avait séduit sa bien-aimée.

— Raaaah ! rugit-il en se levant d'un bond. Où est-il ?

— Dans la cour.

Geoffroy s'empara de son épée et, bien que mal assuré sur ses jambes, il se rua à l'extérieur sans que Reinhardt ne puisse le retenir, bousculant ceux qui avaient le malheur de se trouver sur son passage. Tous le regardaient, médusés, foncer dans le couloir en titubant, arme au poing.

Le soleil l'éblouit quand il déboucha dans la vaste cour où s'affairaient palefreniers, forgerons, gardes et autres hommes de métier du château. Geoffroy était conscient que ses excès n'amélioraient pas sa forme, loin de là : il suait, avait le souffle court et la vue trouble, ses jambes flageolaient et la lumière creusait un sillon ardent dans sa tête. Néanmoins, il avait encore la poigne ferme et son bras gardait sa puissance. Autour, chacun avait momentanément interrompu ses activités, intrigué par ce qui se passait. Dans l'expectative, on retenait son souffle, appréhendant la suite des événements.

Geoffroy repéra le responsable de ses malheurs et courut vers lui pour l'embrocher.

Bien qu'il ne se fût pas attendu à un accueil chaleureux, Brent n'avait pas prévu se faire charger par un taureau furieux. Par bonheur, son séjour dans le Dédale vague l'avait aguerri et Geoffroy ne paraissait pas au mieux de sa forme. C'était tant mieux, car le prince-dragon était un adversaire redoutable ; Brent avait eu l'occasion s'en rendre compte. Il dégaina son épée et esquiva donc sans trop de mal le coup maladroit de Geoffroy qui, emporté par son élan, glissa dans la poussière et faillit perdre l'équilibre.

— Attendez, plaida Brent en levant la main dans l'espoir de l'apaiser. J'ai à vous parler. Il s'agit de Jolanthe.

— Raaaaah !

Le seigneur de Valrouge se rua de nouveau vers lui, sourd à ses appels.

Cette fois, la passe fut plus longue. Les lames s'entrechoquèrent à plusieurs reprises avant que celle de

Brent n'effleure la joue de Geoffroy, la zébrant d'une estafilade sanglante. Brent rompit en reculant rapidement.

— Désolé, mais vous ne m'avez pas laissé le choix. Si on s'arrêtait maintenant ?

Le sort de déplacement instantané l'avait épuisé. Geoffroy, en revanche, semblait retrouver sa vitalité, l'alcool qui irriguait ses veines s'évaporant avec l'exercice. La souplesse et la dextérité qui avaient fait du prince-dragon un maître d'armes reprenaient le dessus.

Un cercle de curieux s'était tracé autour d'eux. Reinhardt réussit à se glisser à l'intérieur sans intervenir pour autant.

— Prépare-toi à recevoir le châtiment que tu mérites, morveux ! tonna Geoffroy.

— C'est vous qui devriez être puni pour avoir abandonné Jolanthe dans son état.

Le souffle court, Brent para l'attaque de justesse. Il n'avait ni la science ni la force du seigneur de Valrouge.

— Que racontes-tu ? C'est elle qui t'envoie me narguer ?

— Jolanthe n'est plus qu'une loque. Si maître Cornufle ne s'en était occupé, elle serait sans doute morte à l'heure qu'il est. Bel amour que vous lui portez en vérité.

— Je vais te…

L'épée de Geoffroy heurta si durement la sienne que Brent entendit craquer les os de son poignet. La douleur fulgura du bras au cerveau. Son arme s'envola dans les airs tandis qu'il ployait sous la férocité de l'assaut. Puis, une douleur plus vive encore supplanta celle du poignet cassé et il perdit connaissance.

— Ça va, petit ?

— Je crois.

Brent avait l'impression d'avoir foncé tête première dans un mur. Ses oreilles bourdonnaient et il souffrait d'un mal de crâne atroce en comparaison duquel les migraines des lendemains de veille n'étaient que de la roupie de sansonnet. Son épaule gauche cuisait. Il pouvait sentir, sans même la regarder, qu'un pansement la bandait. Il remua son poignet. Bien que raide, il ne semblait pas cassé, contrairement à ce qu'il avait d'abord cru. Au-dessus de lui se penchait le visage jovial de Reinhardt.

— Où est Geoffroy ? demanda Brent.

— Il se calme. Tu peux te vanter de m'avoir fait peur. J'étais persuadé que Geoffroy t'avait tué. La lame a pénétré si profondément dans ta poitrine… Je ne donnais pas cher de ta peau. Le sort de guérison que tu emploies est très puissant. Jamais je n'ai vu quelqu'un se rétablir aussi rapidement d'une telle blessure.

Brent ne sut que répondre. Il avait les idées confuses. Peut-être maître Cornufle lui avait-il lancé un sort à son insu pour le protéger avant son départ. Cela aurait bien été dans sa façon de faire.

Un sourire bienveillant éclairait la figure hâlée et couturée de cicatrices du second de Geoffroy.

— Nous te devons une fière chandelle. Tu as réussi où tout le monde échoue depuis plus de deux mois.

— Que voulez-vous dire ?

— Non seulement tu as sorti Geoffroy de son abattement, mais, à l'heure qu'il est, le vin de dix barriques inonde les caves du château. Valrouge s'en allait à vau-l'eau. Sans toi, beaucoup de nos gens auraient quitté la commanderie pour en joindre une autre ou pour se rendre à Tombelor. Repose-toi à présent. J'avais fait mander le rebouteux pour qu'il recouse ta plaie, mais j'ai l'impression que tu n'en auras pas besoin. Tu seras bientôt sur pieds.

— Je dois partir, déclara Brent en se redressant. On m'attend. Je n'ai plus rien à faire ici.

Reinhardt le repoussa.

— Patience. Les colères de Geoffroy sont terribles, mais elles durent le temps d'un feu de paille et il n'est pas rancunier. Ce soir, vous parlerez et il t'écoutera.

Ils mangeaient en tête-à-tête. Grignoter eût été un terme plus approprié car, malgré l'opulence des mets, ni Brent ni Geoffroy n'avaient assez d'appétit pour faire véritablement honneur au repas. Le second gardait sa mine renfrognée en toisant son cadet d'un œil meurtrier tandis que le premier rongeait son frein et mesurait ses paroles en lui brossant le portrait de la nouvelle Jolanthe.

— Je n'étais pas au courant, expliqua Geoffroy, la mort dans l'âme lorsque Brent eut terminé. Je n'ai pas revu Jolanthe depuis Castelmuir. J'étais persuadé qu'elle ne voulait plus de moi, sans quoi je serais intervenu il y a longtemps. Peste soit de cet orgueil qui nous amène à commettre pareilles bêtises. Et tu dis qu'elle doit sa condition à ces barbus décatis de la Magicature ?

— C'est ce que m'a raconté maître Cornufle. Il a essayé de l'empêcher, mais en vain. À présent, lui aussi s'est retrouvé au ban de sa profession.

— Que leurs entrailles pourrissent dans leur ventre, eux et tous ceux de leur espèce. Je ne peux admettre qu'il n'existe aucun moyen de rompre l'enchantement. Les coffres de Valrouge sont pleins. Dussé-je soudoyer la Magicature entière, je trouverai comment rendre sa lucidité à Jolanthe. Et si l'argent n'amadoue pas ces foutus jeteurs de sorts, je lèverai une armée pour les soumettre.

— Cela ne servira pas à grand-chose. La formule du contre-sort a été détruite et sa complexité est telle que maître Cornufle lui-même doute de pouvoir la reconstituer.

Geoffroy refusait de se laisser convaincre par de tels arguments.

— Je fouillerai tout le royaume s'il le faut, j'irai jusqu'au bout du monde, mais je trouverai. Ou bien c'est la Magicature au grand complet qui y passera.

IV. OÙ UN MYSTÉRIEUX PERSONNAGE SE LIVRE À UNE NON MOINS MYSTÉRIEUSE BESOGNE

Quelque chose troublait l'éther. Elle n'aurait su dire quoi, mais Shu-Weï Sang-Noir le sentait.

Depuis la disparition des Ténèbres, rien n'était plus comme avant. Certes, les Ténèbres étaient une menace, cependant elles étaient aussi une protection. Elles entouraient Nayr de leur voile, la celaient aux regards, la tenaient à l'abri de périls plus obscurs, autrement plus dangereux. À présent, l'éther était agité de vibrations étranges. Les temps changeaient, de grands bouleversements étaient en marche.

La princesse-dragon de Ryu-Gin ne s'étonna donc pas outre mesure quand l'eau de la vasque de sa chambre perdit sa limpidité et que le visage de maître Silasse y apparut pour la prévenir de la venue prochaine de William de Norfolk.

Shu-Weï entretenait peu de liens avec les autres princes-dragons. Ceux-ci se limitaient essentiellement aux rencontres concernant la bonne marche ou la sécurité du royaume que convoquaient à l'occasion la Ligue ou la

Magicature. De nature solitaire, Shu-Weï ne cherchait pas la compagnie de ses pairs. Et puis, elle était une femme. Les paroles de son père résonnaient encore dans sa tête : « Ils se méfieront de toi. Quelques-uns iront jusqu'à te mépriser à cause de ton sexe, mais tous apprendront à te respecter et en viendront à te craindre. Tu es une Sang-Noir. Ne l'oublie pas. Du sang de dragon coule dans tes veines. »

Non, elle ne l'oublierait pas. Jamais, même. Car le sang de dragon était une bénédiction et une calamité à la fois. Une bénédiction parce qu'il lui permettait de capter, saisir, deviner des choses que les autres ne pouvaient même pas concevoir ; une calamité parce qu'il avait tué en elle toute émotion. Qu'était une femme quand elle n'éprouvait rien, pas même le feu de l'amour ? Pour ces motifs, elle avait choisi une vie de recluse, fuyant jusqu'au contact des dames qui la servaient.

La forteresse de Ryu-Gin occupait une hauteur dans un repli des Marches australes, à peu de distance des Confins où avaient été recrutés la majeure partie des gens du château. Évidemment, le service en souffrait. Les Confinés se démarquaient par leurs carences physiques et mentales. Mais Shu-Weï s'en moquait. N'était-elle pas elle-même handicapée, en quelque sorte ? Ceux qu'elle employait la récompensaient par une loyauté à toute épreuve. Avec le temps, elle s'était accommodée de cette vie loin du cœur humain, de ses passions et de ses tumultes.

L'isolement avait néanmoins un revers : il rendait impossible la perpétuation des Sang-Noir. Shu-Weï ne pouvait chercher de géniteur dans les Confins. Elle ne tenait cependant pas non plus à se doter d'un compagnon dont elle aurait à subir les débordements à longueur d'année. D'autre part, si elle se savait belle, elle n'aurait su dire dans quelle mesure elle était désirable, certains de ses attributs, hérités du commerce d'une lointaine aïeule avec la race draconiste, pouvant en rebuter plus d'un. Pour faire un enfant, elle devrait trouver un homme assez mâle pour la prendre en dépit de ses difformités, mais trop imbu de lui-même pour vouloir lui consacrer sa vie. La tâche ne serait pas aisée.

Que voulait William ? À sa façon, le seigneur de Bairdenne était un solitaire lui aussi. Peu l'aimaient, car il avait les dents longues, le cœur sec et la rancune tenace. On ne lui connaissait ni ami, ni amante. La soif du pouvoir était sa seule maîtresse. Sa visite devait y être liée d'une manière ou d'une autre.

Shu-Weï quitta sa chambre pour la petite pièce qui la jouxtait.

Aucun mage n'exerçait à Ryu-Gin pour la simple et bonne raison qu'aucune émotion ne l'habitant, Shu-Weï était passée maître dans l'exercice de la magie, qu'elle avait commencé à étudier très jeune. Mage renommé lui-même, son père, Kenku-Weï, l'avait vite initiée aux arcanes du Grand Art. Par-dessus tout, il lui avait inculqué la magie primitive, celle qui puise sa force dans la terre nourricière. À sa mort, elle avait poursuivi ses études en autodidacte, glanant les conseils des mages à leur insu et se procurant les ouvrages qui lui tombaient sous la main grâce à la fortune que lui avaient léguée son père et les Sang-Noir qui l'avaient précédée. Pour en avoir fait l'expérience, elle savait que sa science dépassait désormais celle des membres les plus érudits de la Magicature, car elle possédait un atout dont aucun d'eux ne disposait : son intuition de femme, cette sorte de sixième sens qui lui permettait de discerner des subtilités échappant aux meilleurs, ne serait-ce que dans l'analyse du nimbe entourant chaque être vivant et non chaque être doué de conscience, ainsi qu'on le professait d'ordinaire.

Shu-Weï n'avait pour officine qu'un minuscule réduit. Toutefois, pour qui maîtrisait la magie, les dimensions importaient peu. Elles se multipliaient facilement et l'espace grandissait avec elles. Au fil des ans, Shu-Weï n'avait cessé d'enrichir la bibliothèque rassemblée par son père et par son grand-père. Y figuraient bon nombre de volumes dont on ne trouvait même pas d'exemplaire à la Magicature.

D'un tiroir, Shu-Weï tira quelques cailloux, des brindilles et des osselets qu'elle jeta sur un plateau en métal couvert de sable. Elle laissa les éléments minéraux, végétaux et animaux s'assembler, vidant son esprit de toute pensée afin que s'y imprime le message que daigneraient lui transmettre les puissances qui régissaient l'univers. Comme cela se produisait souvent en pareil cas, la révélation survint au troisième jeu. Le sable s'anima, déplaçant les objets, les drapant d'un voile pulvérulent jusqu'à ce qu'une composition se forme devant les yeux de la princesse.

Elle apprit ainsi ce que William de Norfolk lui demanderait, mais plus encore, elle sut pourquoi elle accepterait de le lui offrir.

Dans le jeu du Grand Tout, la mort précédait toujours la genèse d'une vie nouvelle.

V. PRÉPARATIFS,
OU UN VOYAGEUR BIEN
INFORMÉ EN VAUT DEUX

Geoffroy Montorgueil avait vécu des événements terribles dans sa vie, mais aucun ne l'émut autant que de voir celle qu'il adorait réduite à l'état d'un enfant attardé, incapable de se nourrir seul.

— Corrr… nuf, Corrr… nuf, répétait inlassablement la voix qui susurrait naguère des mots tendres à son oreille.

— Elle a accompli d'énormes progrès depuis que la larme d'Obéron a agi par le truchement de notre jeune ami, déclara maître Cornufle sur un ton débordant d'enthousiasme.

D'énormes progrès ! Geoffroy n'osait imaginer le spectacle affligeant qu'avait dû offrir Jolanthe avant le traitement. Il était dévasté.

— S'il y a progrès, ne pouvez-vous accélérer le processus ?

— Hélas ! Cela dépasse mes compétences. Pour tout vous avouer, je n'en espérais pas tant. Au moins son esprit n'est pas mort. Avec le temps, qui sait jusqu'où ira le rétablissement ? Évidemment, il faut être réaliste. Il est peu probable que vous retrouviez un jour la Jolanthe que vous avez connue.

À ces mots, Geoffroy sentit une violente colère bouillonner en lui.

— Ces débris putrides, ces loques morveuses… Je les écraserais comme des punaises sous ma botte !

Maître Cornufle s'efforça de le calmer.

— Mise à part l'éphémère satisfaction qu'elle procure, que vous apporterait la vengeance ? Le mal est fait. Bien que les Ténèbres aient disparu, Nayr a encore besoin de mages. Au lieu de détruire, mieux vaut chercher à comprendre et faire en sorte que pareil drame ne se reproduise pas.

— Il n'y a rien à comprendre, grommela Geoffroy. Les passer tous par le fil de l'épée me paraît une solution diantrement plus efficace.

— Allons, allons, la colère est mauvaise conseillère. Je vous promets de poursuivre mes recherches. Ce début d'amélioration prouve que le sort d'infantilisme n'est pas aussi irréversible qu'on le croit. Qui sait s'il n'existe pas un remède quelque part ? La chance nous sourira peut-être.

— La bibliothèque de Valrouge regorge d'ouvrages anciens. C'était la marotte de maître Loclyne. Personne n'a repris sa pratique au château depuis sa mort. Si j'osais…

Des doigts, maître Cornufle tortilla sa barbe. Il avait eu l'occasion de constater la richesse du fonds de la commanderie à son passage précédent.

— Ma foi, depuis ma radiation, plus rien ne me retient à Tombelor. Mais êtes-vous sûr de vouloir vous allier à un mage que réprouve sa profession ? Advenant une difficulté, vous ne pourriez compter sur le secours de la Magicature.

— Nous nous en sommes fort bien passés jusqu'à présent.

— Dans ce cas, considérez que Valrouge a un nouveau mage. Je vais dire à Gromph de préparer mes bagages sur-le-champ.

Brent aida maître Cornufle à emballer son attirail. Cornues, athanors, mortiers et autres instruments propres à son métier filaient dans une caisse enchantée par le mage afin de contenir tout ce dont il avait besoin sans pour autant peser plus lourd qu'une plume.

— Et toi, mon garçon, que feras-tu ?

— Je retrouverai Judith, répondit Brent sans hésitation. C'est plus fort que moi. Je dois savoir si elle m'aime toujours. Je n'aurai pas la conscience en paix tant que je ne serai pas absolument sûr que son amour pour moi est éteint.

— La raison dicterait de tirer un trait sur le passé.

— Depuis le temps, vous devriez savoir que je ne suis pas très raisonnable.

Le vieil homme eut un petit rire.

— Je n'y pense plus guère, mais j'ai eu ton âge aussi et il me vient à la mémoire une certaine Myrline dont les yeux et d'autres attributs que la décence m'interdit de nommer me firent manquer bien des cours à la Magicature.

— Vous !

— Qu'est-ce que tu crois ? On a beau être mage, on n'en est pas moins homme. Évidemment c'était il y a des lustres.

Brent imagina un maître Cornufle de son âge courant après une belle pour s'en attirer les faveurs.

— Que pouvez-vous m'apprendre sur cet édifice de pierre qui a surgi des Ténèbres et qu'Ylian est parti découvrir avec Judith ? reprit-il après une pause.

Maître Cornufle lui raconta ce qu'il savait.

De retour à Tombelor, avant la série d'événements qui avaient coûté la raison à Jolanthe et l'empêchaient d'exercer son art, le mage avait fouillé la bibliothèque de la Magicature dans l'espoir d'y trouver quelque ouvrage qui le renseignerait sur l'étrange construction. Ses recherches s'étaient avérées plus aisées qu'il ne l'avait espéré, car des mesures avaient été prises pour cataloguer les volumes et les classer avec plus de méthode qu'auparavant. Les recommandations qu'avait formulées maître Cornufle lorsque les Ténèbres avaient forcé l'évacuation de Tombelor n'étaient donc pas tombées dans l'oreille d'un sourd.

Dans un ouvrage de l'illustre Dallio Géminole intitulé *Des us et coutumes des peuples de Nayr*, maître Cornufle avait trouvé mention d'une ethnie appelée « ubsalite » dont les membres affirmaient provenir d'une cité cloîtrée derrière de hauts murs, au-delà des Marches septentrionales. Les Ubsalites de Tombelor avaient fui le régime auquel la population de cette cité était soumise et gagné Nayr dans l'espoir d'y connaître une vie meilleure. Les choses n'avaient malheureusement pas tourné dans ce sens. Les Ubsalites étaient par trop différents. Dallio évoquait des hommes et des femmes de haute taille, d'une extrême maigreur et au caractère taciturne. Les Ubsalites se mêlaient peu à la population, préférant vivre entre eux, ce qui ne favorisa guère leur intégration. On se mit à les craindre, comme on craint souvent ce qui nous est étranger. Des racontars naquirent, toujours plus cruels. Les Nayriens fuyaient les Ubsalites, quand ils ne les traitaient carrément pas avec mépris. La situation continua de s'envenimer. Vint un temps où les marchands refusèrent tout commerce avec eux et ils se retrouvèrent plus isolés encore. Des altercations conduisirent à des exactions. Une partie des Ubsalites préféra retourner d'où ils venaient ; plus pugnaces, d'autres s'obstinèrent, vivotant on ne savait trop comment. Une recrudescence de vols engendra à l'époque un mythe voulant que les Ubsalites traversent les murs pour piller leurs semblables. En fin de compte, la population d'Ubsalites s'amenuisa lentement. On ne s'en préoccupa plus guère jusqu'à ce qu'un jour, ils disparaissent et sombrent totalement dans l'oubli.

— Ces gens seraient donc susceptibles de me renseigner et il n'en subsiste aucun à Tombelor, conclut Brent.

— Pour ma part, je n'en ai jamais rencontré et j'ai passé la plus grande partie de ma vie ici, déclara maître Cornufle. Dans son livre, Dallio Géminole raconte que les Ubsalites vouaient un culte immodéré à la mémoire, révérant la vie de leurs aïeux au point de calquer la leur sur elle. Dallio y suppute une manière d'accéder à l'immortalité, la vie des défunts se perpétuant dans celle de leurs descendants. Selon lui, les Ubsalites étaient des êtres ternes, sur le visage desquels transparaissait rarement des émotions. Ils avaient le teint gris et une ossature si frêle que lorsqu'on leur serrait la main, on eût dit pétrir une boule d'argile.

Ces mots éveillèrent un écho chez Brent. L'acolyte de monseigneur Da Hora répondait à cette description. Quand Brent lui avait sauté à la gorge, ses doigts s'étaient enfoncés dans la chair comme s'ils pressaient de la pâte à modeler. Si cet homme était encore là, il savait précisément où le trouver.

VI. DES PAROLES MIELLEUSES, LE FEU DE LA COLÈRE ET UN INDISCRET PRIS À SON PROPRE JEU

Monseigneur Da Hora tritura la doublure de sa veste pour s'assurer que les larmes d'Obéron s'y trouvaient toujours. À force, le geste était devenu un tic. Il les palpait à tout bout de champ, espérant secrètement qu'un pouvoir quelconque finirait par lui traverser les doigts, en pure perte.

Les choses traînaient en longueur. William de Norfolk ne prenait aucune décision et Zoltan Baralf avait resserré sa surveillance en postant de plus en plus de gardes dans les couloirs. À dire vrai, ils étaient prisonniers de ce château peuplé de courants d'air. Le moment était venu de mettre l'épaule à la roue et, pour cela, rien ne valait une démonstration. Il aurait pu faire appel à Lucifer, cependant il voulait frapper l'imagination, pas effrayer la foule. Il jugea donc préférable de s'adresser aux anges. Lucifer n'apprécierait pas, mais il comprendrait. Avant de détourner les âmes du chemin conduisant au paradis, il fallait d'abord leur montrer celui-ci.

Le Roi des Enfers étant sorti, le moment n'aurait pu être mieux choisi pour adresser sa requête là-haut. Le prélat sortit donc son chapelet, s'agenouilla et se mit à prier avec ferveur.

Il n'eut pas à attendre longtemps. Ce qui signifiait qu'on le surveillait.

Le premier ange qui se matérialisa devant lui était une Principauté. Monseigneur Da Hora ne répondit pas à ses questions, se bornant à continuer ses prières. La Principauté disparut bientôt pour être remplacée par une Vertu. C'était mieux, mais Francisco était déterminé ; il voulait s'entretenir avec un des porteurs du trône céleste, Gabriel pour être précis. Il fit donc une fois de plus la sourde oreille, persévérant dans sa méditation. Cette fois, l'attente fut plus longue, mais l'intéressé finit par se montrer.

— Que veux-tu, Francisco ? demanda l'archange sans prendre la peine de cacher son agacement.

Monseigneur Da Hora expliqua ce qu'il attendait de lui.

— Tu ne trouves pas que tu exagères ?

— Notre Seigneur Jésus-Christ n'a pas hésité à user de ce subterfuge pour séduire les incrédules. Par ta réticence, je conclus que tu réprouves cette stratégie divine.

— N'essaie pas de me manipuler, Francisco. Quel dessein poursuis-tu réellement ?

— Je n'aspire à rien de plus qu'à améliorer le sort des pauvres hères qui m'entourent et peut-être en inciter quelques-uns à embrasser la foi, pour la plus grande gloire de Dieu. N'est-ce pas la plus belle récompense que l'on puisse espérer ?

Servir le Très-Haut était l'argument massue pour inciter ces fainéants à agir. Heureusement, dans Sa grande sagesse, Dieu n'avait pas permis qu'anges et démons lisent les pensées des humains. Peut-être pour laisser à ces derniers une porte de sortie. Ou alors semer la pagaille davantage. Peu importait. Si Gabriel avait lu dans son esprit, il lui eût été difficile d'obtenir quoi que ce fût.

— Très bien, maugréa l'archange. Prends tes dispositions. J'organiserai personnellement le spectacle que tu réclames. Mais gare à toi si tu me leurres. Tu t'en repentiras.

Monseigneur Da Hora sourit.

— Jamais je ne croirai que le goût de la vengeance trouve place dans une âme aussi pure que la tienne, divin Gabriel.

— Pas la vengeance, Francisco, la justice. Seulement la justice.

L'archange s'évanouit dans un froufrou d'ailes.

Ne restait qu'à effectuer un peu de publicité.

Culbuter les filles devenait monotone. Lucifer s'était tapé toutes celles de Syatogor, des pucelles aux aïeules, des boudins aux pin up, en passant par les dondons et les grandes perches, sans oublier les gouines qui s'ignoraient encore. Pour varier le menu, il s'était même enfilé quelques pédales de la garnison, qui jouaient les fiers-à-bras pour donner le change. Bien que la luxure demeurât son vice préféré, il avait envie de quelque chose de plus consistant.

Il hantait les couloirs en songeant une fois de plus au curieux tic qu'avait développé Francisco quand un homme jaillit d'un coin pour foncer dans la pièce voisine, manquant de le bousculer dans sa précipitation.

Le Prince des Ténèbres avait déjà croisé cet être squelettique qui hantait l'aile ouest du château. L'homme aux cheveux et à la barbe hirsutes à qui il manquait un bras n'était nul autre qu'Olnir Vorodine, père de l'actuel seigneur de Syatogor. Lucifer se dit qu'il y avait peut-être là matière à distraction et lui emboîta le pas.

Il le retrouva balbutiant des paroles sans suite devant une fenêtre qui plongeait sur la mer. Les yeux du vieux Vorodine roulaient dans leurs orbites, animés autant par la folie que par le ressac des vagues qui battaient la falaise. Lucifer s'approcha sans qu'Olnir fît mine de l'avoir entendu.

— Joli spectacle, l'ami, fit-il en guise d'introduction.

— Spectacle, oui, oui. Quel beau spectacle tu feras, répéta l'homme sans quitter les remous des yeux.

Les fous fascinaient Lucifer depuis toujours et – il faut le dire – l'effrayaient un tantinet également.

— Moi ! De quoi parlez-vous ?

— D'elle. C'est sa faute. Tout est de sa faute.

— Je suis d'accord avec vous. La seule qualité qu'on puisse trouver aux femmes est qu'elles portent aisément le blâme de tous les maux de la terre.

Olnir Vorodine se retourna vivement, saisit Lucifer au collet et plaqua son visage sur le sien, au point que leurs nez se touchèrent. De sa bouche édentée sortait une haleine de chair en décomposition.

— À toi aussi, elle te plaît ? Elle t'a laissé la prendre ?

Bien qu'il ne lui restât qu'une main valide, le bonhomme avait de la poigne. Lucifer n'eut néanmoins aucun mal à se libérer.

— Du calme, l'ami, dit-il en le repoussant. Je ne sais même pas de qui vous parlez.

— D'*elle* ! Tu ne comprends pas ? Tout est de sa faute. Et lui ? Qui est-il vraiment ? Tu le sais, toi ?

— Je ne sais rien du tout et je ne crois pas que cela m'intéresse vraiment.

Finalement, Lucifer regrettait sa démarche. Le dingue s'agrippait à sa bure sans lâcher prise, tel un chien s'accrochant à un os.

— Ils me croient fou quand je dis qu'elle n'est pas morte, mais la nuit, je l'entends qui grimpe. Toujours plus haut. Il n'y a que la lumière qui l'empêche de venir jusqu'à moi. L'été, le temps lui manque ; cependant, l'hiver, les nuits sont longues. Il faut des torches. Beaucoup de torches. Alors, elle n'ose pas entrer. Toi, tu peux m'aider. Le feu brûle en toi. À deux, nous la repousserons facilement.

Que racontait cet abruti ? Comment pouvait-il savoir ? Ce monde où la religion n'avait pas supplanté la magie déplaisait de plus en plus à Lucifer. Non seulement ses pouvoirs étaient-ils plus faibles, mais il se passait des choses qui dépassaient l'entendement, même pour lui, qui, avec les archanges, avait peut-être une meilleure idée que quiconque des agissements du Créateur. À croire que le lieu appelé Nayr n'avait pas été fait de Sa main. Lucifer tirait sa puissance de ceux qui croyaient en lui sur Terre. Le hic était que le fluide circulait mal entre les deux mondes et que, sur Nayr, on se moquait bien de Dieu comme du Diable.

— Prête-moi ton feu, insistait l'halluciné. J'en ai besoin pour le tenir à l'écart. Toute cette eau. Elle veut m'y entraîner pour me punir. Allez, donne.

— Vous voulez du feu ? finit par s'emporter Lucifer. En voilà.

La barbe et la chevelure du fou s'embrasèrent telle une boule d'étoupe.

— J'espère que vous êtes satisfait, à présent.

Lucifer trouva que les cris d'Olnir s'harmonisaient à l'odeur de porc brûlé qui imprégnait l'air et sortit avant que les hurlements n'ameutent la valetaille.

Avant de rentrer à la chapelle du Bon Pasteur, Aloysius s'assura que William de Norfolk avait bien quitté Tombelor. L'éloignement l'empêchait de suivre le seigneur de Bairdenne davantage. C'était un des inconvénients de l'aalma. Le canal invisible qui unissait Aloysius à sa pierre de mémoire s'étirait tel un élastique mais, à son instar, il risquait de se rompre au-delà d'une certaine distance. Aloysius en avait fait doulou-reusement l'expérience quand Francisco s'était réfugié au pied des Marches septentrionales, à l'arrivée des Ténèbres. Bien qu'Aloysius ait pris la précaution de voyager dans le sol pour le protéger, le fil l'unissant à son aalma s'était si aminci qu'il le sentait à peine. Un rien aurait pu le briser et, lorsqu'il avait finalement regagné la chapelle, de longues journées s'étaient écoulées avant que le lien ne reprenne son élasticité première. Il en avait payé le prix. Désormais, son élasticité était moindre. Aloysius avait retenu la leçon. Depuis, il veillait à ce que ses pérégrinations ne l'entraînent jamais au-delà des limites de la cité.

Les éléments composant la matière sont tous liés entre eux à travers l'Univers, lui avait appris sa mère ; certains de manière plus étroite que les autres. C'était le cas de la pierre. Pour qui savait déchiffrer le « langage » de cette dernière, aller d'un endroit à l'autre en empruntant les ponts qui unissaient ses composantes était un jeu d'enfant.

Aloysius pénétra dans le mur d'une chaumière à la lisière de la ville pour ressortir par un de ceux de la sacristie et aboutir dans la chapelle. La pointe d'une épée s'appuya aussitôt sur sa gorge.

— N'essayez pas de recommencer ce petit tour ou c'est ma lame qui traversera votre nuque.

Aloysius reconnut sans peine son assaillant. Le jeune homme était celui qui cherchait Francisco quelques mois plus tôt et qu'il avait égaré sur une fausse piste. Le jeune homme était le même et pourtant il avait changé : sa main droite avait retrouvé son intégrité, elle n'avait plus quatre, mais cinq doigts ; par ailleurs, la lumière qui l'auréolait ne fluctuait plus comme elle le faisait chez Francisco. Elle brillait d'un bleu très sombre, presque noir. Enfin, son front arborait une curieuse protubérance. Le jeune homme semblait aussi avoir acquis de l'assurance.

Aloysius crut d'abord qu'il venait se venger du mauvais tour qu'il lui avait joué ; puis il pensa qu'il cherchait toujours Francisco. Finalement aucune de ces pistes n'était la bonne. Il le découvrit quand son assaillant l'entraîna dans la nef de la chapelle pour lui demander :

— Êtes-vous Ubsalite ?

La surprise s'inscrivit sur le visage d'Aloysius l'espace d'un instant, avant que la pierre de mémoire gobe l'émotion et que ses traits reprennent leur impassibilité coutumière. Ubsalite ! Il n'avait plus entendu ce mot depuis longtemps. Depuis le décès de sa mère, en fait, qui lui répétait constamment de ne pas oublier ses origines.

— C'est effectivement le nom qu'on donne à ceux de ma race, s'entendit-il répondre.

— Je vous ai vu émerger du mur. Vos congénères en font-ils autant ?

— Les Ubsalites parlent à la pierre et la pierre leur répond.

— Parler à la pierre… C'est comme cela que vous appelez cette faculté ? Permet-elle d'autres tours du même genre ? Disons, faire traverser les murs à ceux qui ne sont pas comme vous ?

— Vous avez parlé de congénères, éluda Aloysius. Que voulez-vous dire ? Il n'y a plus d'Ubsalites. Je suis le dernier.

— Vous faites erreur. Je sais où il y en a. Si vous acceptez de m'aider, je vous y conduirai.

Grâce aux talents de maître Cornufle, le retour à Valrouge fut beaucoup plus rapide que l'aller. Geoffroy donna des ordres pour que le mage et le troll miniature qui lui servait d'assistant fussent logés dans les appartements de feu maître Loclyne et pour qu'on procurât au premier ce dont il avait besoin afin de mener à bien ses recherches. Cela fait, il emmena Jolanthe dans ses propres appartements, sous l'œil désapprobateur des dames qui les croisèrent au passage. Là, il lui fit préparer un bain qu'il parfuma lui-même de rose et de jasmin.

Jolanthe se laissa déshabiller docilement en babillant, puis Geoffroy la baigna. La voir nue et sentir sa peau si douce et si ferme sous ses doigts fit naître en lui une envie féroce que le regard candide de la jeune femme eut tôt fait d'éteindre. Jamais il ne pourrait la prendre dans cet état. L'acte eût été semblable à un viol. Le viol d'une enfant. Geoffroy passa sa frustration en cassant les objets qui se trouvaient à sa portée avant de s'interrompre en apercevant l'air terrifié de celle qu'il adorait. Cette fois, ce fut lui qui éclata en sanglots.

Dès lors, Geoffroy sut qu'il n'aurait de cesse tant que son amante n'aurait retrouvé la vivacité d'esprit qui l'avait séduit lorsqu'ils s'étaient vus la première fois. Même s'il devait y consacrer le reste de ses jours.

VII. CONFRONTATIONS

William de Norfolk n'avait jamais pu et ne pourrait jamais saisir Shu-Weï Sang-Noir. L'esprit des femmes lui échappait. Encore qu'à la regarder, on pouvait se demander si la maîtresse de Ryu-Gin en était vraiment une. Non seulement n'en avait-elle pas les rondeurs, mais la sensualité qui amenait parfois un homme à tomber éperdument amoureux de l'autre sexe semblait totalement absente chez elle. Un glaçon, une lame, une tombe. Un sang froid et noir devait effectivement couler dans ses veines.

« Tu ne crois pas si bien dire », songea Shu-Weï, qui captait certaines pensées – les plus fortes, les plus claires – de son hôte, autre avantage non négligeable du sang de dragon qui se mêlait à sa sève humaine.

— Pourquoi vouliez-vous me parler, William ? interrogea-t-elle en y mettant assez de morgue pour faire sentir au seigneur de Bairdenne que sa visite l'importunait. La chose doit être d'importance pour que vous vous déplaciez. À moins que le faste tapageur de Tombelor ne vous ait lassé et que vous aspiriez à la sombre monotonie des Confins.

William ne releva pas le sarcasme. Le soutien de Shu-Weï lui était indispensable. Il ne le serait néanmoins pas éternellement.

— Je veux vous entretenir de la Magicature. Elle a prouvé son incurie avec le désastre des Ténèbres. Des vieillards qui dictent leurs lois et monopolisent le savoir en maintenant la population dans l'ignorance. Leur temps est révolu.

— Cette population ignorante dont vous parlez, je présume qu'il s'agit des guildes. Il est vrai qu'en se passant des mages, leurs coffres s'empliraient plus rapidement.

— Il n'est pas question de se passer des mages, seulement d'en agréer de plus jeunes.

— Plus dociles, plus malléables?

— Pensez ce que vous voulez. Il n'en demeure pas moins que s'ils avaient été plus alertes, les mages auraient trouvé une autre solution que celle de distribuer des masques et de faire évacuer la cité. Des milliers de vies auraient été épargnées. L'enseignement de la magie est trop long. Il faut permettre aux jeunes d'exercer. Les mages en fonction seront plus nombreux. Chacun aura la possibilité de recourir à leurs services, pas seulement les mieux nantis.

— Cet altruisme vous honore, mais la lenteur de l'apprentissage n'a-t-elle pas précisément pour but d'inculquer prudence et sagesse à ceux dont l'impétuosité pourrait conduire à des égarements?

William eut un geste dédaigneux de la main.

— Les jeunes peuvent être encadrés autrement. Et puis, on ne fait pas d'omelette sans casser d'œufs.

Aucun argument ne convaincrait William de Norfolk. Il n'était pas du genre à accepter les idées d'autrui. Seules les siennes comptaient. Shu-Weï devinait qu'en retirant le pouvoir à la Magicature, William souhaitait faire jouer aux princes-dragons un plus grand rôle dans la gouvernance de Nayr. Plus particulièrement à celui de Bairdenne.

— Que désirez-vous au juste ?

— Votre appui. J'ai déjà celui des guildemestres, mais ils ne bougeront pas sans l'assurance que les princes-dragons ne se ligueront pas contre eux. Zoltan Boralf est lui aussi d'avis que la Magicature n'a plus sa place dans la vie politique du royaume. Avec vous de notre côté, la cause serait presque gagnée. Je me fais fort de convaincre Faris al-Maktoub de nous emboîter le pas. Geoffroy Montorgueil serait bien contraint de suivre.

— Zoltan Boralf n'est pas prince-dragon.

— Certes, mais le jeune Vorodine est absent et nous n'avons aucune nouvelle de lui.

— Vous l'enterrez un peu vite.

— Je n'enterre personne. Il n'est pas là, voilà tout. Quelqu'un doit bien le remplacer.

— Les princes-dragons le sont de souche, ils ne le deviennent pas par défaut. Zoltan Boralf ne sera jamais prince-dragon.

— Les temps changent.

— Il y a toujours Olnir Vorodine.

— Ce vieux fou ! C'est tout juste s'il arrive à se torcher le cul. Non, Zoltan est l'homme qu'il nous faut.

— Obéissant à souhait.

En voyant pâlir le visage de William, Shu-Weï sut qu'elle était allée trop loin. Le camouflet ne passait pas. Dans l'esprit du seigneur de Bairdenne couraient des pensées meurtrières ; d'autres aussi, guère plus attrayantes pour une femme. Le prince-dragon réussit néanmoins à garder contenance. Il avait trop besoin d'elle pour causer un esclandre. Son père, Kenku-Weï, avait raison. Elle faisait peur. Un homme se battra sans difficulté contre un autre, mais devant une femme, il est plus démuni. Un sentiment issu du fond des âges retiendra son geste. Évidemment, il y a toujours des désaxés. William en était-il un ?

— Êtes-vous avec moi, oui ou non ?

— Je vous répondrai demain. À présent, je vous prierais de vous retirer. Vous n'ignorez pas combien nous sommes faibles, nous, les femmes. J'ai besoin de me reposer.

— Comment supportez-vous de boire cette effroyable piquette ? demanda monseigneur Da Hora en posant son gobelet avec une grimace. On dirait du vinaigre.

Zoltan Boralf jeta un œil mauvais au prêtre.

Le bruit des ustensiles se tut autour de la table. Chacun savait qu'il était dangereux de se mettre le commandeur à dos, et celui-ci avait la couenne fragile. Seul Lucifer continuait de s'empiffrer comme si de rien n'était.

— Si ma « piquette » ne vous plaît pas, je peux vous faire servir un broc de pisse, répliqua Zoltan.

Il y eut des rires autour de la table.

— Ne prenez pas ombrage de ma remarque. Je trouve simplement aberrant qu'un homme de votre qualité se contente de pareille vinasse.

— Les landes ne sont pas propices à la culture de la vigne, et faire venir du vin de Tombelor ou de Shariar coûte cher.

— Mais Syatogor a bien un mage, et non des moindres, n'est-ce pas maître Olonthe ?

L'interpellé faillit piquer un fard.

— Euh... Je me débrouille, bafouilla le vieillard. Cependant, il est des choses que les mages ne peuvent accomplir, aussi qualifiés soient-ils. Produire du vin figure parmi elles.

— Tiens donc ! Est-ce à dire qu'en cas de disette, vous ne pourriez remplir les caves du château ?

Zoltan suivait l'échange avec curiosité. Où le prêtre voulait-il en venir ?

— Ni les caves ni les greniers. La magie peut beaucoup, certes, néanmoins elle a ses limites. Elle ne peut créer à partir de rien. Il lui faut de la matière sur laquelle travailler, répondit naïvement maître Olonthe. Voyez-vous, la magie est avant tout affaire de changement, de transformation. Avec elle, il est possible de transmuer un objet en un autre, de commander aux éléments, d'imposer sa loi à une créature, mais tirer quelque chose du néant est rigoureusement impossible.

— Pour un mage peut-être, mais pour Dieu…

— Dieu ?

— L'Être suprême. Celui qui a créé l'univers dans lequel nous vivons et tout ce qu'il contient.

De nouveaux rires fusèrent à droite et à gauche. Monseigneur Da Hora n'y prêta pas attention.

— Vous plaisantez. L'univers a toujours existé. Il ne peut en être autrement. Personne ne serait assez puissant pour réussir un tel exploit.

— Pour le plaisir de l'argument, admettons qu'il le soit.

— Imaginez l'ampleur de la tâche. Et puis, pourquoi se serait-il donné ce mal ?

— Pour qu'on reconnaisse Sa suprématie et pour qu'on Le loue.

— Votre dieu est un mégalomane, intervint Zoltan, ce qui déclencha une cascade de rires.

Monseigneur Da Hora haussa les épaules.

— Il désire simplement qu'on Lui rende justice. Il ne réclame que la gratitude. Et une obéissance à toute épreuve.

— Rien que ça ! Peut-être aimerait-il coucher avec nos femmes aussi ?

Les convives s'esclaffèrent de plus belle. Monseigneur Da Hora devina que s'il ne la reprenait pas vite en main, la situation lui échapperait.

— Et si je vous faisais une démonstration ? Si je vous montrais l'étendue de Sa puissance ?

Le silence revint. Il avait capté l'attention. Lucifer lui-même avait interrompu ses agapes, attendant la suite.

Zoltan fronça les sourcils.

— Quel genre de démonstration ?

— Rassurez-vous, rien de méchant. Je ne Lui demanderai pas de raser le château en faisant périr par le feu ceux qui se moquent de Lui comme Il le fit jadis de deux villes entières. Non, je pense à quelque chose de plus pratique.

— Par exemple ?

— Vous avez des barriques vides ? Que diriez-vous si je les remplissais d'un vin digne de ce nom ?

Tandis que William s'efforçait de trouver le sommeil sur une couche trop confortable à son goût, Shu-Weï interrogeait le sable.

Les grains puisés aux quatre coins de l'univers se mouvaient dans l'enceinte qui les retenait prisonniers, traçant d'éphémères arabesques autour des objets que la maîtresse de Ryu-Gin y avait placés.

Shu-Weï souhaitait une confirmation car, contrairement au passé, l'avenir n'était pas fixe. Il suffisait qu'un élément ne fût pas tout à fait à sa place pour que les événements qui auraient dû se produire ne se concrétisent pas et que d'autres, plus improbables, s'y substituent. Rien n'était certain.

Cette fois, Shu-Weï avait troqué les éléments primitifs pour quelques articles sélectionnés parmi les milliers qui s'entassaient dans les trois vitrines formant un mur complet de la pièce. Le mur qu'on ne voyait pas. Le mur entre les mondes.

Pour la représenter, elle avait choisi Mélusine, la femme serpent ; pour William, elle avait retenu un chien noir ; Ylian Vorodine avait adopté l'aspect d'un elfe guerrier ; Geoffroy Montorgueil, celui d'un ours, et Faris al-Maktoub, d'un hermaphrodite. Ensuite elle avait placé les figurines sur le sable et fait le vide dans son esprit. L'Essence universelle l'avait aussitôt emplie et, usant de son nimbe comme d'un canal, elle avait imprimé un mouvement aux millions de grains composant le sable. À présent, ces derniers habillaient les personnages, modelant leur forme.

Le chien grandit et devint plus noir encore. L'elfe perdit son éclat tandis qu'un monticule grossissait dans son dos, le cachant à la lumière. L'ours fut enterré. Le sable épargna l'hermaphrodite, tandis que Mélusine enfanta d'un dragon miniature. Puis, au moment où elle croyait le jeu terminé, les grains tourbillonnèrent pour ériger un sixième personnage, entièrement fait de sable. Surprise, Shu-Weï eut à peine le temps de noter l'hexagone au centre duquel le personnage inconnu s'était matérialisé avant que l'Essence universelle ne se retire de son esprit et rende au sable son inertie.

Bien qu'elle ne pût déchiffrer totalement le sens du tableau, elle en savait désormais un peu plus sur l'avenir. William de Norfolk n'accepterait ce que Shu-Weï attendait de lui que si elle lui donnait la Magicature. Et pour cela, il n'y avait pas d'alternative. Il lui faudrait écarter Geoffroy Montorgueil de son chemin.

Depuis son retour à Bairdenne, William de Norfolk ne décolérait pas. Le matin même, Shu-Weï l'avait convoqué.

— Vous pouvez compter sur mon aide, avait-elle dit. En échange, je vous demanderai un service. Un service que vous ne pourrez refuser.

— Lequel ?

— Pour l'instant, je n'ai besoin que de votre parole. Nous en reparlerons plus tard.

Il avait accepté avec une certaine réticence, puis elle l'avait congédié. La garce ! S'il s'était agi d'une autre personne, il aurait réclamé des comptes sur-le-champ. À présent, même l'accord qu'elle lui avait donné ne lui paraissait plus aussi sûr. Encore une fois, cela prouvait que les femmes n'avaient pas leur place dans les affaires des hommes. Dès qu'il aurait la situation bien en main, que la Magicature serait sous sa coupe et qu'il aurait pris la tête des princes-dragons, il remplacerait la péronnelle, ascendance ou pas.

Il ruminait toujours ces sombres pensées quand maître Silasse le prévint que Zoltan souhaitait s'entretenir avec lui sans délai. William faillit envoyer paître l'importun. Il soupçonnait de nouvelles doléances. Le seigneur par intérim de Syatogor était un râleur né. Cependant, il pouvait également s'agir d'un événement important. Le retour d'Ylian, par exemple. Ce qui gâcherait ses plans. Il suivit donc le mage jusqu'à son officine.

Le visage de Zoltan tremblotait dans l'eau de la vasque dont maître Silasse se servait pour les communications usuelles.

— J'espère que vous avez une bonne raison pour me déranger, maugréa William qui avait pris le parti de se montrer désagréable.

— Je pense que oui. Da Hora veut organiser une démonstration.

Une lueur d'intérêt glissa dans le regard du seigneur de Bairdenne.

— Que voulez-vous dire ?

— Il souhaite illustrer les pouvoirs de la divinité qu'il vénère.

William se raidit. Jusqu'à présent, il ne s'était guère occupé des étrangers, ne croyant les prétentions du prélat qu'à moitié. Se leurrait-il ? Se pouvait-il que ce Da Hora possède vraiment des pouvoirs, ainsi qu'ils le soutenaient, lui et son acolyte ?

— Expliquez-vous. Quel genre de démonstration ?

— Il dit qu'il remplira de vin des tonneaux.

Un instant passa avant que William s'esclaffe. Zoltan se rembrunit. Il n'y avait pas matière à rire.

— Il veut fabriquer du vin ?

— Oui.

— En quoi cela pourrait-il nous nuire ?

— Songez-y. La magie transforme, elle ne crée pas. S'il réussit, Da Hora prouverait que ses pouvoirs sont supérieurs aux nôtres. Nos gens sont influençables. Ils ne seront peut-être que quelques-uns à le suivre au début, mais leur nombre grossira. Et les petits ruisseaux font les grandes rivières.

— À vous entendre, on jurerait qu'il est en train de rassembler une armée. Pour influençables qu'ils soient, comme vous dites, je doute que les nôtres emboîtent le pas à un étranger uniquement parce qu'il leur offre un pot. L'isolement ne vous convient pas, Zoltan. Vous voyez des conspirations partout.

— Et si je vous apprenais que Da Hora quitte le château en cachette, comme bon lui semble, sans que personne ne le sache ?

Il y eut un silence puis William déclara d'un ton glacial :

— Donnez-lui votre accord. J'assisterai à la démonstration.

VIII. DES DÉCISIONS QUI POURRAIENT COÛTER GROS

Aloysius pria le jeune homme de se retirer. Il voulait être seul pour réfléchir. Brent accepta, disant qu'il reviendrait le lendemain pour connaître sa décision. Il tenait à se mettre en route sans tarder et le ferait avec ou sans lui. Aloysius aurait aimé s'entretenir de tout cela avec Francisco, mais celui-ci était loin et ne reviendrait pas tout de suite.

D'autres Ubsalites ! Tel était l'espoir que le jeune homme avait fait miroiter quand il avait évoqué l'étrange construction qui se dressait sur une hauteur, au bord de la mer Océane. Jadis, sa mère lui avait souvent parlé d'Urbimuros, relayant ce qu'elle avait elle-même appris de ses parents et de ses grands-parents. La description concordait. Se pourrait-il qu'il ne fût pas le dernier de sa race comme il l'avait toujours cru, ou le jeune homme mentait-il pour se venger par un cruel stratagème ?

Après mûre réflexion, Aloysius se dit que l'hypothèse de la vengeance prenait plus l'eau qu'elle ne tenait la mer. Le jeune homme paraissait sincère. Le bleu intense de son halo inspirait confiance et ses paroles avaient des accents de vérité quand il affirmait ne vouloir que retrouver son amie, celle qu'il appelait Judith et qui l'accompagnait le jour où ils avaient interrogé Aloysius pour savoir où était Francisco. La jeune femme, disait-il, s'était égarée du côté d'Urbimuros et il espérait qu'Aloysius l'aiderait à la retrouver.

L'envie de vérifier s'il s'agissait de la cité mythique dont lui parlait abondamment sa mère le tiraillait. Évidemment, il ne pourrait s'y rendre sans emporter son aalma. L'éloignement du lieu interdisait qu'il en fût autrement. Il l'avait expliqué au jeune homme, qui avait apaisé ses craintes. Celui-ci connaissait un moyen pour transporter les charges les plus lourdes. La pierre de mémoire ne constituerait pas un obstacle.

Restait Francisco. Aloysius avait promis de surveiller le seigneur de Bairdenne et de lui rapporter ses faits et gestes dans les moindres détails. Aloysius avait l'impression de trahir son ami. Mais Francisco n'avait-il pas aussi déclaré qu'il fallait profiter des occasions quand elles se présentaient ? Il avait promis de l'aider à retrouver les siens. En partant avec le jeune homme, Aloysius lui épargnerait donc cette peine. Il ne s'absenterait que quelques jours, le temps d'aller et de revenir. Plusieurs s'écouleraient avant que Francisco ne revienne lui demander rapport. Non, décidément, le jeu en valait la chandelle. Il accepterait la proposition du jeune homme. Et puis, Francisco ne serait que trop heureux quand Aloysius lui livrerait ce dernier, pieds et poings liés.

Ainsi que maître Cornufle avait déjà eu l'occasion de s'en rendre compte, la bibliothèque de maître Loclyne était une petite mine d'or. Évidemment, la collection reflétait les goûts du propriétaire. Ce qui signifiait qu'elle présentait tout de même de sérieuses lacunes. Mise à part l'abondante documentation sur les Ténèbres, elle regorgeait surtout d'ouvrages anciens, rangés pêle-mêle. Trouver ce qu'il cherchait dans pareil fatras ne serait pas aisé. Mais il était la patience même.

Maître Cornufle feuilletait un exemplaire de la rarissime *Trousse du mage éclairé* dans laquelle l'auteur, Grolys Hyrson, expliquait comment renverser un sort en apportant de subtiles modifications aux manipulations originales, quand il eut l'impression de ne plus être seul dans la pièce. Se retournant, il découvrit l'image évanescente de maître Hélégia.

— Bolan ! Que fais-tu ici ?

Depuis sa radiation, il n'avait pas revu le recteur de la Magicature, qui était aussi son ami.

— Algésippe, je dois te parler, mais je n'arrive pas à me localiser correctement. Le fouillis est trop grand.

— Attends, je dégage un coin.

Maître Cornufle poussa les meubles qui encombraient la pièce afin que son vieux complice prenne forme sans interférence. L'image se déplaça vers l'espace libéré, ce qui en accrut aussitôt la netteté.

— Voilà qui est mieux. Maître Loclyne n'a jamais été très porté sur le rangement.

— Je suis heureux de te voir, Bolan, mais ne risques-tu pas gros ? Si le Conseil de discipline a vent de ta visite, il pourrait te chercher noise.

— Nul n'est au courant. Je suis ici de ma propre initiative.

— Tu as des ennuis ? Tu sais que, malgré ce qui s'est passé, notre amitié reste intacte.

— Merci, Algésippe. J'ai essayé de défendre ton point de vue lors du procès, mais tu les connais : de vraies têtes de mule. J'ai été contraint de me ranger à la majorité. Si tu savais la peine que j'ai éprouvée quand le sort d'infantilisme a été jeté à cette pauvre dame Malinor… Mais revenons au but de ma visite. Tu te trompes en croyant que des raisons personnelles la motivent. Des événements graves se préparent, Algésippe. Le problème est que je ne peux faire confiance à personne. Voilà pourquoi j'ai pensé à toi. Maintenant que tu es sorti du circuit, je ne vois que toi pour m'aider.

— Tu commences à m'effrayer. Qu'y a-t-il ?

— Algésippe, on en veut à la Magicature.

Bolan narra à maître Cornufle ce qu'il soupçonnait.

Au début, ce n'avait été que des regards furtifs, des mots échangés à voix basse à l'angle des couloirs, des petits groupes qui se dissipaient sitôt qu'on en approchait. Cela flairait l'intrigue, la machination, le complot. Ces agissements avaient mis la puce à l'oreille de Bolan, qui avait prêté un peu plus attention à ce qui se passait autour de lui.

Deux ou trois mages lorgnaient depuis longtemps sa place de recteur. Au terme d'une enquête discrète, il apparut que maître Kallistan négligeait depuis peu ses fonctions à la procure pour des activités au sujet desquelles il évitait soigneusement de donner des détails. Vérification faite, le mage ne fréquentait aucun bordel, contrairement à ce que certains de ses collègues se plaisaient à dire ; il n'entretenait pas davantage un mignon à l'instar de plusieurs autres membres du collège magicatorial. Non, quand maître Kallistan quittait subrepticement la Magicature à la tombée de la nuit, sans employer le moindre sort pour ne pas qu'on en détecte les émanations, c'était pour franchir la Mirelune et se rendre à Bairdenne. Qu'allait-il y faire ?

Découvrir ce qui se passait entre les murs du château ne fut pas aisé. William de Norfolk avait débauché à prix d'or l'un des meilleurs éléments de la Magicature afin de s'assurer une discrétion absolue. La nature un tantinet paranoïaque de maître Silasse s'accordait à merveille aux désirs du seigneur de Bairdenne. Néanmoins, si maître Silasse était tout dévoué à son employeur, il figurait aussi parmi les plus ardents défenseurs de la Magicature. Jamais il ne lui serait venu à l'idée de nuire à sa profession. On pouvait donc dire qu'avec maître Silasse, la Magicature avait un allié dans la place. Maître Hélégia décida de faire part de ses appréhensions à ce dernier.

Le plus difficile fut de convaincre le vieux mage – qui rasait par moment la sénilité – que transformer William de Norfolk en crapaud n'était pas la solution. L'idéal serait d'agir comme si de rien n'était afin d'en apprendre davantage. Maître Silasse était-il capable de jouer le jeu ? Le concerné s'était offusqué. Pour qui maître Hélégia le prenait-il ? Pour un gâteux ? Il surveillerait William. Par ses soins, la Magicature serait au courant de tout ce que tramait le prince-dragon. Maître Hélégia accepta, tout en recommandant à maître Silasse d'agir avec circonspection. Beaucoup de circonspection. Il ne s'agissait pas de mettre le feu aux poudres.

Depuis, le mage de Bairdenne se faisait un devoir de rapporter les faits et gestes du prince-dragon. Jusqu'aux plus anodins. Faire le tri dans le tas n'était pas commode, d'autant que William de Norfolk avait la manie du secret et la hantise de la trahison. Il parlait rarement de ses projets, abusait de la poudre de dissimulation, ne rédigeait ses documents qu'à l'encre polygraphe et tenait ses réunions les plus importantes à l'insu de maître Silasse. Résultat : ils n'étaient guère plus avancés. Les soupçons demeuraient des soupçons ; les hypothèses, des hypothèses.

— C'est pour cela que j'ai besoin de toi, Algésippe.

— Je ne vois pas vraiment en quoi je pourrais t'aider.

— Plusieurs, à la Magicature, croient que le Conseil de discipline t'a jugé trop sévèrement. Supposons que je fasse connaître ouvertement ton ressentiment, cela pourrait venir aux oreilles d'une certaine personne, une personne qui n'hésiterait pas à retenir les services d'un mage de ta capacité, advenant le cas où tu les lui proposerais, si tu suis mon raisonnement.

— Le loup dans la bergerie.

— Plutôt l'agneau parmi la meute. Les renseignements que tu pourras glaner nous seront d'une grande utilité. Évidemment, nous ne serons pas ingrats. Tu réintégreras l'Ordre et récupéreras tous tes privilèges.

— Ce n'est pas ce que je désire.

— Quoi d'autre, alors ?

Maître Cornufle défia le recteur de la Magicature du regard.

— Je veux que vous retrouviez la formule qui annulera le sort jeté à dame Malinor.

IX. QU'IMPORTE LE TONNEAU, POURVU QU'ON AIT L'IVRESSE

Monseigneur Da Hora avait demandé qu'on place dix tonneaux vides dans la cour. La population du château s'y était rassemblée, curieuse de voir à quoi ressemblait un « miracle », ce tour de magie plus puissant, affirmait l'étranger, que tous ceux dont étaient capables les membres de la Magicature. Même William de Norfolk s'était déplacé pour l'occasion.

La représentation était prévue pour midi.

À l'heure dite, sous le soleil anémié de frimose, le prêtre s'avança sur le dallage, s'agenouilla devant les barriques, baissa la tête et se mit à marmonner en triturant un collier de perles en bois. Une poignée d'hommes en armes l'entouraient, prêts à intervenir.

Zoltan Boralf tenta de saisir les paroles qui s'échappaient des lèvres du prêtre sans y parvenir. Le langage incantatoire était la matière qui l'avait rebuté le plus pendant ses courtes études de la magie. Il jeta un œil à William de Norfolk, debout sur le balcon des appartements seigneuriaux. Le prince-dragon ne l'avait pas en grande estime, et Zoltan était déterminé à rectifier la situation. De longues minutes s'égrenèrent, durant lesquelles Da Hora poursuivit sa litanie et la patience de Zoltan s'effrita. Les mages de Nayr étaient peut-être moins « puissants », mais au moins leur magie agissait rapidement. Quelle utilité avait un miracle si son exécution demandait si longtemps ? Le prêtre l'avait-il mené en bateau ? Voilà qui ne ferait pas remonter sa cote aux yeux du seigneur de Bairdenne.

Soudain, un remous agita la foule. Il y eut un cri et des mains désignèrent un point dans le ciel. À l'instar des curieux qui se massaient dans l'enceinte, Zoltan leva la tête.

L'azur parut s'éclaircir. Un soleil miniature, très pâle, naquit au-dessus de monseigneur Da Hora avant de se transformer en halo au centre duquel se dessina une forme elfique. Les archers tendirent leurs armes. S'il le fallait, un commandement suffirait pour que l'apparition soit criblée de flèches. Un signe de William somma Zoltan de n'en rien faire.

L'apparition ne paraissait pas menaçante. Elle se contentait de planer en regardant d'un œil indifférent les gens attroupés en dessous d'elle. Zoltan n'avait jamais rien vu de pareil. Puis, la créature ouvrit les bras en un geste lent et théâtral et, des airs, se mit à tomber une pluie de roses. Des exclamations fusèrent ici et là. C'était de la magie à grand déploiement, du genre à frapper l'imagination. Cependant avait-elle une utilité quelconque ? Un chœur et des trompettes accompagnaient l'ensemble. Le tintamarre cessa à l'instant où les fleurs touchèrent le sol, puis la créature disparut comme elle était venue et ne resta dans le ciel que l'astre solaire. Les soldats baissèrent leurs armes. La tension se relâchait. Dans la cour, monseigneur Da Hora se signa avant de se relever parmi les roses qui jonchaient le sol. Le prêtre plongea un gobelet en fer blanc dans une barrique, puis le tendit à l'homme le plus près en l'invitant à en goûter le contenu. Le soldat hésita. Il se tourna vers Zoltan comme pour solliciter son avis. Celui-ci hocha la tête, de sorte que l'homme accepta le récipient. Il le porta à ses lèvres sans oser boire pour autant.

— Eh bien ? s'impatienta Zoltan.

Le cobaye finit par s'exécuter, ingurgitant une gorgée minuscule, puis une deuxième avant de vider complètement le verre et d'en demander un second avec un claquement de langue appréciatif. Le vin était de qualité.

Après avoir consulté William du regard, Zoltan fit un signe et ce fut la ruée. Chacun voulut goûter au vin merveilleux. Zoltan n'était toutefois pas au bout de ses surprises. En effet, il se rendit vite compte que, si l'ébriété gagnait les gens de Syatogor, les barils, eux, ne se vidaient pas : le niveau demeurait toujours égal à l'intérieur. Le sortilège était plus puissant qu'il l'imaginait. Zoltan lança des ordres avant que le château ne devienne un repaire d'ivrognes. Les tonneaux furent scellés et portés en lieu sûr, dans les caves.

Monseigneur Da Hora observait la scène légèrement à l'écart, sourire aux lèvres, savourant sa victoire. Désormais, nul, à Syatogor, ne douterait de la puissance de son dieu. Zoltan Boralf regarda William de Norfolk quitter le balcon d'où il avait suivi la scène et comprit que ce dernier avait commis une erreur en autorisant la démonstration. Un peu du pouvoir qu'il convoitait venait de lui échapper pour tomber dans les mains de l'ennemi.

Lucifer cracha de dégoût. Les anges et leurs coquetteries ! Créer du vin passait encore, il pouvait comprendre, mais à quoi rimait cette pluie de fleurs ?

Il abandonna la foule en liesse, laissant Francisco à son triomphe. Le prêtre ménageait la chèvre et le chou, usant de ses entrées au Ciel et en Enfer pour parvenir à ses fins. Dieu ne l'aurait pas toléré, mais Celui-ci ne donnait plus signe de vie depuis longtemps. À croire qu'Il les avait abandonnés à leur sort, même si les anges soutenaient le contraire.

Un jour, Lucifer en aurait le cœur net. Il irait là-haut se rendre compte par lui-même. Lucifer n'en voulait pas au prélat d'avoir agi ainsi. Les humains étaient comme cela. Ils s'autorisaient des écarts, persuadés qu'ils auraient toujours le temps de se rattraper, de se refaire une conscience... jusqu'à ce que la Camarde leur rende visite. Pourtant, ils avaient été prévenus : la mort survenait tel un voleur, sans prévenir, au moment où l'on s'y attendait le moins. Mieux valait être prêt. Francisco misait sur de gros bonnets, tels Michel ou Gabriel, pour intercéder en sa faveur et lui ménager une place au Paradis, justifiant ses actes par son amour du Seigneur. Francisco ignorait que Lucifer avait lui aussi ses entrées à l'Élysée. Quand il le fallait, Dieu le consultait discrètement et ses propos pesaient parfois plus lourd dans la balance que ne le croyait le commun des mortels. Francisco pourrait être désagréablement surpris au lendemain de son décès.

Lucifer fit taire sa rogne et rentra au château en quête d'un mauvais coup qui lui rendrait sa bonne humeur. Celui-ci prit la forme d'une jeune demeurée que négligeaient ses parents. Il entreprit de l'initier sur-le-champ aux plaisirs de la chair. Le Prince des Ténèbres déclinait les positions du Kama Sutra quand il eut l'impression qu'on l'observait. Se retournant, il découvrit Olnir Vorodine dans l'embrasure. La partie de sa chevelure et de sa barbe qu'il avait calcinée n'avait pas recommencé à pousser, ce qui accentuait encore plus l'air de folie qui se dégageait de sa personne.

La vue du vieil homme lui fit passer le goût de la chose. Se retirant de l'ex-pucelle, Lucifer rabattit sa bure sur ses fesses molles et poilues en un geste d'exaspération.

Le vieillard l'agaçait. Plus encore depuis leur rencontre.

— Que voulez-vous ? l'apostropha-t-il.

— Elle est revenue, prononça Olnir d'une voix lugubre.

Le père d'Ylian divaguait. On ne revenait pas d'entre les morts. La suicidée – car Lucifer supposait que le vieux faisait allusion à sa défunte épouse – ne pouvait ressusciter. Même dans ce monde. Bien que différent de la Terre, il restait assujetti aux lois de l'univers qu'Il avait créé. À moins que…

— C'est impossible. Quand on est mort, on l'est pour l'éternité.

— Alors, c'est qu'elle ne l'est pas, fit le vieil homme en un rare éclair de lucidité. Convaincs-la de me laisser, que je trouve le repos.

Lucifer haussa les épaules.

— J'ai mieux à faire que de me lancer dans pareille folie.

— Si tu m'aides, je te confierai un secret.

— Un secret ?

— Un grand secret.

Lucifer étudia le visage mangé par les poils gris et roussis. Une vérité quelconque se cachait-elle derrière les propos d'Olnir ? Sa curiosité était éveillée. Qu'avait-il à perdre à mener sa petite enquête ? À tout le moins, cela le distrairait. Dans le pire des cas, il tourmenterait un peu plus le dément. Qui s'en plaindrait ?

— C'est bon. Dis-m'en davantage.

William avait invité monseigneur Da Hora et Lucifer à souper. Ce dernier demeurant introuvable, le prélat se présenta seul au rendez-vous.

Ainsi qu'Aloysius le lui avait rapporté, le seigneur de Bairdenne n'appréciait guère les joies de la table. Viandes, crudités et laitages le satisfaisaient pleinement et en petite quantité. Il savait néanmoins reconnaître un bon cru, car il complimenta monseigneur Da Hora sur celui qui égayait à présent les repas à Syatogor.

— Vous êtes trop aimable, le remercia monseigneur Da Hora. J'espère que ma petite représentation vous a plu et, surtout, qu'elle vous a convaincu que je ne mens pas en affirmant que la « magie » de l'Église est aussi puissante, sinon plus, que celle de la Magicature.

— Tout ce que cela prouve, c'est que vous savez fabriquer du vin, grogna Zoltan.

— Notre ami a raison, renchérit William. Vos talents sont indéniables, cependant à quoi me serviraient-ils, hormis à agrémenter ma table ?

— Peut-être à remplir les coffres de Bairdenne qui, dit-on, sont plus dégarnis qu'il n'y paraît.

William se renfrogna. Comment le prêtre pouvait-il savoir ?

Son mécontentement n'échappa pas à Zoltan.

— Je vous avais prévenu, glissa-t-il à William. Vous faites une erreur en l'écoutant. Cet homme est dangereux. Nous devrions nous débarrasser de lui, ainsi que de son ami.

Ce fut au tour de monseigneur Da Hora de réagir.

— Écoutez, Boralf. Vous ne m'aimez pas, moi non plus. Réglons cela une fois pour toutes, d'homme à homme.

Zoltan se dressa.

— Vous me défiez en combat singulier ?

Le prélat l'apaisa d'un geste.

— Rangez votre épée. Je ne manie pas l'arme blanche. Le combat serait par trop inégal. Non, je songeais à quelque chose de moins sanglant. Un bras de fer, par exemple. Vous êtes gaucher, je crois ?

Zoltan ricana.

— Même si je le suis, personne ne m'a jamais battu.

— Eh bien, le moment est venu d'y remédier.

Il y avait du vitriol dans le regard que Zoltan lui décocha ; celui de William, en revanche, brillait d'une lueur amusée.

Les deux hommes posèrent le coude sur la table et leurs mains s'agrippèrent. Malgré sa petite taille, Zoltan était costaud, et monseigneur Da Hora devina que ses propres biceps, bien qu'entraînés, ne seraient pas de taille contre ceux du commandeur de Syatogor. Toutefois, ce dernier n'avait pas la chance de posséder une main mécanique en nanotubes de carbone, cent fois plus résistants que l'acier. Monseigneur Da Hora se contenta de serrer lentement les doigts afin de broyer ceux de son adversaire Quand la sueur se mit à perler sur le front de Zoltan, il sut que la partie était gagnée. La douleur fut la plus forte. Zoltan lâcha prise avec un cri.

Monseigneur Da Hora sourit au seigneur de Bairdenne qui contemplait la scène, médusé.

— Si nous passions aux choses sérieuses à présent. De combien de kippers avez-vous besoin pour mener à bien votre campagne contre la Magicature ?

X. DE L'ADRESSE DE JOUER AVEC LES NERFS DU LECTEUR

— Vous êtes prêt ? C'est ce truc qu'il faut apporter ?

Brent désignait le moellon qui reposait sur le sol.

Aloysius hocha la tête.

Pour récupérer son aalma, il avait dû abattre la vasque que Francisco appelait « fonts baptismaux » – l'objet de culte qui devait ramener les « brebis égarées dans le troupeau du Seigneur », pour reprendre ses termes – et à laquelle sa pierre de mémoire servait de socle. En fin de compte, Aloysius avait lui-même saccagé ce que Francisco s'était donné tant de mal à ériger. Il en avait éprouvé une grande honte dont son aalma s'était empressée de le délester.

Le jeune homme qui se prénommait Brent examina sa pierre de mémoire avec curiosité.

— Qu'a-t-elle de si important, cette pierre ?

— Vous ne comprendriez pas.

— Essayez toujours.

Aloysius soupira. Brent lui était antipathique. Il lui expliqua en termes aussi simples et succincts que possible ce que l'aalma signifiait pour lui.

— En somme, c'est un enregistrement, conclut Brent au terme de l'explication. Une espèce d'album de famille, quoi.

— C'est beaucoup plus que cela, grommela Aloysius, un peu agacé par cette vision si réductrice. L'aalma n'emmagasine pas que les souvenirs, elle absorbe les sentiments, les émotions. En extrayant ce qu'elle contient, une personne pourrait revivre tout ce que j'ai vécu, et mes ancêtres également.

— La nuit de noces de vos arrière-grands-parents, par exemple ? Oui, j'imagine ce que ça peut avoir d'intéressant. Un peu pervers, tout de même.

De gris, le teint d'Aloysius vira au blanc cendré. Brent lui tapa amicalement l'épaule.

— Je plaisante. Ne tirez pas cette tête. Vous êtes prêt ? On peut y aller ?

— Oui. Comment comptez-vous vous y prendre ?

— J'ai du baume de légèreté. Avec ça, le poids de cette pierre aura celui d'une plume. C'est son volume qui posera le plus de difficultés, mais rien qu'un sort de lévitation ne peut régler. Avec lui, inutile de la soulever, elle flottera. Préférez-vous l'enduire de baume vous-même ? À deux, nous aurions plus vite terminé.

Aloysius opta pour la première solution. L'idée que Brent touche son aalma lui répugnait. Quand ses doigts effleurèrent la dépression marquant l'endroit où les mages avaient prélevé un fragment de la pierre, une douleur se réveilla dans sa poitrine, là où un bourrelet de chair rappelait la souffrance qui l'avait affligé ce jour-là.

Lorsqu'il eut terminé, Brent prononça l'enchantement. L'aalma s'éleva à quelques dizaines de centimètres du sol. À présent, il suffirait de la pousser dans la bonne direction. Aloysius se rappela sa mère quand elle évoquait d'un air rêveur cette ville qu'elle n'avait jamais vue et où, selon ses grands-parents, l'aalma ne pesait également rien et se fondait dans les murs comme s'ils n'existaient pas. On pouvait, affirmait-elle, la laisser au vu et au su de chacun sans craindre que quiconque ne s'en empare ni ne lui cause de tort.

— Prenez votre pierre et approchez-vous, commanda Brent. Le sort de déplacement instantané a un rayon d'action assez limité.

Aloysius obtempéra. Le jeune homme leva les bras en V et déclama une suite de paroles similaires à celles qu'entonnait Francisco lorsqu'il invoquait les génies ailés qui le servaient. L'incantation fit s'amasser une nuée au-dessus d'eux, dans la chapelle, puis il y eut un éclair et ils se retrouvèrent dans la lande.

Aloysius en eut le souffle coupé.

Jamais il ne s'était retrouvé dans un espace aussi vide, sans mur à proximité où se réfugier. La sensation était si intense qu'il dut s'accroupir pour rétrécir son champ de vision. Ce bleu qui le surplombait allait l'écraser. L'air refusait d'entrer dans ses poumons. Heureusement, son aalma intervint et l'apaisement se fit rapidement.

— Que vous arrive-t-il ? interrogea Brent, surpris. Ça ne va pas ?

— Où… Où sommes-nous ? parvint à articuler Aloysius.

— Près de Syatogor.

Garder la tête baissée et les yeux rivés au sol lui faisait du bien. Il aurait pu se fondre dans le sol pour se mêler aux molécules denses du roc qui s'y trouvaient, mais l'expérience n'était jamais plaisante et on se déplaçait plus difficilement dans la terre, moins homogène que la pierre. Son aalma travaillait fort à le soulager de l'angoisse qui le paralysait. Puis vint l'impression lénifiante qui caractérisait toujours la fin d'une crise. Aloysius déplia le cou et embrassa lentement du regard la vastitude.

Voilà donc à quoi ressemblait le Dehors que ses aïeux évoquaient avec une crainte révérencieuse et qu'ils avaient bravé quand ils avaient fui Urbimuros pour essaimer dans Nayr.

Ses ancêtres avaient vécu les mêmes affres. Ils avaient marché des jours, des semaines entières, sans autre protection que le sol dans lequel ils s'enfonçaient de temps à autre, jusqu'à parvenir à la nouvelle cité où ils avaient élu domicile avant d'en être chassés, des générations plus tard. Le voyage qu'entreprenait maintenant Aloysius était en quelque sorte un pèlerinage, un retour aux sources. Il était l'enfant prodigue qui revenait au bercail.

Prenant de l'assurance, il porta le regard au loin. À sa gauche se dressait un château semblable à celui de Bairdenne, dont il hantait les murs pour le compte de Francisco. Ses yeux continuèrent de balayer l'horizon. Plus loin, la terre s'arrêtait, comme coupée par une masse mouvante de couleur semblable à celle du vide qui la surplombait. Il leva le bras pour indiquer l'horrible masse.

— Qu'est-ce que c'est ?

— La mer.

Aloysius détourna les yeux avant qu'un malaise le reprenne.

La terre renaissait à droite. Elle prenait même du volume, s'élevant à l'assaut de l'immensité bleue que Brent appelait « ciel ». Ce côté de l'étendue était plus apaisant, de sorte qu'il se redressa tout à fait.

Puis il aperçut le mur : long, haut, titanesque. Jamais il n'en avait vu de pareil. Une bonne distance les en séparait, et pourtant, il écrasait de sa masse le paysage. La description était conforme à celle qu'en avait faite son arrière-arrière-arrière-grand-père Aloysius lors de l'exode et que lui avait relatée sa mère.

Aucun doute n'était permis.

Devant lui se dressait Urbimuros.

QUATRIÈME PARTIE
SI L'ESPOIR FAIT VIVRE, RESTE À SAVOIR COMBIEN DE TEMPS

I. ÉPHÉMÈRE PASSAGE D'UN FAIRE-VALOIR D'UNE IMPORTANCE NON MOINS CAPITALE POUR LE RÉCIT

— Il faut que tu y ailles, Solal, on n'a déjà que trop tardé.

— Pourquoi est-ce que c'est encore moi qui dois me taper le boulot ?

— Parce que je suis plus haut gradé et qu'il n'y a personne d'autre. Cesse de râler, c'est à deux pas. Le temps de dire ouf et tu auras fini.

— Pfft !

Solal quitta la salle de surveillance à contrecœur. S'il avait choisi ce métier, c'était précisément parce qu'il était peinard. Rien de compliqué ni de fatigant. La majeure partie du temps, il la passait devant les écrans où brillaient le tas de petites lumières représentant les habitants de la ville. Seulement voilà, il arrivait qu'un voyant se mette à clignoter. S'il s'éteignait, la procédure voulait qu'on lance une enquête, ce qui obligeait parfois Solal à quitter le nid douillet du Centre de sécurité pour s'aventurer à l'extérieur.

Il emprunta le puits qui descendait directement au rez-de-chaussée. Traverser les murs horizontalement était un jeu d'enfant, mais verticalement, cela exigeait trop d'efforts. Pour changer de niveau, mieux valait l'escalier ; l'usage du puits ascensionnel n'était autorisé qu'au-delà de mille marches. Solal enfonça légèrement les pieds dans le plancher de la cabine. Ainsi ancré dans la matière, il maîtriserait mieux les nausées qui l'assaillaient invariablement jusqu'à l'arrêt du véhicule.

Au moins le lieu de l'alerte n'était pas trop éloigné du quadrant des Premiers. Avec les Affranchis qui semaient la pagaille dans les services, les Sans-Murs qui squattaient les logements inoccupés, les stryes qui hantaient les corridors et l'occasionnel Carnel qui attendait sa ration de chair dans un coin, il ne faisait pas bon se promener seul dans Urbimuros. Des histoires d'horreur circulaient au Centre : celles de contrôleurs sauvagement abattus dans l'exercice de leurs fonctions ou qui disparaissaient sans laisser de traces. On parlait aussi d'autres devenus fous parce que des Affranchis avaient tranché le canal les reliant à leur aalma. Ce n'étaient que des rumeurs, mais savait-on jamais ?

Solal alluma son localisateur et tapa les coordonnées du cas problématique. Il n'aurait qu'à suivre l'harmonique de l'appareil pour se rendre à bon port. Un signal ordonnerait à ceux qui se trouvaient dans les murs devant lui de libérer le passage, cependant il indiquerait aussi aux malfaisants où circulait un contrôleur. C'était le revers de la médaille. Par bonheur, les risques étaient moins grands dans cette partie de la cité, où la Milice était plus active. Pas comme du côté des jardins ou de la vieille ville.

Quelques minutes suffirent pour qu'il parvienne à destination. Avant de pénétrer dans le logis, il envoya une harmonique d'appel. S'il y avait quelqu'un, on lui répondrait. Ce ne fut pas le cas. Il procéda donc de la façon qui lui avait été enseignée à l'école de la Milice : il ouvrit à fond le canal de son aalma pour prévenir tout choc émotionnel et traversa le mur nord, normalement réservé aux visiteurs.

Sans son aalma qui fonctionnait à bloc, le spectacle qu'il découvrit l'aurait fait tourner de l'œil.

Deux hommes étaient étendus sans vie sur le sol. De leur corps émanait déjà une odeur infecte. Reconnaissant un Sans-Murs à son habillement, Solal n'eut aucune peine à reconstituer le drame.

Le Sans-Murs devait occuper l'appartement quand son propriétaire était revenu à l'improviste. Une bagarre avait suivi durant laquelle les deux s'étaient entretués. Cela n'arrivait pas souvent, mais il y avait des précédents. Solal soupira en songeant aux tracasseries qu'engendrerait sa découverte. La rédaction du rapport demanderait à elle seule une semaine. Il sortit le communicateur de son étui et composa le code de Brycor. Un grésillement suivit, puis la voix de son supérieur se fit entendre, déformée par la membrane résonante de l'appareil.

— Alors, qu'est-ce que t'as trouvé ?

— On a deux « blancs » sur le dos.

Dans l'argot du Centre, « blanc » signifiait défunt.

— Deux ? Selon la fiche, le logement n'est habité que par une personne.

— Un Sans-Murs s'y était infiltré. Je crois qu'ils se sont tapé dessus. Il y a du sang partout. Il faudra appeler la décontamination.

— Je m'en charge. Tu as récupéré les aalmas ?

— Pas encore. J'ai préféré appeler avant.

— Bon. C'est un rapport d'au moins trente pages ça, veinard ! Tu vas pouvoir réclamer des heures sup'.

— Ouais. Mon aalma frétille de joie. Terminé.

Il coupa la communication. Les heures supplémentaires, Brycor pouvait se les mettre où il pensait. Enfin. Laissant les corps de côté, Solal mit son localisateur en mode « repérage ».

L'aalma du propriétaire était casée dans le mur est ; celle du Sans-Murs se trouvait dans la seconde pièce, qu'il n'avait pas encore visitée. Avant de s'y rendre, Solal inspecta les lieux pour voir s'il y avait quelque chose d'intéressant à grappiller. Mais le mort était un adepte du style dépouillé. Il ne trouva que des babioles.

C'est en arrivant dans l'autre pièce qu'il eut la surprise de sa vie. Un troisième corps ! De sexe féminin celui-là. Pourtant, son localisateur ne captait que l'harmonique de deux aalmas. Solal s'avança pour examiner la dépouille de plus près. Une double enveloppe de lumière l'entourait là où, d'ordinaire, il n'y en avait qu'une ; en outre, le halo chatoyait alors que celui des Ubsalites se résumait à une mince bande grise. La femme était jeune et avait un teint bizarre, plus coloré. Une mutation ? Sa main gauche était gantée. Seulement la gauche. Curieux, Solal fit glisser le gant. Lorsque apparut la texture noire et granuleuse de la chair, il eut si peur que son aalma ne put endiguer le flot. La prophétie ! Il replaça le gant à la hâte uniquement pour voir les paupières de la morte se soulever tandis qu'un croassement affreux sortait de sa gorge.

— À boire.

II. DÉPLACEMENTS DE PIONS

Ylian eut la confirmation qu'il n'était qu'un pion entre les mains de Kal le lendemain de leur passage aux jardins hélioponiques.

— J'aimerais retourner voir le dragon, dit-il.

Kal ne voulut rien entendre.

— Les Sans-Murs ont fait une incursion dans le quadrant des Premiers et la sécurité a été renforcée. C'est un miracle que nous n'ayons pas encore été repérés.

— Le zoothérium n'intéresse personne, vous l'avez dit vous-même.

— Le danger n'en est pas moins réel. Les risques augmentent à chacun de nos déplacements. Pas question de vous perdre maintenant que votre présence a galvanisé les Affranchis et que le Jour de l'Éveil approche,

Ylian se renfrogna. Leurs intérêts divergeaient totalement. Kal ne songeait qu'à sa petite révolution alors que lui n'avait plus que le dragon en tête. Ylian s'imaginait rentrer à Syatogor montant la bête. Voilà qui riverait son clou à Norfolk. Geoffroy lui-même en pâlirait de jalousie. Kal avait promis de le faire sortir de la ville emmurée, mais les Affranchis n'étaient que des parias recherchés par les autorités d'Urbimuros. Ils devaient se cacher et rien ne disait qu'ils réussiraient dans leur tentative de prendre le pouvoir. Même avec l'aide d'Ylian. Au fond, rien n'obligeait ce dernier à les suivre. Il résolut donc d'agir.

Le même soir, Ylian se rendit compte qu'il était encore moins libre qu'il le supposait. Ils bivouaquaient non loin du zoothérium en attendant l'arrivée d'un groupe d'Affranchis qui donnerait lieu à d'autres palabres et préparatifs. Ylian était convaincu de pouvoir retrouver le dragon sans trop de peine. Il s'assura que son translateur était chargé et s'enfonça dans le mur le plus près. Quelques minutes à peine s'écoulèrent avant que deux Affranchis ne le rattrapent et le ramènent. N'importe où ailleurs, les échalas n'auraient pas été de taille, mais dans les murs, Ylian était à leur merci.

— Qu'est-ce que cela signifie ? Suis-je prisonnier ? demanda-t-il à Kal quand celui-ci le rejoignit.

— Ne le prenez pas mal. Vous êtes notre hôte. Nous veillons à votre sécurité, voilà tout.

— Vous aviez promis de m'aider.

— Et je le ferai. Il vous faudra juste attendre un peu plus.

— Le temps est une richesse trop précieuse pour que je le gaspille. Il y a une éternité que je suis sans nouvelles d'êtres qui me sont chers.

— Je vous comprends et je compatis, mais les enjeux sont trop grands. Vous seul pouvez insuffler aux Affranchis le courage qui leur manque souvent. J'ai besoin d'un Hors-Murs à mes côtés pour les conduire à la bataille. Appuyez-moi et je ne serai pas ingrat. Évidemment, vous comprendrez qu'après cette escapade, je me vois contraint de vous reprendre le translateur.

Ylian lui remit l'appareil. Combien de fois Geoffroy lui avait-il répété qu'il ne fallait se fier qu'à soi-même ? Les événements prouvaient une fois de plus la perspicacité de ce conseil. Ylian se dit que, dans l'immédiat, la meilleure stratégie consistait à jouer le jeu. L'occasion de fausser compagnie à ses « gardes du corps » se présenterait certainement tôt ou tard. Il n'hésiterait pas à la saisir. Ensuite, bien malin qui le rattraperait.

L'expérience s'était révélée étrange.

Quand ils avaient atteint l'incroyable mur, une grande fébrilité s'était emparée d'Aloysius.

— L'harmonique ! Sentez-vous l'harmonique ?

— Je ne sens rien du tout, avait répondu Brent distraitement, impressionné par les fantastiques dimensions de l'édifice.

L'ouvrage était immense. Le mur courait dans les deux sens, sans solution de continuité. Le monstrueux empilement était-il creux, à l'instar des pyramides ? Dans ce cas, comment pénétrait-on à l'intérieur ?

C'était avant qu'Aloysius ne lâche sa pierre et ne pose les mains sur la paroi. Elles s'y étaient plus que plaquées ; elles s'y étaient littéralement enfoncées.

— D'autres aalmas ! poursuivit Aloysius sur un ton qui ne trahissait déjà plus aucune effervescence. Je les entends. Il y en a tant ! C'est merveilleux ! Je ne suis plus seul, vous comprenez ? Je ne suis plus seul !

— Vous voulez dire qu'il y en a d'autres comme vous derrière ce mur ?

Mais Aloysius ne l'écoutait pas.

— Je croyais être le dernier et voici que je fais partie d'une multitude.

Même sa peau avait changé. Son teint grisâtre s'était comme éclairé. Il n'était plus aussi terne.

Brent tâta la façade de pierre. Judith se trouvait-elle à l'intérieur ?

— Comment fait-on pour entrer là-dedans ? murmura-t-il plus pour lui-même, déconcerté par l'impossibilité apparente de la tâche.

— L'aalma d'abord, se contenta de répondre Aloysius. Si ce que ma mère m'a raconté est exact, la pierre le confirmera.

Dépassé et confus, Brent choisit de se taire et d'attendre pour voir ce qui arriverait.

Aloysius poussa le moellon en suspension dans l'air jusqu'au mur. La pierre y pénétra comme si la paroi n'existait pas. L'homme gris esquissa un minuscule pas de gigue avant de retrouver son impassibilité coutumière. Sa façon, sans doute, d'exprimer une joie intense. Ce va-et-vient d'émotions avait de quoi surprendre, mais Brent n'en était plus à une bizarrerie près.

— Et maintenant ?

— À notre tour.

Aloysius le prit par la main et l'attira vers le mur, qu'ils traversèrent sans effort. La vue de Brent se troubla un instant comme si un rideau de tulle fin lui voilait les yeux, puis il se retrouva dans un couloir d'une belle largeur dont les parois grimpaient si haut qu'on avait l'impression qu'elles se rejoignaient. Le corridor s'étendait aussi loin que portait le regard.

— Où sommes-nous ? balbutia Brent, éberlué.

— Dans Urbimuros. La cité close. Mes aïeux en venaient et m'y voici finalement revenu.

— Comment allons-nous trouver notre chemin là-dedans ?

Aloysius n'eut pas le temps de le lui expliquer.

Un nouvel homme gris émergea soudain du mur voisin, à quelques pas.

— Venez, fit-il. La Milice a dû être alertée. Il ne faut pas rester ici. Prenez votre aalma et je vous conduirai en lieu sûr.

— Qui d'autre est au courant ? interrogea l'Amnonte majeur.

— Personne à part le jeune Solal, Vénérable. Il est très commotionné. Je lui ai donné un calmant et l'ai enjoint d'aller se reposer dans mon bureau. Évidemment, j'ai doublé la dose. Il dormira jusqu'à demain. Normalement, j'aurais dû signaler l'incident sur-le-champ à Valtor, mais quand Solal m'a parlé de la prophétie, je me suis dit que cela concernait plus le Culte que la Milice, songeant que, peut-être, il y aurait quelque récompense si je vous en informais.

— Vous avez bien fait. Où est l'inconnue ?

— Je l'ai fait interner à l'Hospice de la Repentance sous un faux matricule. Elle est dans l'aile des mourants. Personne ne s'occupera d'elle.

— Je vais prendre des dispositions pour qu'on la transporte ici. Le mieux serait que le rapport sur cet événement s'égare.

— Certainement, Vénérable.

— Ce Solal saura-t-il tenir sa langue ?

— Hélas non. C'est un bavard et, comme je vous l'ai dit, il a fait le lien avec la prophétie dès qu'il a vu la main.

— Aucune importance. Vous êtes un bon sujet, Brycor. Je suis persuadé que vous n'êtes pas utilisé au mieux de vos capacités à la Milice. Un transfert au Palais amnontial vous plairait-il ?

— C'est plus que je n'espérais, Vénérable.

— Bien. Je m'en occupe. À présent, laissez-moi, j'ai à faire.

Son informateur parti, Obal effleura les symboles gravés dans le marbre de sa table de travail. Une voix grave se fit entendre aussitôt.

— Oui, Vénérable ?

— Un homme sort à l'instant. Rapportez-moi son aalma ; j'ai l'intuition qu'il aura bientôt un accident auquel il ne survivra pas.

— Bien, Vénérable. Autre chose ?

— Un nommé Solal, au Centre de sécurité. Lui aussi aspire à de longues vacances.

— Est-ce tout ?

— Non. Une femme a été hospitalisée sous le matricule Ylinga 49 à l'Hospice de la Repentance. Récupérez-la discrètement et amenez-la ici. Assurez-vous de ne laisser aucune trace. Personne ne doit être au courant. Et surtout, qu'il ne lui arrive rien. Je crois que le ciel nous envoie un cadeau.

Le communicateur de Kal sonna en sourdine. Il l'ouvrit, nota le code mais ne répondit pas. Trop d'oreilles traînaient dans les parages. Il se leva donc en maugréant.

La vie des Affranchis n'était pas rose. Hormis quelques refuges sûrs, impossible de faire halte trop longtemps où que ce fût. Le confort était à l'avenant. Le plus souvent, ils couchaient à même le sol, avec pour tout matelas leurs vêtements ; ils se nourrissaient de maigres rations composées de ce que des sympathisants leur offraient ou de ce qu'ils parvenaient à grapiller de comestible ; ils n'avaient accès à aucune des commodités auxquelles étaient accoutumés les Ubsalites qui restaient dans le rang et obéissaient sagement aux amnontes et aux pétrarques. Bref, la plupart du temps, les Affranchis étaient sales, fatigués et affamés.

Kal jeta un coup d'œil à Ylian.

Le Hors-Murs dormait paisiblement. Il songea qu'il serait peut-être sage de lui confisquer son arme. L'épée n'était qu'une longue lame de métal, mais elle pouvait causer des dégâts. Bien qu'ils eussent des moyens plus sophistiqués de se défendre, les Ubsalites étaient fragiles. Leurs os se cassaient comme du verre. Kal était néanmoins convaincu qu'Ylian ne recourrait pas à la force à moins d'y être contraint ; lui confisquer l'objet en ferait un prisonnier récalcitrant. Son épée lui donnait l'illusion de la liberté. Kal jugea donc préférable de la lui laisser. De toute façon, il n'y en avait plus pour longtemps. Le Jour de l'Éveil était proche. Avec Ylian à ses côtés, les Affranchis le suivraient et, ensemble, ils renverseraient le pouvoir. Après, bien sûr, il ne serait pas question de laisser repartir le Hors-Murs. La sécurité d'Urbimuros en dépendait.

Kal sortit de la pièce discrètement. Dehors, les gardes qui somnolaient ne se rendirent compte de rien. Kal s'éloigna de l'entrepôt désaffecté où ils avaient élu domicile en franchissant plusieurs couloirs. Il arriva bientôt dans un parc miniature où des arbres en pierre disputaient à quelques bancs le minuscule espace. Ressortant son communicateur, il composa le code qu'il connaissait par cœur. Il n'eut pas à attendre longtemps.

— C'est moi, confirma-t-il.

— J'ai vu. Vous êtes seul ?

— Oui. Il y a du neuf ?

— Tout se déroule conformément au plan. Mieux, même. Je ne vois pas ce qui pourrait nous arrêter désormais. Le Hors-Murs se doute-t-il de quelque chose ?

— Je ne crois pas, bien qu'il ait failli nous glisser entre les doigts.

— Comment cela ?

— Une lubie. Il voulait retourner au zoothérium. Cela ne se reproduira pas.

— Je l'espère. Son arrivée était inespérée. Sans lui, rien ne garantirait que les Affranchis passent à l'action.

— Enfin, les choses vont changer.

— Assurément. Une ère nouvelle s'ouvre devant nous. De grandes réalisations nous attendent.

— Je vous avoue que je n'y croyais plus. Quand vous m'avez approché la première fois, Valtor, j'étais persuadé que vous me tendiez un piège. Force m'est d'admettre que je me suis trompé. Grâce à votre aide, nous déjouons la Milice et le mouvement est plus fort que jamais.

— C'est loin d'être fini. Faites-moi confiance. Cette année, le Jour de l'Éveil sera à marquer d'une pierre blanche dans l'histoire d'Urbimuros.

— À la victoire, donc.

— À la victoire.

III. QUI MONTRE QUE RESTER TROP LONGTEMPS ENFERMÉ N'EST PAS NÉCESSAIREMENT SALUTAIRE POUR LA SANTÉ

L'inconnu s'appelait Pryul, cent cinquième du nom, et il était ingénieur.

— J'aime me balader dans l'Allée magne malgré l'interdit, confia-t-il à Brent et à Aloysius. C'est paisible et la tranquillité me fait du bien. Ma compagne a le verbe facile, si vous voyez ce que je veux dire.

Brent voyait. Sa compagne parlait trop et ça lui tapait sur les nerfs. Il n'avait jamais eu ce problème avec Judith. Quand il le fallait, chacun savait laisser l'autre à sa solitude.

— Je travaille au département technique de la Milice, poursuivit Pryul. Les systèmes de surveillance n'ont plus de secrets pour moi. Alors, de temps en temps, je mets le nez dehors. Cette sensation de ne plus rien avoir au-dessus de sa tête… Tout cet espace… Au début, j'ai simplement essayé pour voir si j'en aurais le courage, puis je me suis pris au jeu. À présent, je serais incapable de m'en passer. Cela me rend… Je ne sais pas… Je n'arrive pas à trouver le mot juste.

Brent aurait dit « euphorique ». Le comportement de Pryul avait un je-ne-sais-quoi de différent. L'ingénieur n'avait pas cette retenue, cette pondération qui faisait le plus souvent d'Aloysius un véritable bloc de marbre.

Bien qu'il ne fût pas claustrophobe, cette ville emmurée, sans autre lumière que celle, artificielle, qui émanait de la pierre, lui filait des angoisses. Un mois là-dedans et il deviendrait assurément dingue.

— Évidemment, je soupçonnais comme tout le monde que le Dehors n'est pas vide, mais de là à y trouver des gens qui nous ressemblent… Je parle surtout de vous, Aloysius, puisque votre ami n'a pas d'aalma. La vôtre sera en sécurité chez moi.

Si Brent n'avait qu'une confiance mitigée en Aloysius, celle que lui inspirait Pryul n'était guère plus grande, cependant avait-il le choix ?

Il détestait cette façon d'aller et venir dans les murs. L'expérience lui laissait chaque fois une angoisse. Pour lui, s'enfoncer dans de la pierre quand on ignorait comment en sortir ne valait guère mieux que sauter à l'eau quand on ne savait pas nager. La peur d'y laisser sa peau lui tordait constamment les boyaux. Chaque fois qu'ils traversaient un mur, Brent ne pouvait s'empêcher de se demander ce qui arriverait si jamais il prenait à Aloysius ou à Pryul la fantaisie de lui lâcher la main. Mourrait-il écrasé instantanément ou périrait-il lentement d'asphyxie ? Ni l'une ni l'autre perspective ne le rassurait.

Ils franchirent une dernière paroi et aboutirent dans une pièce chichement éclairée.

Le confort y était spartiate. Des fauteuils auxquels un fakir aurait sans doute préféré sa planche à clous, une table et des étagères sur lesquelles trônaient un défilé de figurines.

— Votre, euh… Votre compagne ne s'offusquera pas que vous ameniez des invités sans la prévenir ? s'inquiéta Brent.

— Vous pouvez toujours le lui demander, répondit Pryul avec un sourire désarmant, mais je doute qu'elle vous réponde. Elle ne dit plus grand-chose depuis que je l'ai empaillée.

— Où suis-je ?

Judith ne reconnut pas la voix qui sortait de sa gorge. On eût dit celle d'un corbeau en train de muer.

Ses yeux brûlaient tant ils étaient secs. Pour les humidifier, elle cligna des paupières à plusieurs reprises. Elle était étendue sur un lit très dur dont on avait atténué l'inconfort par un mince matelas de mousse. Un drap la recouvrait et elle n'eut pas besoin de le soulever pour savoir qu'en dessous, elle était nue. Elle passa la langue sur ses lèvres parcheminées en essayant de rassembler ses souvenirs.

Combien de temps s'était écoulé depuis l'affrontement entre les deux hommes, depuis le décès de Lorca ? Elle n'aurait su le dire. Privée de nourriture, elle avait senti ses forces décliner peu à peu. Ses pires craintes se concrétisaient : elle mourrait emmurée vivante, dans cette espèce de caveau, au cœur d'une ville qui n'était elle-même qu'un immense sépulcre. L'anthropophagie aurait retardé l'inéluctable – elle avait deux corps à sa disposition, mais Judith n'avait su s'y résoudre. L'idée de mordre dans un cadavre pour arracher un bout de sa chair grise et flasque la révulsait ; cette seule pensée faisait émerger des profondeurs de son estomac un goût acre de bile. Plutôt mourir.

Enfermée dans l'appartement sans porte ni fenêtres, elle avait l'impression d'être une de ces princesses hindoues qu'on enfermait avec la dépouille de leur époux. En attendant la mort, elle avait redessiné mentalement des passages de sa vie qu'elle aurait voulus plus heureux avant que le délire s'empare d'elle. Finalement, Judith avait sombré dans un état semi-comateux, jusqu'à ce qu'elle se réveille ici.

Où était-elle ? Pourquoi l'avait-on déshabillée ? Elle n'apercevait ses vêtements nulle part. Même son gant avait disparu. Sa main estropiée était exposée à la vue de chacun. Était-elle tombée entre les pattes d'un autre pervers ? Elle fit un effort pour se calmer.

S'appuyant sur un coude, elle regarda autour d'elle sans lâcher le drap pour éviter de se découvrir. La pièce – pourtant de bonne dimension – ne contenait que le lit et une petite table de chevet sur laquelle on avait posé un plat rempli d'une bouillie verdâtre peu appétissante. L'odeur douceâtre de légume qui flotta jusqu'à ses narines ranima son estomac qui lui fit part de son mécontentement par de bruyants borborygmes. Prudente, elle plongea un doigt dans la mixture. Cela rappelait la purée de pomme de terre. Une purée légèrement sucrée, comme si des pois y avaient été mélangés. Son ventre redoubla ses protestations. N'y tenant plus, elle saisit la cuillère qui émergeait de la pâtée et entreprit d'en ingurgiter de grandes lampées.

— Mangez plus doucement, ou votre estomac n'y résistera pas.

Judith lâcha l'ustensile et se drapa du mieux qu'elle le put dans l'étoffe pour cacher ses seins qui s'étaient dénudés au cours de l'opération.

Un homme visiblement plus âgé que Lorca venait d'entrer. Sa toge blanche passementée d'or ne manquait pas d'élégance. Deux yeux en vrille, perçants et noirs, surmontaient un nez en lame de couteau et sa bouche mince, pincée, aux lèvres presque absentes. Il avait le teint grisâtre de tous ceux qu'elle avait croisés depuis son arrivée dans la ville close, mais sous le gris transparaissait la carnation rose d'une personne bien nourrie.

— Où sont mes vêtements ? attaqua-t-elle d'emblée.

— Je crains qu'il ait fallu les brûler. La contamination. Mais je vous en ai fait préparer d'autres. Tenez.

L'inconnu déposa sur le lit une espèce de chasuble semblable à celle qu'il portait, mais azur.

— Où suis-je ? Qui êtes-vous ? Que voulez-vous ?

Le son de sa voix frisait le piaillement hystérique. Tout l'accablait : l'épuisement, la faim et aussi cet enfant, dans son ventre, qui la fragilisait. Elle voulait obtenir des réponses et, par-dessus tout, découvrir comment retrouver le ciel et l'air pur.

— Je m'appelle Obal. Je suis l'Amnonte majeur. Vous êtes au Palais amnontial dont l'avant-dernier étage est réservé aux appartements assortis à ma charge.

— Pourquoi m'avez-vous emmenée ici ?

— On vous a trouvée à moitié morte dans un logement contenant deux cadavres. Vous avez d'abord été conduite à l'Hospice de la Repentance, où votre condition de Hors-Murs a été constatée. Quelqu'un m'a prévenu. Si je n'étais pas intervenu, ce n'est pas dans un lit que vous vous trouveriez, mais au fond d'une fosse creusée par la Milice.

Judith ne put réprimer un frisson.

— Pourquoi ?

— Les pétrarques ne tiennent pas à ce que la population en apprenne trop sur l'univers extérieur. Cela fait des siècles qu'ils s'évertuent à décourager toute exploration du Dehors. Les moyens employés pour y parvenir manquent parfois de subtilité.

Obal se garda de dire que les amnontes appuyaient les pétrarques dans cette démarche. Un bon stratège n'a pas peur de cacher les faits ni de manipuler ceux qui l'écoutent pour parvenir à ses fins. Il poursuivit :

— La privation vous a affaiblie, mais vous vous remettrez vite. Puis-je vous demander votre nom et comment vous êtes arrivée à Urbimuros ?

— Je m'appelle Judith. Un Sans-Murs m'a enlevée et séquestrée. J'aimerais qu'on me ramène d'où je viens, dans ce Dehors qui vous effraie tant.

— Certainement. Ce sera fait. Néanmoins, la sagesse commande que vous repreniez des forces. Que diriez-vous d'un repas plus consistant que cette bouillie ? Nous pourrions deviser. Je suis curieux d'en savoir un peu plus sur le monde d'où vous venez et, malgré votre hâte de le quitter, je soupçonne qu'en apprendre davantage sur le mien ne vous déplairait pas. Disons le temps de vous changer ? Vous trouverez une cabine nettoyante au fond de la pièce si vous désirez vous rafraîchir. Lorsque vous serez prête, vous n'aurez qu'à emprunter le couloir. Ainsi que vous avez pu vous en rendre compte, il est difficile de s'égarer dans les habitations d'Urbimuros. Impossible, en fait, quand on ignore comment traverser un mur.

IV. DANS L'ŒIL
DE L'OURAGAN

Ylian était déterminé à fausser compagnie à ses hôtes. Restait à trouver comment. Car tromper la vigilance de gens qui voyaient et passaient à travers les murs s'avérerait malaisé. Il devrait jouer de finesse et, surtout, saisir la première occasion au bond.

Celle-ci se présenta le surlendemain de la conversation qu'il avait eue avec Kal, soit plus tôt qu'il l'avait espéré.

Le chef des Affranchis était dans un état de grande agitation. Ses hommes étaient fin prêts. Bientôt, ils marcheraient vers la Grande Place d'Orbe et, devant la population entière qui s'y trouverait réunie, ils mettraient un terme à la dictature des amnontes et des pétrarques sur la ville.

— Les Affranchis ne seront plus des parias, mais des Ubsalites à part entière. Ils deviendront une force avec laquelle composer, s'exclamait-il à l'intention d'Ylian en battant de ses longs bras maigres. Tout cela, dans une large mesure grâce à vous. Vous êtes le modèle que les Affranchis attendent depuis longtemps. Le jour où nous nous sommes rencontrés entrera dans les annales.

Ylian l'écoutait d'une oreille distraite tandis qu'ils cheminaient pour se rendre à une autre de ces rencontres où il jouerait les pantins devant des gens qu'il ne connaissait pas et qui se verraient peut-être, par sa faute, privés de leur liberté ou pire, advenant le cas où les choses ne se dérouleraient pas exactement comme Kal le prévoyait. Ces gens ne lui étaient rien, mais il détestait les voir ainsi manipulés.

Les hommes qui l'encadraient – veillaient à sa protection, soutenait Kal – s'arrêtèrent soudain et se retournèrent, l'inquiétude dans le regard.

— Des stryes, fit l'un d'eux. Elles seront là dans un instant.

À peine eût-il prononcé ces mots que des silhouettes fantomatiques apparurent au bout du couloir.

— Vite.

Kal saisit la main d'Ylian pour l'entraîner, mais celui-ci en reprit possession. Le visage du chef des Affranchis trahissait la surprise quand il se fondit dans la paroi. Sans laisser à ses gardes du corps le temps de réagir, Ylian dégaina son épée et se précipita à la rencontre du groupe qui avançait vers lui.

Les stryes serrèrent les rangs. Leur haute silhouette était emmaillotée dans des vêtements en lambeaux qui flottaient sur leur corps pratiquement réduit à l'état de squelette. Leurs pieds touchaient à peine le sol ; ils l'effleuraient. On eût dit qu'ils lévitaient de quelques millimètres au-dessus de la surface rugueuse et tiède.

L'épée d'Ylian ne parut pas les intimider le moindrement. À dire vrai, Ylian lui-même ne semblait pas les intéresser. Tout dans leur visage exprimait la tristesse : les yeux profondément enfoncés dans leurs orbites, l'incurvation de la bouche, les joues creuses, les traits tirés et fatigués.

Ylian se demandait pourquoi les Affranchis avaient si peur de créatures aussi pitoyables quand l'onde de choc le frappa.

Une indicible angoisse lui creusa le ventre.

Ce fut comme une masse qui lui aurait heurté le plexus, provoquant une douleur qui remonta jusqu'au sommet de son crâne. Les événements les plus pénibles de sa vie jaillirent en bloc dans sa mémoire : la mort de sa mère alors qu'il avait cinq ans, la folie de son père, sa vie solitaire au château, le dur apprentissage auprès de Geoffroy, les interminables journées passées à contempler la mer ou à errer dans les landes, les perpétuels combats contre les elfes noirs, les jours de disette et de maladie, le froid et le vent, la blessure au cœur qu'Alsinor lui avait infligée quand elle s'était lassée de lui et l'avait quitté pour un autre, la lourdeur de ses responsabilités et, plus récemment, le fléau des Ténèbres avec ses multiples conséquences, puis la remise en question de ses aptitudes par William de Norfolk, la perte de ses compagnons, disparus alors qu'ils longeaient la muraille, et sa séparation d'avec Judith. Une vague de désespoir le submergea. Comment pouvait-il supporter pareille vie ? Mieux valait mourir.

Sans transition, il se mit à rire à gorge déployée. Tout ce qui, l'instant précédent, avait suscité chez lui une profonde tristesse lui paraissait à présent de la plus grande drôlerie.

Les sentiments s'entremêlaient, tourbillonnaient. Une véritable douche écossaise d'émotions – joie, colère, tristesse, peur... Les stryes étaient toutes proches à présent. Elles tendaient leurs bras décharnés vers lui en amorçant une manœuvre d'encerclement.

Ylian fit un effort surhumain pour surmonter la tempête de sentiments qui le privait de ses moyens. Se concentrant uniquement sur la main qui tenait l'épée, il fendit l'air d'un geste rageur. La lame traversa le corps de deux stryes comme s'il n'y avait rien. Que du vent. Les étranges créatures étaient immatérielles. Elles n'étaient qu'émanation de l'esprit.

Les stryes l'entouraient complètement à présent. Le cercle rétrécissait autour de lui, et plus elles se rapprochaient, plus la tourmente sifflait dans sa tête. Le supplice était atroce.

Ylian résistait tout en pressentant qu'il était sur le point de perdre la partie. La folie le gagnait. Puis, une image se dessina dans sa tête : celle d'un bout de bois balloté par les flots. Il observait souvent le mouvement des épaves secouées par le sac et le ressac, au pied des falaises d'Ambre, à Syatogor. Les vagues malmenaient l'esquif, le hissaient à leur crête avant de l'engloutir comme pour le briser, le faire éclater en miettes, et pourtant le bois remontait toujours à la surface. Il flottait jusqu'à ce qu'enfin il s'échoue sur la grève et s'y pose, à l'abri des flots et de leur furie. L'idée lui vint qu'il devait imiter ce bout de bois. N'opposer aucune résistance et accepter son sort. Il vida son esprit et laissa ses muscles se détendre, se repliant au plus profond de lui-même afin d'observer ce qui se passait. Les stryes n'avaient plus prise sur lui. La sérénité l'envahit malgré les émotions dont les émanations spectrales ne cessaient de le bombarder. Finalement vint l'accalmie. Un silence, une paix formidables déferlèrent dans son esprit malmené, un peu comme lorsque le vent tombe subitement et sans raison alors que la tempête rugissait encore l'instant d'avant. Les stryes rompirent le cercle et reprirent leur déambulation fantomatique.

Ylian comprit que là était sa chance. Si les stryes ne pouvaient rien contre lui, il n'en allait pas autant pour les Affranchis, qui les redoutaient. En accompagnant les « esprits de folie », il leur échapperait. Au cœur du groupe spectral, il serait intouchable. Il rattrapa donc les créatures qui s'éloignaient et disparut avec elles dans les corridors d'Urbimuros.

Judith attendit que l'Amnonte majeur fût parti pour se lever. Elle s'enroula dans son drap. Bien qu'Obal lui eût affirmé le contraire, on devait la surveiller. Comment ne pas devenir voyeur quand on peut épier impunément les gens à leur insu en se fondant dans les murs ? Serait-elle à l'abri dans la cabine nettoyante ? Elle prit finalement le parti d'arrêter de s'en faire.

Obal l'avait certainement déjà vue dans le plus simple appareil. Par bravade, elle laissa donc choir l'étoffe et alla d'un pas déterminé vers l'espace qui, à cet endroit, faisait office de douche.

Une demi-heure plus tard, elle retrouva l'Amnonte majeur devant un repas comme elle n'en avait plus dégusté depuis son départ de Syatogor. Il y avait là de quoi nourrir une famille entière. Une myriade d'arômes flottaient dans la pièce, émanant de plats qui, pour autant qu'elle pût en juger, étaient tous végétariens.

À la requête d'Obal, elle s'assit en face de lui. Sa faim s'était réveillée, probablement à cause du fumet qui embaumait l'air, et elle ne se fit pas prier pour accepter quand son hôte l'invita à se servir à sa guise. Un instant s'écoula avant qu'elle ne remarque les yeux de l'Amnonte majeur fixés sur sa main carbonisée. Avec le gant, elle avait perdu l'habitude de la cacher au regard des gens mais, de gant, elle n'avait plus. Pourtant, ce n'était pas de la répulsion qu'elle lisait chez Obal. Plutôt une sorte de fascination. Mal à l'aise, elle glissa sa main sous la table. Alors, l'Amnonte majeur sortit de sa transe et se mit à manger lui aussi.

— Dites-m'en plus sur ce qui vous est arrivé à Urbimuros, demanda-t-il finalement, comme pour détendre l'atmosphère.

Judith avait pris la décision de répondre honnêtement aux questions qu'on lui poserait, ne gardant pour elle que les informations qui lui sembleraient utiles, histoire de disposer d'une monnaie d'échange. Elle aussi voulait savoir des choses. Elle narra donc ses mésaventures dans la cité.

— Je pense qu'un des deux hommes dont les corps ont été retrouvés dans le logement est celui qui m'a enlevée, déclara-t-elle en guise de conclusion.

Obal réfléchit. Le Sans-Murs sans doute. Entraîner les Hors-Murs dans Urbimuros n'était pas dans les habitudes des Affranchis, et s'il s'était agi d'un Carnel, la jeune femme ne serait plus là pour en parler. Cette déduction donna à l'Amnonte majeur une solide raison pour fouiller l'aalma du défunt avant qu'elle retourne dans la Matrice aalmique.

— Pourquoi a-t-on emmuré cette ville ? interrogea Judith.

— Ceux qui l'ont bâtie préféraient ne plus avoir de contacts avec le monde extérieur.

— Pourquoi ?

— Pour éviter la contamination.

— Ils craignaient de tomber malades ?

— Pas ce genre de contamination. Les Ubsalites sont une race très ancienne dont la naissance remonte à la genèse de l'univers. Nous venons du sol. C'est la raison pour laquelle il est si facile pour nous de voyager dans la trame du monde minéral. Cette faculté est associée à la pureté de la race. Nos aïeux tenaient à la préserver et ils ont vite compris que des lois et des règlements ne suffiraient pas à freiner la curiosité de leurs semblables. Tôt ou tard, ceux-ci se laisseraient corrompre par faiblesse. Ils se mêleraient à d'autres races. Pour empêcher que cela se produise, ils se sont isolés du Dehors et ont décidé de vivre en autarcie.

— Un peu excessif, non ?

— Urbimuros n'a connu ni guerre ni épidémie depuis des millénaires. Les Ubsalites mangent à leur faim et connaissent une vie paisible jusqu'à leur retour dans la Matrice aalmique, qui perpétuera leur souvenir et dans laquelle ils vivront à l'état de pensée pure en compagnie de leurs ancêtres, jusqu'à la Réunification ultime.

La réponse avait été débitée sur le ton monocorde de celui qui n'est pas disposé à entendre des arguments allant à l'encontre ses convictions. Judith aurait aimé rétorquer que le brassage des gènes fortifie une race, et non l'inverse, mais elle préféra garder ses réflexions pour elle. Glaner des renseignements qui l'aideraient à se tirer de ce mauvais pas suffirait. En un sens, Obal lui rappelait monseigneur Da Hora : imbu de sa personne, sclérosé dans ses convictions, réfractaire au changement et assurément prêt à tout pour défendre ses acquis. Bref, un homme dangereux.

— Je suis curieux. À quoi ressemble le Dehors ? demanda l'Amnonte majeur avec avidité.

À ces mots, Judith revint sur sa première impression. Un aspect distinguait Obal de monseigneur Da Hora : le premier n'avait pas la maîtrise de soi du second. L'interdit le séduisait. C'était un faible.

La jeune femme se plia à son souhait et décrivit Nayr. Du moins ce qu'elle en connaissait ; elle évita de parler de la Terre afin de ne pas mêler les cartes. Obal l'écouta attentivement quand elle évoqua Tombelor, les landes et les Marches, Syatogor et Valrouge, la mer Océane et les ruines de Castelmuir… De temps en temps, l'Amnonte majeur l'interrompait pour obtenir une précision. Il la questionna sur les us et coutumes du pays, les gens qui l'habitaient, leurs croyances, l'organisation et la régie du royaume. Parallèlement, Judith se renseigna sur Urbimuros et sur la vie qu'on y menait, ajoutant au peu que lui avait déjà confié Lorca. À travers les paroles d'Obal, elle devina que la population ubsalite, pour diverses raisons, ne cessait de décliner.

— Les malformations se multiplient, avoua Obal dans un élan de sincérité. Les déviances aussi.

— Que voulez-vous dire ?

— Les Ubsalites n'adhèrent plus au Culte. Ils négligent leur aalma, préférant garder leurs sentiments pour eux, ce qui les conduit parfois à des excès, comme manger de la viande, par exemple.

— Quel mal y a-t-il à cela ?

— Manger de la viande n'est pas un mal en soi. Le problème est la nature de cette dernière. Voyez-vous, il n'y a pas d'animaux à Urbimuros, que des gens comme vous et moi.

Kal vit ses plans s'évanouir en fumée. Ylian lui avait faussé compagnie, ainsi qu'à ses hommes, au moment où il se solidarisait avec la pierre. La proximité des stryes l'avait empêché d'intervenir. Kal avait assisté à la fuite d'Ylian, impuissant, dans son mur.

Peu d'Ubsalites dont le chemin avait croisé celui des stryes avaient survécu pour s'en vanter. La plupart avaient perdu la raison : ils débitaient des paroles sans suite, se comportaient bizarrement, multipliaient les gestes insensés, se laissaient dépérir ou devenaient si violents qu'il fallait les décérébrer pour leur propre sécurité.

Kal avait côtoyé quelques-unes de ces victimes et, même pour quelqu'un qui, comme lui, avait renoncé à l'esclavage de l'aalma depuis longtemps, assister à pareils débordements émotifs sans en ressortir secoué exigeait une maîtrise de soi qu'il ne possédait pas. Car couper le canal de son aalma n'était qu'une étape. Le plus dur, ensuite, consistait à se réapproprier les sentiments auparavant évacués par elle dès leur apparition. De nombreux Affranchis flanchaient à la première grande joie, à la première peine profonde. L'expérience était trop intense pour qu'ils la supportent. Malgré l'assistance que leur procuraient les plus endurcis, le cap s'avérait quelquefois infranchissable.

Jamais encore, cependant, Kal n'avait vu de ses propres yeux une rencontre entre des stryes et un humain.

Le spectacle était hallucinant.

Ylian sortit la longue lame de métal qui ne le quittait jamais pour la brandir devant lui et faire face aux sept créatures qui avançaient dans sa direction. Si aiguisé qu'il fût, le tranchant de l'arme se révéla inutile contre les émanations intelligentes qu'étaient les stryes. L'épée traversa leur corps comme s'il n'était que fumée. Les stryes entourèrent le malheureux dont les traits se décomposèrent. Kal n'osait imaginer ce qu'éprouvait Ylian ; il n'aurait souhaité pareil supplice à son pire ennemi. Tout un cortège d'expressions défila sur le visage du jeune homme. Kal frissonna. Sa propre raison n'aurait pas tenu devant un tel déferlement. Il crut qu'Ylian n'y survivrait pas davantage, mais son visage prit soudain une expression détendue et le miracle survint : les stryes rompirent le cercle pour reprendre leur route.

Kal s'apprêtait déjà à secourir Ylian quand ce dernier rangaina son épée et emboîta le pas aux stryes qui s'éloignaient. Les yeux écarquillés d'incrédulité, Kal le vit même presser le pas pour se joindre au groupe.

Son principal atout dans la révolte des Affranchis venait de disparaître dans le labyrinthe d'Urbimuros.

V. OÙ L'ON EN APPREND DAVANTAGE SUR LES HABITANTS D'URBIMUROS, CE QUI NE RASSURE GUÈRE

Un fou ! Voilà sur qui ils étaient tombés. Pryul était fou.

Brent en avait des nausées. La bonhomie et la civilité de l'ingénieur dissimulaient un dangereux maniaque. Non seulement avait-il empaillé son épouse à son décès, mais il possédait une collection de figurines qui, à force de les regarder, donnaient froid dans le dos.

Toutes représentaient des gens dans des situations variées. Il avait fallu quelque temps à Brent pour comprendre pourquoi ces « scènes de la vie quotidienne » le déroutaient tant : aucune expression sur le visage des poupées ne cadrait avec la réalité. Les personnages miniatures riaient quand ils auraient dû pleurer, fondaient en larmes au lieu d'éclater de rire, se regardaient avec des yeux rageurs plutôt que de se dévorer d'amour, demeuraient impassibles devant un drame affreux… C'était comme si, tout en connaissant la nature des sentiments, Pryul n'avait aucune idée de leur signification. Rien de bon ne pouvait provenir de quelqu'un persuadé qu'on s'esclaffe à la vue d'un nourrisson écrasé sous un mur.

— Je constate que mes reproductions vous intéressent, déclara l'ingénieur derrière lui. Mes amis ne cessent de me complimenter sur la justesse des émotions qu'elles évoquent. Évidemment, il y en a toujours un pour soutenir que pareil étalage est signe de perversité, mais l'art n'est-il pas libre de tout exprimer au risque de choquer certains esprits mal dégrossis ?

Brent chercha un qualificatif qui ne froisserait pas leur hôte.

— Elles sont étonnantes, en effet.

— N'est-ce pas ? Je vois que vous êtes un connaisseur. En tant que Hors-Murs, donc sans aalma, je vous serais très obligé si vous me faisiez une démonstration de quelques émotions dont je maîtrise mal le rendu. L'ironie, par exemple. La documentation que j'ai rassemblée manque singulièrement de précisions à ce sujet.

— Peut-être leur auteur ne savait-il pas de quoi il parlait, répondit Brent avec un sourire mi-figue mi-raisin.

— Ah ! euh… Je n'y avais pas songé, mais…

— C'était ma démonstration, se hâta-t-il de préciser.

Le visage de Pryul s'illumina.

— Merveilleux ! Je n'y ai vu que du feu. Je crois que nous allons bien nous entendre.

— Ayant passé toute ma vie parmi les Hors-Murs, leur travers me sont parfaitement familiers, intervint Aloysius. Je pourrais vous aider moi aussi.

« Jaloux ! » ne put s'empêcher de penser Brent.

Pryul était aux anges.

— Ah ! Mais j'oublie mes devoirs d'hôte. Asseyez-vous, j'apporte de quoi vous restaurer.

Brent n'avait pas tellement envie de ces mondanités. Il souhaitait repartir au plus tôt pour se remettre sur la piste de Judith. Dans les circonstances cependant, il était bien forcé de ronger son frein.

L'appartement de Pryul tenait plus du cachot ou de l'aquarium que du logis. Ils étaient entrés par un mur ; aucune porte ni fenêtre n'aurait permis à Brent de s'éclipser pour entreprendre ses recherches. Même s'il avait pu le faire, il ignorait par où commencer.

Pryul revint bientôt avec deux plateaux garnis de mets fumants : des boulettes de pâte de différentes couleurs et trois coupes pleines d'une bouillie jaunâtre. Rien de très ragoûtant. Néanmoins, ce n'était pas le moment de faire la fine bouche.

Brent choisit une boulette orange et en prit une bouchée qu'il faillit recracher aussitôt. La texture était gélatineuse et le goût rappelait à la fois celui du poisson et du brocoli, agrémentés d'un arôme de fraise. Il retint un haut-le-cœur et avala l'infâme mixture sans la mâcher afin de ne pas offusquer leur hôte.

— Vous ne mangez plus ? s'inquiéta Pryul voyant qu'il ne se resservait pas.

— L'appétit n'est pas au rendez-vous, mentit-il.

Aloysius, en revanche, semblait apprécier. On eût dit un adulte redécouvrant les plats de son enfance. Il enfilait les boulettes les unes après les autres comme s'il n'avait rien avalé d'aussi bon depuis des lustres. Si Brent restait trop longtemps dans cette ville, toutefois, il mourrait assurément d'inanition. Jamais il ne réussirait à s'habituer à pareille tambouille. Gromph lui-même cuisinait mieux que ça, ce qui n'était pas peu dire.

— Avez-vous entendu parler d'autres euh… Hors-Murs dans la ville ? demanda-t-il, histoire de tromper son appétit.

— Des bruits courent effectivement. J'aurais été peu enclin à croire ces rumeurs, mais à présent…

— Que disent ces bruits ?

— Un homme au halo coloré comme le vôtre aurait été recueilli par des Affranchis.

— Mon halo ?

Brent s'arrêta. Pryul devait parler du nimbe. Maître Cornufle avait tenté de lui apprendre à le discerner, mais il n'y était pas parvenu. Apparemment, les Ubsalites le percevaient sans difficulté. Depuis son arrivée dans le labyrinthe cependant, quelque chose avait changé. L'os du zordomm sur son front l'élançait. À dire vrai, c'était moins une douleur qu'une gêne, qu'un tiraillement, mais Brent n'arrêtait pas de porter la main à l'excroissance, comme on le ferait avec la démangeaison résultant d'une piqûre de moustique. À force, l'endroit était devenu sensible. Parallèlement, il s'était mis à avoir des hallucinations. Les personnes autour de lui se dédoublaient, triplaient, quadruplaient même parfois. Bien qu'il ne durât qu'une fraction de seconde, le phénomène était assez dérangeant pour semer le trouble dans son esprit. Lorsqu'il reverrait maître Cornufle, il devrait l'interroger à ce sujet.

Il reporta son attention sur la conversation. L'homme au halo mentionné par Pryul ne l'intéressait pas.

— C'est une femme que je cherche. On la reconnaîtrait facilement. Sa main gauche a été brûlée dans un accident, elle est carbonisée.

Les yeux de Pryul s'ouvrirent d'effarement.

— La Matrice aalmique nous en préserve !

— Pourquoi dites-vous cela ?

— À cause de l'Oracle. Il y a longtemps, il a prophétisé qu'une main noire comme du charbon annoncerait la fin d'Urbimuros.

Comme la jeune femme était épuisée, Obal prit congé afin qu'elle puisse se reposer. Elle ne pouvait s'échapper. Inutile donc de la surveiller. À l'instar des animaux, les Hors-Murs ne traversaient pas la matière. Cela seul aurait suffi à prouver leur infériorité. Mais ils étaient de surcroît privés d'aalma. Les Hors-Murs ne connaissaient donc qu'une existence éphémère ; ils ne transcendaient pas le temps, ne pourraient jamais vivre indéfiniment en essence jusqu'à la Réunification ultime. Mais Obal s'en moquait. L'important était ce que la Hors-Murs représentait pour lui dans l'immédiat : un moyen d'assurer son emprise sur la cité et, surtout, de river son clou à Rhoiman.

Les pétrarques cherchaient depuis trop longtemps à supplanter les amnontes dans l'espoir de parvenir à contrôler seuls la ville. Les choses eussent été beaucoup plus simples sans les amnontes pour leur mettre des bâtons dans les roues. Mais les Ubsalites étaient des esprits simples. Ils avaient besoin du réconfort que le Culte leur procurait, en leur assurant qu'à leur trépas, tout n'était pas fini, que leur essence demeurerait dans l'aalma de leurs descendants ou, faute d'en avoir, dans la Matrice aalmique dont prenaient soin les amnontes. Néanmoins, une nouvelle menace avait vu le jour avec le nombre croissant d'Ubsalites qui abandonnaient le Culte pour se livrer à la débauche des sentiments.

Judith changerait tout cela.

Obal grimpa à l'étage qui surmontait ses appartements. Le Palais amnontial dominait les plus hautes constructions d'Urbimuros. Aucune autre, hormis la Tour pétrarchique, ne frôlait de si près le ciel artificiel de la ville.

Seul l'Amnonte majeur avait un accès permanent à l'unique pièce occupant l'étage. Personne d'autre qu'Obal n'y pénétrait sans escorte.

Car là résidait l'Oracle.

Le puits ascensionnel du Palais amnontial ne se rendait pas à cet étage. Pour y arriver, il fallait obligatoirement passer par le logement d'Obal et escalader deux volées d'escalier.

La vaste pièce était plongée dans une obscurité presque totale. On avait été jusqu'à teinter la coupole vitrée qui couronnait le palais pour empêcher la lueur du faux ciel – ce toit de pierre issu de la matrice, à l'instar du Mur prime qui englobait la ville entière – de diluer l'obscurité. Une constellation de lucioles trouait pourtant le noir, à l'autre extrémité du local. Obal se dirigea vers elle d'un pas sûr. À mesure qu'il approchait, une silhouette se précisa, haute, massive, terrible.

L'Oracle avait été découvert quelques siècles plus tôt dans une partie abandonnée du troisième quadrant. Que faisait-il là ? Nul ne le savait. Il y serait sans doute encore resté longtemps si le hasard n'avait conduit un Harponneur de ce côté.

Êtres privés de raison, les Harponneurs n'étaient pas dénués d'instinct pour autant. La Milice façonnait leur mémoire en y gravant l'onde aalmatique des Ubsalites « en règle ». Après avoir senti une présence, le Harponneur vérifiait les données stockées dans son esprit grossier. S'il n'y avait pas correspondance, il agissait.

Le Harponneur avait sondé le mur puis effectué un contrôle. Aucune correspondance. Il ne pouvait donc s'agir que d'un Sans-Murs. La consigne, dans ce cas, était de harponner aussitôt après avoir prévenu le Centre de sécurité. Le Harponneur avait exécuté son travail dans les règles. Le problème était que la faible harmonique n'émanait pas d'un Sans-Murs mais de l'Oracle.

Le Centre de sécurité perdit le signal du Harponneur. Pareille chose ne s'était encore jamais produite. Les Harponneurs étaient réputés indestructibles. Une patrouille fut immédiatement dépêchée sur les lieux. Du Harponneur ne restait qu'un amas de chairs broyées, et l'Oracle, qui tenait le harpon.

Un milicien plus téméraire que ses compagnons marcha lentement jusqu'à l'étrange créature. Celle-ci ne bougeait pas. Elle attendait. Elle toisait le milicien de sa hauteur. La main de ce dernier s'avança, effleura la peau de l'Oracle et se referma sur un des clous qui la hérissaient. Le clou s'expulsa sans effort de la plaie, laissant jaillir un trait de lumière du corps torturé.

La première prophétie s'échappa des lèvres de l'Oracle.

Ce n'était pas une grande prophétie – une branche se détacherait d'un des arbres en pierre sculptés qui se trouvaient sur la Grande Place d'Orbe et blesserait un crâne – mais elle s'avéra étonnamment précise. Ensuite, l'Oracle se laissa docilement entraîner jusqu'à l'Hôtel de la Milice où il fut placé sous haute surveillance.

En présence des amnontes et des pétrarques, trois autres clous d'inégale grosseur furent retirés du supplicié, laissant des trous béants d'où jaillit la même lumière. Chaque fois, l'Oracle parla d'une voix rauque et caverneuse qui emplit de son tonnerre la pièce où il était séquestré. Au premier clou, l'Oracle révéla que le dénommé Taldus 825 périrait étouffé lors de son prochain repas ; au second, qu'un pan de mur s'effondrerait dans le deuxième quadrant d'Urbimuros et ensevelirait une dizaine de personnes ; au troisième, qu'une centaine d'Ubsalites périraient à cause du bris d'une conduite.

Quand la troisième prophétie se réalisa, les amnontes réclamèrent que l'Oracle fût placé sous leur garde. On le conduisit au dernier étage du Palais amnontial après qu'on l'eut réaménagé en conséquence. De nouveaux essais démontrèrent deux choses : la première, que la gravité de la prophétie augmentait avec le calibre du clou retiré ; la seconde, que la prophétie se réalisait, même si l'on replaçait le clou dans sa cavité.

Un des clous retenait particulièrement l'attention. Énorme, il émergeait de la formidable poitrine, à hauteur du cœur. La crainte était trop grande. On s'abstint d'y toucher.

Il fut décidé que, chaque année, le Jour de l'Éveil, on sortirait l'Oracle de son refuge pour le présenter à la population, à qui l'on ferait entendre une prophétie. L'idée était que la réalisation de cette dernière maintiendrait les Ubsalites dans la foi du Culte en leur rappelant le côté éphémère de la vie et la nécessité de préserver l'essence de cette dernière dans l'aalma jusqu'à son retour dans la Matrice aalmique.

La curiosité est autant une qualité qu'elle peut être un défaut.

Au dixième anniversaire de la découverte de l'Oracle, l'Amnonte majeur et le Grand Pétrarque de l'époque convinrent qu'il fallait commémorer l'événement en lui retirant son clou pectoral. Dès que cela fut fait, l'Oracle annonça de sa voix de stentor la destruction de la cité par le truchement d'une main noire. À compter de ce jour, l'Oracle ne fut plus exhibé en public.

Alarmée par la prophétie, une partie de la population fuit la ville pour n'y plus revenir. Un zèle nouveau s'empara de ceux qui restèrent. Le Palais amnontial était plein à craquer, la ferveur religieuse atteignait son faîte. Des décennies passèrent. La prophétie ne se réalisant pas, la ferveur finit par retomber et les lieux de culte se désemplirent. Avec le temps, la destruction annoncée d'Urbimuros devint une légende. Jusque-là.

Obal s'avançait toujours dans l'obscurité. L'Oracle était tout près à présent. Ses fentes oculaires s'ouvrirent, laissant paraître un mince trait rouge.

L'Amnonte majeur s'arrêta à quelques pas de la créature. Obal avait beau être grand, l'Oracle le dépassait de près de huit mètres. S'il l'avait voulu – Obal n'en doutait pas –, le géant aurait brisé les chaînes qui l'entravaient comme de simples brindilles, mais depuis qu'il avait réduit le Harponneur en charpie, des siècles plus tôt, il n'avait manifesté aucune animosité. Il semblait attendre. Attendre quoi ? L'Oracle défiait les analyses comme il défiait le temps. D'où venait-il et quel était son but ? Était-il vivant ou n'était-ce qu'une machine ? Et pourquoi ce corps de martyr piqué de clous ? Obal doutait d'obtenir un jour la réponse à ces questions. L'Oracle demeurerait toujours un mystère.

À dire vrai, Obal s'en moquait. Pour lui, l'unique intérêt de l'Oracle, comme celui que présentait Judith, résidait dans ce qu'il pouvait lui apporter. Depuis quelque temps, le pouvoir des amnontes s'amenuisait. Les Ubsalites contestaient de plus en plus ouvertement leur mode de vie. Pourquoi fallait-il absolument rester entre ces murs ? Quel besoin avait-on de cultiver si obsessivement la mémoire des ancêtres ?

N'apprécierait-on pas davantage l'existence si l'on vivait ses émotions au lieu d'en nourrir l'aalma ? Et pourquoi ne manger que le produit des plantes ?

Le groupe le plus bruyant était sans conteste celui des Affranchis. La plupart d'entre eux avaient volontairement tranché le canal qui les unissait à leur aalma ; certains avaient même soustrait leurs enfants au rite de l'Éveil, durant lequel l'amnonte greffait un fragment de la Matrice aalmique au bébé pour lui épargner le fardeau des sentiments et des émotions.

Mais les choses allaient changer. Le moment était venu de secouer le peuple.

Et la jeune femme l'y aiderait.

Obal imaginait déjà la scène. Elle marquerait l'esprit des Ubsalites pour des générations entières. Son intervention s'inscrirait dans l'aalma de tous les Ubsalites qui en seraient témoins. Obal passerait à la postérité. Dans la Matrice aalmique, son souvenir figurerait à jamais parmi celui des plus grands et, le jour de la Réunification ultime, il trônerait aux côtés des fondateurs.

Obal sauverait Urbimuros de la destruction.

VI. DE LA RÉUNION
DE DEUX MOITIÉS

Ylian accompagna les stryes un bon moment, noyé dans le tourbillon d'émotions qui les enveloppait en permanence. De temps à autre, il lui arrivait encore d'éclater de rire tel un dément ou de céder à une tristesse sans bornes et de sentir les larmes jaillir de ses yeux, mais ces épisodes ne duraient plus guère et survenaient de moins en moins souvent. Il s'adaptait. À l'inverse des Ubsalites, qui se délestaient de la moindre charge affective en la confiant à leur aalma depuis leur plus jeune âge, son esprit résistait. Il ne sombrerait pas dans la folie.

Quand il jugea qu'il était suffisamment loin, Ylian s'arrêta simplement et laissa les goules poursuivre leur route. Ensuite, il attendit, prêt à combattre. Soit Kal l'avait fait suivre pour qu'on le ramène, soit il avait renoncé, persuadé que le Hors-Murs ne lui serait plus d'aucune utilité après avoir subi l'emprise des spectrales créatures.

La seconde hypothèse s'avéra la bonne, car personne ne surgit des murs pour s'emparer de lui. Il était de nouveau seul, perdu dans Urbimuros.

Depuis son passage au zoothérium, une idée le taraudait : y retourner pour examiner le dragon de plus près. L'animal mythique le fascinait depuis sa plus tendre enfance ; les récits dont Geoffroy l'avait gavé lorsqu'il était petit, les livres que maître Olonthe lui avait prêtés sur le sujet, les légendes de Nayr sur l'emblème de sa caste… Tout avait concouru pour nourrir son imaginaire. Mais les dragons avaient disparu depuis longtemps et la probabilité d'en revoir un jour était mince. Les princes-dragons n'avaient plus de dragons que le nom. Du moins le croyait-il, jusqu'à ce que Kal ne l'entraînât le long de cette incroyable jungle servant à la fois de potager et de verger à la cité et qu'il découvrît la pitoyable bête enfermée dans sa cage d'orikalque.

S'orienter dans Urbimuros n'était pas aisé. Les murs avaient été érigés sans plan précis, telles les rues de Tombelor, créant un enchevêtrement de couloirs et de corridors qui tenait plus d'un labyrinthe que d'une ville au développement soigneusement planifié. On devinait pourquoi : les murs ne posaient aucun obstacle aux Ubsalites. Les couloirs n'existaient que pour faciliter le passage des marchandises et des machines. Plusieurs vastes allées avaient cependant été tracées afin d'acheminer les fruits et les légumes jusqu'aux comptoirs d'Urbimuros. Pour des raisons évidentes, on les avait voulues les plus directes et les plus courtes possibles. Elles filaient en ligne droite, partant des jardins hélioponiques et aboutissant au quadrant des Premiers, siège de l'administration ubsalite, où l'on assurait la distribution des vivres. Pour parvenir aux jardins, il lui suffirait donc de suivre une de ces allées… à condition d'en trouver une.

Pour une fois, la chance lui sourit. Un bruit grossissait. Il reconnut celui d'une des énormes barges mécaniques transportant sa cargaison de denrées périssables. Se guidant à l'oreille, il repéra l'allée sans trop de peine.

Ylian laissa la barge s'éloigner, de crainte que celle-ci ne soit surveillée, puis gagna le vaste couloir et s'y engagea dans la direction opposée à celle du convoi.

Kal n'avait pas rencontré ses hommes très loin des jardins, car l'allée qu'avait empruntée Ylian s'éclaira rapidement d'une lumière rappelant celle du soleil. Le prince-dragon émergea dans le jour artificiel qui baignait en permanence le grenier d'Urbimuros.

Prenant à droite, il arriva bientôt au zoothérium. Le lieu, qui aurait dû résonner des cris d'une multitude d'animaux, était plongé dans un silence mortuaire. La plupart des cages étaient vides. Seule une plaque ou encore les restes d'une bête morte de faim ou de soif, attestaient à chaque cage du passage de l'ancien locataire aujourd'hui disparu.

Ylian arpenta les sentiers dallés à la recherche de celle qui abritait le dragon. Jusqu'à ce qu'il la déniche, il ne put se débarrasser de la crainte qu'il faisait fausse route. Après tout, il n'avait vu l'animal que quelques instants – le temps de longer la grande cage. Ses sens auraient pu le tromper. Heureusement, ce n'était pas le cas. Le corps massif couvert d'écailles, la queue qui se terminait en fer de lance, la tête au mufle équin, la dentition capable de broyer un arbre, les yeux aussi grands que des assiettes dans lesquels brillait une indéniable lueur d'intelligence… La fabuleuse bête était là, devant lui. Ses ailes atrophiées, la couleur ocre de sa robe et les pattes courtaudes indiquaient qu'il s'agissait d'un dragon de terre. Ses griffes étaient si dures et si acérées qu'elles devaient s'agripper à la moindre aspérité comme les pattes d'une mouche collaient à un mur.

L'animal était en piteux état.

Négligé, à l'instar des autres spécimens de la collection, il ne devait sa survie qu'à la résilience et à la longévité proverbiales des membres de sa race.

Ylian contourna la cage, cherchant comment y pénétrer. Le cadenas qui en condamnait la porte grillagée n'était pas en orikalque, car la rouille le rongeait. Deux coups d'épée suffirent pour lui faire rendre l'âme.

Le dragon n'avait pas encore bougé. Entendant s'ouvrir la grille, il leva la tête. Ses yeux posèrent un regard terne sur l'inconnu.

Bien que des générations entières se fussent succédé sans le moindre signe d'existence d'un dragon, la coutume voulait qu'un prince-dragon apprît très jeune les gestes et les paroles qui commandaient l'obéissance chez ces bêtes redoutables. Ylian les savait sur le bout des doigts. Ainsi que Geoffroy le lui avait montré, il commença par le rituel d'apaisement, passant à celui d'allégeance après avoir récité les formules d'admiration et de gratitude d'usage. Les dragons étaient des créatures fières et n'acceptaient pas de servir n'importe qui, mais une fois qu'ils avaient choisi leur maître, leur fidélité était sans bornes, pourvu qu'on les traitât avec respect.

Une appréhension effleura Ylian. Comment la bête, captive depuis tant de siècles, réagirait-elle à son approche ?

Le dragon émit un ronflement et une bouffée de fumée sulfureuse jaillit de ses naseaux pour envelopper Ylian. Le signe était encourageant. S'il avait nourri la moindre animosité à son endroit, l'animal l'aurait réduit en cendres. Il lui avait seulement manifesté son mécontentement. Pour se concilier ses faveurs, Ylian devait prouver sa bonne foi et il n'avait aucune peine à imaginer comment il s'y prendrait.

Les barreaux en orikalque résistaient au feu et au passage du temps, mais résisteraient-ils à son épée ? À l'instar de celle des autres princes-dragons, elle avait été forgée par les meilleurs artisans de Nayr, puis enchantée par maître Olonthe, mage attitré de Syatogor, qui lui avait jeté des sorts de dureté, de pénétration et de pérennité. Son tranchant ne s'émoussait jamais et la lame s'enfonçait dans n'importe quelle substance, pourvu qu'on y mît la force nécessaire. Il entreprit donc de trancher les barreaux un à un.

La tâche s'avéra harassante. Kal n'avait pas menti en disant que cette matière était d'une solidité supérieure à celle de tous les métaux. Quand il eut enfin terminé, Ylian était en nage, mais suffisamment de barreaux avaient été coupés pour que le dragon sorte de sa prison.

L'animal gronda de satisfaction avant de s'ébranler. Ses pattes étaient ankylosées après tant d'années d'inactivité et le corps musculeux manquait de souplesse, cependant la bête gardait sa puissance. Correctement nourrie, elle récupérerait vite. Une fois hors de la cage, le dragon ploya la tête et laissa Ylian lui caresser le mufle. Puis, une succession de sons sortirent de sa gorge. Il venait de lui révéler son nom : Frogmir. Ylian sourit. Cette attitude démontrait bien plus que de la reconnaissance ; c'était un pacte qui les liait l'un à l'autre. Désormais, le dragon lui prêterait sa force et Ylian lui accorderait protection. Ne restait qu'à sortir de la ville. Avec un tel allié, aucun obstacle ne l'arrêterait. Ylian grimpa sur le dos de Frogmir et ils s'en furent, écrasant les fourrés et ébranlant les murs.

VII. *QUO USQUE TANDEM ABUTERE, SCRIPTOR, PATIENTIA NOSTRA?*

Valtor était venu faire son rapport quotidien au Grand Pétrarque.

— Le Jour de l'Éveil est à deux pas et vous n'avez encore rien décidé, lui reprocha-t-il d'emblée. Nous ne pouvons attendre davantage. Il faut lancer l'opération.

Rhoiman tiqua à cette suggestion. Il détestait prendre des décisions. Même après avoir pesé le pour et le contre des semaines durant, la hantise de commettre une bévue le paralysait. Il préférait mille fois laisser l'initiative aux autres qui, ainsi, portaient l'odieux du blâme en cas d'erreur. Rhoiman devait davantage son ascension dans la Pétrarchie aux bourdes de ses collègues qu'à ses propres réalisations.

— Peut-être devrions-nous la reporter à l'an prochain, hasarda-t-il. Nous serions mieux préparés.

Valtor s'attendait à pareille réponse. En fait, Rhoiman et Obal se ressemblaient : ils protégeaient leur poste bec et ongles comme un moribond s'accroche à la vie. Il était plus que temps que cela cesse.

— Il s'est passé des choses étranges à l'Hospice de la Repentance, lança Valtor, histoire d'appâter le poisson.

— Ah oui ! Quoi donc ?

— Un malade a disparu sans laisser de traces. Un de mes hommes m'a prévenu.

— La Milice l'a identifié ?

— Non. Les registres ont disparu avec lui. Ceux qui s'en sont occupés de près ou de loin aussi d'ailleurs. C'est très curieux.

Sur le visage de Rhoiman, l'expression n'était plus tout à fait la même. Valtor poursuivit :

— Comme vous le savez, l'Hospice relève directement du Palais amnontial.

— Obal ?

— C'est possible.

Tout ce qui concernait l'Amnonte majeur donnait des aigreurs au Grand Pétrarque. À moins que les nouvelles ne fussent mauvaises et que l'Amnonte majeur n'en fît les frais, évidemment.

— Qu'avez-vous appris d'autre ?

— Mon informateur habituel a tenté d'en savoir plus, mais Obal est resté muet comme la tombe.

L'inquiétude croissait dans le regard du Grand Pétrarque. Son aalma devait avoir fort à faire.

— Que manigance Obal, d'après vous ?

— Difficile à dire. Néanmoins, par recoupements, j'ai fait deux découvertes.

— Lesquelles ?

— Tout d'abord, le malade était une femme ; ensuite, elle n'avait pas d'aalma.

— Une Affranchie ?

— Je ne crois pas.

— Pourquoi ? Qu'est-ce qui vous fait dire ça ?

— J'ai quand même déniché un témoin. Un mourant dont on n'a pas cru bon d'abréger les souffrances, sans doute parce qu'il est plongé plus souvent qu'autrement dans le coma. Apparemment, le halo de sa voisine brillait intensément, il était double et sa couleur fluctuait. Il doit s'agir d'une Hors-Murs.

— Une Hors-Murs ! Que compte en faire Obal ? Il est le premier à clamer que tout ce qui vient du Dehors mérite la destruction. Et pourquoi ce secret ?

— Je l'ignore, mais il ne fait pas de doute qu'il mijote quelque chose.

La sueur perlait sur le front du Grand Pétrarque.

— En fin de compte, vous avez raison, soupira Rhoiman. Lancez l'opération. Nous n'avons attendu que trop longtemps.

Maintenant que le jeune Hors-Murs s'était endormi, Aloysius et Pryul pouvaient discuter en toute tranquillité. Le premier en profita pour poser la question qui lui brûlait la langue depuis leur arrivée.

— Vous n'avez pas d'aalma, déclara-t-il avec son manque de tact coutumier.

— Je me doutais que vous y viendriez tôt ou tard.

— Comment est-ce possible ?

— C'est un choix, avoua Pryul. Je me suis libéré de cet esclavage.

Aloysius ouvrit de grands yeux. Esclavage ? Que voulait-il dire ? Il ne comprenait pas. L'aalma était un secours, pas un fardeau. Elle mettait les êtres à l'abri de leurs émotions et de leurs sentiments intempestifs, leur permettait de garder l'esprit clair et entregistrait dans sa mémoire tous les événements de leur vie. L'aalma conservait la mémoire de son propriétaire jusqu'à la Réunification ultime. Aloysius réclama des explications.

— Bien qu'Ubsalite, vous venez du Dehors, répondit Pryul. Que savez-vous au juste de l'aalma ?

— Ce que ma mère m'a appris. Qu'il faut la préserver, car y réside l'essence, le fluide mental de ceux qui m'ont précédé. Ma vie y est intimement liée. À ma mort, mes descendants perpétueront mon souvenir à travers leur propre aalma. Faute de descendants, mon essence retournera à la Matrice aalmique jusqu'à ce que je renaisse, intact, à la Réunification.

— Sottises !

— Ma mère m'aurait menti ?

— Pas menti, caché des choses. Qu'elle ignorait peut-être elle-même. Vous a-t-elle parlé de l'Éveil ?

Au regard interrogateur d'Aloysius, Pryul devina que non.

— L'Éveil est le rite qui marque l'entrée d'un enfant dans la société ubsalite. Il survient quand l'amnonte greffe au bébé un fragment de la Matrice. Une façon pour l'enfant d'hériter le patrimoine de la race. Étant né hors d'Urbimuros, je suppose que vos parents ont pallié ce rite en vous donnant un fragment de leur propre aalma. Cela a dû être fort douloureux pour eux. À partir de ce moment, la nouvelle aalma commence à enregistrer le vécu de l'enfant. Mais celui-ci se transforme aussi peu à peu en légume affectif.

— Que voulez-vous dire ?

— Vous est-il déjà arrivé de vivre une émotion ? Je veux dire, avez-vous déjà ri aux éclats, pleuré tout votre soûl, éclaté de colère, aimé à la folie ?…

— L'aalma m'en préserve ! Les Hors-Murs font cela, pas les Ubsalites. Les émotions sont une tare. Seules les races inférieures ne peuvent s'en libérer. Dès que je sens une émotion un peu vive naître en moi, j'ouvre mon canal afin que l'aalma m'en soulage.

Sa mère le lui avait répété si souvent qu'il aurait cru l'entendre. Pryul secoua tristement la tête.

— Vous vous trompez. Pensez-vous que l'Ubsalite vient au monde avec ce teint grisâtre, avec ce halo anémique qui l'entoure ? Non. Il naît avec les couleurs de la vie, enrobé de lumière comme l'est votre ami. C'est l'aalma qui l'en prive en gobant émotions et sentiments. C'est ce qui la fait grandir. Aimeriez-vous vivre avec une sangsue toute votre vie ? Je suis persuadé que non. Écoutez mon conseil. Réappropriez-vous vos sentiments avant qu'il ne soit trop tard. Ils sont le sel de la vie.

Aloysius comprenait mal l'intérêt qu'il pouvait y avoir à s'embarrasser de telles futilités. Les mages de Nayr ne l'avaient-ils pas compris, eux qui s'efforçaient constamment à s'affranchir de cette tyrannie pour mieux maîtriser leur art ? Les Ubsalites avaient la chance que l'aalma effectue ce travail. Sans émotions, ils étaient raisonnement pur, donc considérablement supérieurs aux autres races qui trébuchaient sans cesse, accablées par le poids inutile des sentiments.

— Vous doutez de mes paroles, poursuivit Pryul. Je vous comprends. Lorsqu'on m'a parlé pour la première fois de la possibilité de me séparer de mon aalma, j'ai eu la même réaction. C'est pourquoi j'ai pris la liberté d'appeler des amis. Vous leur parlerez. Je suis sûr qu'ils vous convaincront de vous débarrasser de ce parasite.

CINQUIÈME PARTIE
OÙ L'ON S'INTERROGE ET RÉFLÉCHIT AVANT D'AGIR

I. UNE DISPARITION, UNE BÉVUE ET UNE REBUFFADE

Où diable était passé Aloysius ? Quand monseigneur Da Hora était revenu à Tombelor, peu après le miracle qu'il avait orchestré à Syatogor, son ami brillait par son absence. Aloysius n'était pourtant pas du genre à manquer un rendez-vous. D'ailleurs, il y avait plus étrange. La pierre à laquelle Aloysius tenait tant, cette énigmatique aalma, cette pierre de mémoire qui, soutenait-il, recelait l'histoire entière de sa famille et de sa race, avait disparu elle aussi. Les fonts baptismaux auxquels elle servait de socle avaient été abattus. La chapelle n'avait cependant pas été saccagée ; tout le reste était intact. Qu'était-il arrivé ? Aloysius s'était-il fait surprendre lorsqu'il espionnait William de Norfolk et ce dernier avait-il exercé des représailles ? Monseigneur Da Hora ne penchait pas pour cette hypothèse car, si cela avait été le cas, le seigneur de Bairdenne lui aurait réclamé des comptes. Or, il n'était rien arrivé de tel. Au contraire. Depuis que Francisco lui avait déclaré être en mesure de remplir ses coffres, Norfolk ne s'était jamais montré si accommodant. Non, la destruction des fonts baptismaux devait avoir une autre explication.

Monseigneur Da Hora donna ses instructions à Gaspar. Le palefrenier de Syatogor était l'un des premiers à avoir embrassé la foi après le miracle du vin et Francisco en avait fait son diacre. Gaspar s'occuperait de la chapelle et répandrait la parole de Dieu en attendant le retour d'Aloysius.

William de Norfolk avait autorisé monseigneur Da Hora à commencer son œuvre d'évangélisation, et celui-ci avait bon espoir que son troupeau grandirait dans la capitale comme il semblait vouloir déjà le faire à Syatogor. Bien que Zoltan eût mis le prince-dragon en garde contre ce qu'il ne considérait que comme une forme de magie subversive, monseigneur Da Hora avait convaincu ce dernier que son sacerdoce ferait contrepoids à la Magicature. Zoltan était parti, bouillant d'une colère à peine contenue de s'être fait ainsi débouté. Monseigneur Da Hora s'en était réellement fait un ennemi.

Un noyau de fidèles s'était formé au château et monseigneur Da Hora misait sur leur zèle pour faire progresser l'œuvre de Dieu dans le royaume. Gaspar et la chapelle du Bon Pasteur n'étaient qu'un début.

Lucifer avait changé depuis quelque temps. D'un commerce plus désagréable que de coutume, il rechignait constamment. Or, monseigneur Da Hora avait besoin de son aide pour les tâches qui répugnaient aux anges, notamment pour créer ces kippers dont William de Norfolk avait tant besoin pour graisser la patte des guildemestres et des mages complaisants. Francisco retrouva l'Ange déchu dehors, conversant avec une jeunette. Celui-ci tentait de la convaincre de l'utilité d'être déflorée par un homme d'expérience. Vendre pareille salade ne s'avérait guère commode avec un physique aussi ingrat que le sien.

— Cesse tes gamineries et viens avec moi, lui lança monseigneur Da Hora.

Lucifer réussit à palper les fesses du tendron avant d'emboîter le pas au prélat.

— Qu'y a-t-il ? grommela le Malin sans chercher à cacher sa mauvaise humeur.

— J'aimerais que tu uses de tes pouvoirs pour m'aider à éclaircir ce qui s'est passé ici.

— Pénétrer dans ce genre d'endroit me donne des nausées, tu le sais, je l'ai assez répété.

— C'est important.

Ils entrèrent dans la chapelle. La vue des fonts baptismaux en pièces dérida Lucifer.

— Voilà qui est amusant.

— Que peux-tu me dire à ce sujet ?

— Hmm. Que c'est le résultat d'une main d'homme, mais pas d'un homme au sens où tu l'entends. Sa nature est différente de la tienne.

Il devait parler d'Aloysius. Ainsi, le saccage serait son œuvre. Pourquoi ? Qu'avait pu l'inciter à récupérer son aalma et à s'en aller ?

— Cet homme dont tu parles, sens-tu sa présence dans les environs ?

— Non. Il n'est nulle part en ville. À dire vrai, il n'est nulle part, comme ce Brent dont tu me rebats constamment les oreilles.

— Que veux-tu dire ?

— Qu'il n'est plus sur Nayr. Il est ailleurs.

— Cornufle, Cornufle… Ce nom me dit quelque chose. Et vous ?

— Il comptait parmi les mages les plus réputés de la Magicature, mais il en a été radié. Il ne peut donc plus pratiquer la magie. Si vous voulez mon avis, il n'a eu que ce qu'il méritait. Toujours à vouloir changer ceci ou cela. C'est ce qui l'a perdu. Figurez-vous qu'il voulait prendre une femme pour apprenti. Je vous demande un peu ! Une femme ! Pourquoi pas un troll ? Décidément, il y en a qui n'ont aucune jugeotte. Et dire qu'il était parvenu au cinquième degré ! Le succès lui est monté à la tête, c'est certain.

William de Norfolk remercia maître Silasse.

La veille, un homme avait demandé audience pour lui proposer ses services. Un petit barbu à la mine fatiguée qui lui avait déballé à peu près la même histoire, ajoutant que, moyennant rétribution, il serait prêt à braver quelques interdits. Tout bien réfléchi, William se rappelait avoir aperçu le mage aux réunions de la Ligue, mais il ne lui avait jamais prêté attention. Sans doute était-ce là qu'il avait entendu son nom.

La situation était différente à présent.

Avoir un mage dévoyé à ses côtés, surtout d'un tel calibre, pourrait avoir son utilité. Il décida donc d'accepter l'offre et fit envoyer chercher le vieillard.

Maître Cornufle s'en voulait d'avoir quitté Valrouge avec Gromph à l'insu de Geoffroy, au beau mitan de la nuit, mais maître Hélégia avait considérablement insisté sur la nécessité que personne ne soit au courant de sa mission. Quand il découvrirait son départ, le prince-dragon ne l'apprécierait guère. Toutefois, il le lui pardonnerait certainement lorsqu'il apprendrait que le recteur de la Magicature en personne avait promis de chercher le remède qui rendrait la raison à dame Malinor. Maître Cornufle ne prévoyait pas que William de Norfolk refuserait son offre pour la simple et bonne raison que maître Silasse et lui avaient longuement répété ce qu'ils déclareraient au seigneur de Bairdenne. Un sort de crédulité eût certes été plus expéditif, cependant William de Norfolk avait l'habitude de se barder d'amulettes et de contre-sorts de crainte qu'on l'envoûte. Maître Cornufle ne fut donc pas surpris quand on le fit mander et que William lui proposa d'entrer à son service. Il serait grassement payé en échange de son aide et de ses conseils concernant la Magicature. La discrétion étant impérative, il serait préférable que maître Cornufle opère loin de Tombelor, où il était trop connu. Le seigneur de Bairdenne avait d'ailleurs la solution idéale : Syatogor.

— Les commanderies des princes-dragons ont leur mage attitré, objecta maître Cornufle.

— Votre collègue, maître Olonthe se fait vieux, riposta William, et les falaises d'Ambre sont un lieu dangereux. Un accident est vite arrivé.

Le mage eut du mal à se contenir. Il n'avait pas prévu pareille éventualité.

— Euh… S'il lui arrive quelque chose, la Magicature en sera avertie et elle dépêchera un remplaçant.

— Pas si le commandeur de Syatogor omet de rapporter l'incident. Préparez vos bagages. Vous partez demain.

Tôt le lendemain, maître Olonthe effectuait sa promenade matinale au bord de la mer quand il entendit un cavalier arriver au galop. Il n'eut pas le temps de se retourner pour voir de qui il s'agissait ; un coup violent le projeta dans le vide et il chuta dans un grand cri vers les rochers battus par les vagues, des centaines de mètres plus bas.

Par bonheur, la veille, maître Hélégia l'avait appelé pour le prévenir de l'attentat dont il allait être victime. Maître Olonthe avait reçu pour instructions de faire semblant d'y succomber sans pour autant mettre sa vie en danger, puis de se rendre à Tombelor, où on lui attribuerait une tâche moins pénible que l'exercice de la magie en province.

Maître Olonthe avait passé la nuit à imaginer un stratagème. L'enchantement de lévitation lui avait paru la meilleure solution. Mémoriser sa formule n'avait posé aucune difficulté. Puisqu'elle était assez longue, peut-être n'aurait-il néanmoins pas le temps de la réciter en entier avant de heurter le pied de la falaise. Par mesure de sécurité, le mage de Syatogor avait donc enduit son corps de baume de légèreté qui conférait aux objets le poids d'une plume. Le hic était que le vent de la mer soufflait fort. Avec l'onguent, maître Olonthe touchait à peine le sol. Pour y remédier, il s'était donc empli les poches de toutes les pierres qu'elles pouvaient contenir.

Quand il se rendit compte que le poids des roches accélérait sa chute, le mage prit panique et perdit un temps précieux à s'en délester. Il termina de réciter la formule de justesse, à quelques dizaines de centimètres du sol. Le malheur voulait que le sort de lévitation ne résiste pas à l'eau. Une vague s'abattit sur lui et maître Olonthe, qui ne savait pas nager, comprit avec horreur que, s'il ne périssait pas écrasé, il mourrait noyé.

Geoffroy ne pouvait y croire.

— La peste étouffe ces mages, tous autant qu'ils sont ! tempêtait-il.

Maître Cornufle, en qui il avait placé sa confiance, lui avait fait faux bond alors même que l'esprit de Jolanthe semblait vouloir sortir de la nuit perpétuelle dans laquelle il s'était égaré.

La lucidité avait éclairé le regard de sa bien-aimée. Geoffroy en avait été témoin par trois fois. Cette dernière avait ouvert la bouche pour lui parler avant que le vide emplisse de nouveau ses merveilleux yeux violets. Rien n'indiquait que le phénomène ne se produisait pas en son absence.

Maître Cornufle s'employait à trouver le moyen d'accélérer le processus quand il avait prit la poudre d'escampette avec son troll domestique, pour une raison inconnue. Geoffroy s'était rendu compte de son absence à la suite d'un accident survenu à la forge. Il avait fait mander le mage pour qu'il prenne soin de l'apprenti, atrocement brûlé après le renversement d'un brasero, mais il demeurait introuvable. Depuis, maître Cornufle n'avait pas reparu. Qu'un gobelin lui arrache les tripes !

Geoffroy essuya le menton de Jolanthe à qui il donnait la becquée. Le spectacle le désolait chaque fois davantage. Il aurait pu confier la corvée à l'une ou l'autre dame de son entourage, cependant il craignait qu'elles saisissent l'occasion pour se venger de celle qui avait dérobé le cœur de leur seigneur et maître. Geoffroy n'aurait pu le supporter.

— Qu'ils périssent tous écrasés sous leurs grimoires, grogna-t-il une fois de plus.

— Un prince-dragon converti en nourrice… Beau spectacle, en vérité.

Geoffroy sursauta. Il ne connaissait que trop bien cette voix.

— Norfolk ! Comment oses-tu ? tonna-t-il en se retournant vivement.

L'image du seigneur de Bairdenne se troubla un instant.

— Du calme, l'apaisa-t-il d'un geste. Je ne suis pas venu te narguer. J'ai besoin de toi.

— Avant que je ne t'accorde mon aide, la Mirelune aura remonté son cours.

— Je sais que nous n'avons pas toujours été en très bons termes, mais prends au moins la peine de m'écouter. Si ce n'est pour toi, fais-le pour ta douce.

La flèche toucha la cible.

— Que Jolanthe a-t-elle à voir dans tes manigances ?

— Tout le monde sait qu'elle doit sa condition à la Magicature.

— Et alors ?

— À ta place, je ne laisserais pas pareil méfait impuni.

— Où veux-tu en venir, Norfolk ?

— Je trouve inadmissible que la compagne d'un prince-dragon subisse un tel traitement. Les mages se croient tout permis. Ils osent même braver la plus haute caste de Nayr. Il est temps que cela cesse.

— Que radotes-tu ?

— Quand les Ténèbres ont déferlé sur Tombelor, la Magicature n'a su protéger la population. Je doute qu'il en aille autrement si une nouvelle catastrophe survient. Les mages n'œuvrent pas au bien commun. Chacun garde jalousement ses secrets ou les monnaie au prix fort. Il faut rectifier la situation. La protection du royaume incombe aux princes-dragons. Il leur revient donc de régir l'exercice de la magie. La population les révère. Si nous décidons de mettre la Magicature sous tutelle, elle n'y trouvera rien à redire et la Ligue emboîtera le pas. Les mages perdront le monopole du savoir et la magie deviendra accessible à tous.

Accessible à tous ! Geoffroy pourrait engager des gens qui compulseraient les traités de la Magicature et y trouveraient le contre-sort qui désenvoûterait Jolanthe. Il pourrait également contraindre les mages à user de leur science pour défaire ce qu'ils avaient fait. Il y consacrerait sa fortune s'il le fallait. Entrer dans le jeu de William cependant, c'était aussi mettre Nayr en péril, car la Magicature avait son utilité : elle servait de garde-fou. La magie était dangereuse et on ne s'improvisait pas mage. Par ailleurs, si les princes-dragons avaient pour mission de protéger le royaume, ils ne pouvaient abuser de leur autorité à des fins personnelles.

— Ne compte pas sur moi, Norfolk, dit finalement Geoffroy.

William se rembrunit. Geoffroy vit ses traits se durcir sur l'image qui tremblotait devant lui. Le seigneur de Bairdenne venait de comprendre qu'il avait effectué un mauvais calcul.

— Shu-Weï est de mon côté et il en va ainsi de Zoltan Boralf, grogna-t-il.

— Que Zoltan a-t-il à voir là-dedans ? Il n'est pas prince-dragon que je sache. C'est Ylian, le maître de Syatogor.

— On est sans nouvelles de lui depuis des semaines. Zoltan a pris sa place.

Geoffroy prit subitement conscience qu'Ylian ne lui avait plus donné signe de vie depuis qu'ils s'étaient quittés, peu avant d'arriver à Syatogor, après leur départ de Castelmuir. La faute lui en revenait dans une large mesure. Noyé dans ses tourments, Geoffroy ne s'était plus préoccupé de son cadet.

— Qu'est-il arrivé? Où est Ylian?

William lui narra l'expédition et la disparition du prince-dragon en évitant de mentionner le rôle qu'il avait joué dans le départ précipité d'Ylian.

— S'il ne revient pas bientôt, la commanderie reviendra à Zoltan. Il est le plus qualifié pour s'en occuper.

— Zoltan et toi êtes comme cul et chemise. Je me demande dans quelle mesure tu agis dans ton propre intérêt et non dans celui de Nayr, Norfolk.

La remarque ne plut pas au seigneur de Bairdenne.

— Tu as de la chance de ne pas te trouver devant moi, Montorgueil, je te ferais rentrer ces paroles dans la gorge.

— Quand tu veux, Norfolk.

— Que tu le veuilles ou pas, tu te rallieras à la majorité.

— Faris s'opposera à tes projets.

— Cela ne fera toujours que vous deux.

— Au retour d'Ylian, nous serons trois.

— S'il revient. Tu aurais dû me confier son apprentissage. Il n'a pas l'étoffe pour faire un vrai prince-dragon.

II. HISTOIRE DE LA FOLIE D'OLNIR VORODINE TELLE QUE NARRÉE PAR UN AUTRE QUE LUI-MÊME

Lucifer et Francisco étaient rentrés à Syatogor sitôt après avoir constaté la disparition d'Aloysius. Monseigneur Da Hora était immédiatement parti prendre soin de ses brebis neuves ; le Prince des Ténèbres, lui, avait préféré rejoindre Olnir Vorodine.

— C'est ici ! C'est ici qu'elle grimpe.

Le fou désignait le pan rocheux qui descendait à la verticale jusqu'aux vagues ourlées d'écume fouettant le roc loin en dessous d'eux.

Lucifer sonda mentalement la paroi sans rien lui trouver de particulier. Néanmoins, il devait se méfier. Ses pouvoirs avaient moins de prise dans ce monde où la religion n'avait pas supplanté la magie. Avant qu'il ne retrouve sa puissance, les habitants de Nayr devraient apprendre à connaître et à craindre Dieu, ce qui exigerait du temps.

— Je ne sens rien, admit-il malgré lui.

— Elle est là, te dis-je. Chaque nuit, elle monte un peu plus haut dans l'espoir de m'enlacer dans ses bras et de m'emporter avec elle.

Les yeux hallucinés ne quittaient pas le Malin. Le vieux Vorodine mettait tous ses espoirs en lui. L'expérience était nouvelle pour Lucifer. Aider sans rien demander en échange, il n'avait encore jamais fait cela. En tout cas, pas depuis qu'on l'avait expulsé du Paradis.

Pour savoir quel drame avait fait vaciller aussi irrémédiablement la raison de cet homme, il avait mené sa petite enquête. Ses prouesses d'étalon avaient vite fait le tour du château, si bien que jeunes et vieilles ne refusaient jamais un coup d'étrille à l'occasion. Elles étaient également une source intarissable d'informations.

Lucifer avait appris qu'Olnir Vorodine était aussi éperdu de sa femme qu'il nourrissait pour elle une jalousie maladive. À l'époque où le père d'Ylian était encore seigneur et maître de Syatogor, plus d'un avait payé de sa vie le regard trop appuyé qu'il avait eu l'imprudence de poser sur dame Ivrinovna.

Cette dernière vivait presque en recluse dans l'aile ouest, la même qu'occupait actuellement Olnir, n'en sortant que pour voir aux obligations de sa charge ou lors des trop rares fêtes qu'organisait son mari. Pourtant, elle semblait s'accommoder de son sort et ne se plaignait jamais.

Lorsque dame Ivrinovna fut grosse d'Ylian, Olnir Vorodine sombra dans une humeur ombrageuse qui ne le quitta guère par la suite. Il délaissa Syatogor, passant le plus clair de son temps à parcourir les landes et à combattre les elfes noirs qui hantaient les ruines de Castelmuir. Le seul à pouvoir s'entretenir avec lui était Geoffroy Montorgueil, prince-dragon de Valrouge, son compagnon d'armes, ami et confident. Les deux se voyaient souvent, soit à Valrouge, soit à Syatogor, lors d'expéditions mémorables durant lesquelles ils chassaient le dracoloup, le lycanthe, voire le troll et l'ogre à l'occasion.

L'humeur taciturne d'Olnir Vorodine s'accentua à la naissance d'Ylian. Après une brève période d'allégresse, dame Ivrinovna s'enfonça elle aussi dans une sorte de mélancolie dont ne parvenaient à la tirer que les banquets donnés en l'honneur de Geoffroy, lors de ses passages, de plus en plus rares.

Le drame survint peu avant le cinquième anniversaire d'Ylian.

Ce matin-là, Olnir Vorodine partit à la chasse, refusant que quiconque l'accompagnât. Quand il revint à moitié mort, porté par son cheval, le bras droit lui manquait. Il avait perdu une bonne partie de son sang. Maître Olonthe le soigna toute la nuit, et deux jours s'écoulèrent avant qu'on pût dire avec certitude que le seigneur de Syatogor était sauvé. Olnir Vorodine demeura inconscient une semaine entière, durant laquelle dame Ivrinovna veilla à son chevet après avoir confié Ylian aux soins d'une nourrice. Quand son époux rouvrit enfin les yeux, ce ne fut que pour lui intimer l'ordre de retourner sur-le-champ à ses appartements et de ne plus en sortir. Un mois s'écoula avant qu'Olnir ne fût remis sur pied. Au cours de ces trente jours, il ne prononça pas une parole ni ne chercha à revoir sa femme. La nuit où il regagna finalement le lit conjugal, d'aucuns prétendirent avoir ouï les échos d'une vive dispute. Le lendemain, le seigneur de Syatogor errait seul, dans la lande, non loin du château. Il allait pieds nus, la poitrine couverte d'estafilades, ne portant que ses chausses malgré la froidure. De dame Ivrinovna, il ne subsistait aucune trace. Geoffroy Montorgueil fut mandé pour élucider le mystère, mais le seigneur de Valrouge ne put tirer grand-chose de son ancien compagnon. Les paroles que répétait constamment celui-ci n'avaient aucun sens. La forteresse fut confiée à Geoffroy, qui pourvut à l'éducation du jeune Ylian jusqu'à ce qu'il soit en âge d'en reprendre le commandement.

Lucifer doutait que le désespoir ait conduit dame Ivrinovna à se jeter dans la mer, ainsi que le voulait la version

« officielle » des événements. Connaissant la nature humaine, il soupçonnait son mari de l'avoir défenestrée dans une folle crise de jalousie. Ce qu'Olnir Vorodine vivait chaque nuit depuis lors n'était que la matérialisation de ses remords. Toutefois, il pouvait en aller autrement dans ce monde pétri par la magie. Lucifer tenait à en avoir le cœur net. Il convoqua donc un démon de la quatrième légion et lui ordonna de monter la garde, puis de lui faire rapport le lendemain au matin. Cela fait, il s'en alla tringler une octogénaire dont le parfum rance lui rappelait la douce odeur de suif des damnés qu'on faisait fondre dans les fosses de la Géhenne.

III. QUAND DE NOUVELLES ET DE VIEILLES CONNAISSANCES SE RENCONTRENT

Shu-Weï Sang-Noir avait reçu l'appel de Faris al-Maktoub peu après que Geoffroy Montorgueil lui eût appris les projets de William de Norfolk. Des quatre princes-dragons, Faris était celui avec lequel Shu-Weï avait le plus d'affinités. Peut-être à cause de sa pondération, une qualité que son père, Kenku-Weï, avait mis beaucoup de temps et de patience à lui inculquer, ou alors parce que Faris présentait autant de facettes féminines qu'elle en avait de masculines.

La maîtresse de Ryu-Gin s'était empressée de rassurer al-Maktoub ; il n'y avait pas matière à s'inquiéter, tout était en ordre dans l'univers. Le seigneur de Shariar avait accepté ces simples paroles sans réclamer d'autres explications. Sans doute avait-il « senti » depuis longtemps qu'il y avait plus en Shu-Weï qu'une guerrière rompue aux arts du combat, que sa science ne se résumait pas à une maîtrise exceptionnelle du maniement des armes, mais allait beaucoup plus loin.

Les pièces se mettaient lentement en place.

Dans la partie qui débutait, il y aurait des victoires et des revers ; des actes de bravoure et des pleutreries ; des coups soigneusement calculés et des gestes désespérés... Cependant, à la fin, chaque élément prendrait la place qui lui revenait. Shu-Weï l'avait lu dans la fumée des os de baramonte qu'elle avait fait calciner sur des braises de barbeluthier et dans les filets d'encre de siphonide répandue à la surface d'eau vertemorte triplement purifiée. Mais plus encore, le sable lui avait dévoilé l'avenir. Pas en totalité, juste assez pour qu'elle puisse identifier les nœuds du temps, les endroits où la roue cosmique pourrait caler, maintenant qu'elle s'était remise à tourner après l'arrêt prolongé qui avait suivi la mort d'Obéron.

S'il le fallait, Shu-Weï interviendrait pour empêcher que cela se produise. Geoffroy Montorgueil ne devait pas entraver les projets de William de Norfolk.

— Gabriel t'envoie ses félicitations, Francisco. Ta piété est exemplaire.

L'ange était apparu au moment où monseigneur Da Hora nettoyait son arme. Ce dernier troqua le Glock à dix-sept coups pour son missel, qui seyait mieux à ce genre d'entretien, et pria l'apparition de remercier l'archange de sa part.

Néanmoins, le prélat doutait que ces éloges fussent l'unique raison commandant la visite du messager. Il s'agissait d'un préambule. Il en eut d'ailleurs bientôt confirmation.

— Gabriel a parlé de tes intentions à Michel qui lui a ri au nez, le qualifiant de naïf. Gabriel n'est plus si sûr qu'employer Lucifer pour faire progresser l'œuvre divine soit une si bonne idée. Il aimerait obtenir une preuve que tu sais comment empêcher le Malin de récolter la part des âmes qui lui a été promise une fois l'évangélisation de Nayr terminée.

Tel était donc le véritable motif de cette visite. Les anges n'arrêtaient pas de se chamailler, souvent pour des vétilles. L'orgueil aussi faisait des ravages, chacun se croyant meilleur que les autres. Et Dieu qui n'intervenait pas.

— Dis à Gabriel que je lui fournirai cette preuve, mais plus tard. Deux missionnaires ont d'ores et déjà quitté Syatogor. D'autres les suivront. Ils parcourront le pays pour y répandre la parole du Très-Haut. Beaucoup d'eau coulera sous les ponts avant que le troupeau du Seigneur en vaille la peine. Nous avons du temps devant nous. Lucifer ne réclamera pas sa part de sitôt.

— Gabriel trouve que l'Ange déchu fornique trop avec les filles de l'Homme. Il craint que de ces unions émerge une nouvelle race de géants, comme ce fut le cas autrefois.

— Nayr compte déjà des géants et Lucifer n'y est pour rien. Cependant, si cela rassure Gabriel, je lui parlerai.

En réalité, monseigneur Da Hora s'en garderait bien. Tant qu'il culbutait des filles, Lucifer ne songeait pas à nuire, mais cela, l'archange n'avait nul besoin de le savoir.

Apparemment satisfait, l'émissaire s'en fut comme il était venu, dans un zéphyr et une odeur de rose.

Seul à nouveau, monseigneur Da Hora réfléchit en caressant machinalement les larmes d'Obéron cousues dans la doublure de sa veste. Le geste fit ressurgir Brent dans sa mémoire. Les fois où il avait interrogé Lucifer à son sujet, ce dernier avait répondu qu'il lui était impossible de localiser le jeune homme. Où était-il ? Le petit abruti avait-il crevé d'avoir avalé la pierre ou celle-ci l'avait-elle projeté dans un autre monde, dont il ignorait l'existence ? Francisco sourit à cette idée. Voilà qui serait ironique ! Il imagina le sombre idiot, aux prises avec une multitude de périls potentiellement plus dangereux les uns que les autres.

Si quelque chose d'inhabituel s'était produit à Castelmuir, Zoltan le lui aurait appris. Il n'y avait donc pas lieu de s'inquiéter outre mesure. Le miroir d'Obéron demeurait intact ; aucune autre larme ne lui avait été restituée. D'ailleurs, en supposant qu'il soit ici, Brent n'avait peut-être nullement cette intention. Son seul désir était de revenir sur Nayr pour chercher Judith, pas pour rendre la larme au miroir. Francisco pourrait faire en sorte que celui-ci soit surveillé de plus près. Maintenant qu'il avait son oreille, William de Norfolk accepterait sans doute de l'aider à retrouver le jeune homme. Il suffirait de lui faire croire que Brent posait une menace au Royaume. Ensuite, Francisco récupérerait l'objet, qui réintégrerait sa place auprès des autres larmes. Même si un peu de magie s'était échappée sur Terre après la fusion de la première au miroir, la majeure partie demeurait contenue. Et avec l'évangélisation de Nayr, la magie perdrait peu à peu de sa puissance jusqu'à ce que l'Église n'ait plus à s'en soucier. Ces réflexions le satisfirent. Il résolut de solliciter l'aide du seigneur de Bairdenne à leur prochaine rencontre et partit derechef s'occuper de ses ouailles.

Maître Cornufle ignorait ce qui s'était produit au juste, mais l'avertissement qu'il avait fait relayer à maître Olonthe n'avait rien donné. Son collègue avait malgré tout terminé sa vie, le corps fracassé sur les écueils qui hérissaient la grève au pied des falaises d'Ambre. Maître Cornufle avait appris la triste nouvelle de la bouche même du seigneur de Bairdenne, le matin de son départ pour la commanderie des Vorodine. Le décès de l'ancien mage ne serait pas rapporté. De cette façon, personne ne s'en inquièterait et ils disposeraient d'un lieu où initier les soldats à la magie sans que la Magicature n'y mît le nez.

Quand maître Cornufle s'était présenté avec Gromph, William de Norfolk avait tiqué. Il ne voyait dans le troll miniature qu'une brute mal dégrossie plus susceptible de lui causer des ennuis que de lui être utile, mais le vieux mage avait tenu bon, refusant de s'en séparer. Gromph lui serait d'une aide précieuse comme assistant. William avait fini par céder.

Zoltan Boralf accueillit maître Cornufle et son assistant à leur arrivée. Lui non plus n'afficha guère d'enthousiasme à l'idée qu'un troll, même nain et civilisé, se promène à sa guise dans les couloirs du château. Il avertit d'emblée maître Cornufle qu'à la première incartade, Gromph irait croupir dans un cul-de-basse-fosse, tout assistant qu'il était ou pas.

Maître Cornufle savait par maître Hélégia que l'actuel commandeur de Syatogor possédait quelques rudiments du Grand Art. Il l'avait étudié brièvement avant de bifurquer vers la science des armes. Les registres de la Magicature qualifiaient Zoltan d'élève taciturne, d'intelligence moyenne, envieux, querelleur et colérique. Maître Cornufle devrait s'en méfier. Petit et râblé, Zoltan avait les cheveux aussi noirs que les morceaux de charbon qui lui servaient de prunelles. Y brûlait le regard de quelqu'un qui attend sa chance depuis trop longtemps. En voyant son nimbe, maître Cornufle diagnostiqua des problèmes de foie qui devaient compliquer sa digestion ; s'y ajoutait un désir anémique propre à gâcher les plaisirs du lit. Là résidait sans doute en partie l'origine de son caractère atrabilaire. Enfin, une fine zébrure dans le nimbe laissait supposer une personnalité fractionnée. Le bonhomme ne devait pas être facile à vivre.

— Vous devriez manger moins gras, conseilla maître Cornufle après l'avoir discrètement examiné.

— Faites ce qu'on vous dit et ne vous préoccupez pas de ma santé, rétorqua sèchement le commandeur. Suivez-moi, je vais vous montrer vos appartements. Par la même occasion, je vous présenterai un soi-disant collègue. Je vous saurai gré de le tenir à l'œil. Je ne partage pas la confiance que le seigneur de Bairdenne daigne lui accorder. Rapportez-moi directement ce qui vous paraît louche et nous nous entendrons à merveille.

Maître Cornufle fut extrêmement surpris de découvrir que le « collègue » annoncé n'était nul autre que monseigneur Da Hora. La dernière fois qu'ils s'étaient vus, maître Cornufle lui avait jeté un sort d'obéissance pour le contraindre à ramener Brent dans son monde. Malgré cela, le prêtre ne sembla pas lui en tenir rigueur et l'accueillit avec bonne humeur.

— Oublions le passé, dit-il. C'était de bonne guerre. Je ne suis pas mauvais perdant. Serrons-nous la main.

Maître Cornufle sut que monseigneur Da Hora l'avait leurré dès que la main du prêtre se referma sur la sienne. Le membre n'était pas vivant, mais plutôt mécanique. Il prononça rapidement la formule du sort de durabilité. Ainsi, monseigneur Da Hora aurait beau serrer, il ne pourrait lui faire de mal. Le prélat s'en rendit vite compte, car il lâcha bientôt prise. La contrariété ternit son sourire.

— Nous voici donc à nouveau réunis, reprit le prêtre sur un ton bourru. Cette fois dans le même camp. J'en suis heureux. Avec un mage de votre trempe à nos côtés, je suis persuadé que la Magicature n'a qu'à bien se tenir.

— Quelles sont vos intentions, au juste ?

— Sur celles de William de Norfolk, je ne peux vous renseigner. Quant aux miennes, j'aspire seulement à apporter du réconfort aux Nayriens en leur faisant connaître la parole de Dieu. Ils en sont privés depuis trop longtemps.

— Cet être suprême d'une jalousie sans bornes dont vous m'avez entretenu lorsque nous cheminions vers Valrouge ?

— Votre description est un tantinet réductrice, mais bon… Oui, celui-là. Les règles qu'Il a édictées pour les humains ne peuvent que profiter aux habitants de Nayr.

Maître Cornufle évita d'entrer dans une discussion qu'il savait stérile d'avance. On n'essaie pas de convaincre un fanatique qu'il a tort.

Comme s'il avait perçu les pensées du mage, monseigneur Da Hora changea de sujet, lui demandant s'il avait revu Brent récemment. Devinant que le prêtre ne s'intéressait pas vraiment à la santé de son jeune protégé, maître Cornufle répondit que c'était effectivement le cas, ajoutant que Brent était vite reparti et qu'il ignorait totalement où il se trouvait à présent, ce qui n'était pas tout à fait faux. Le prélat hocha la tête d'un air déçu.

— Vous savez, poursuivit le prélat, la religion n'est pas sans ressembler à la magie. La différence est qu'au lieu de faire appel aux forces de la nature, je m'adresse directement à Celui qui en est l'auteur. Ou à ceux qui le secondent.

— Comme ce cavalier à tête de lion qui a pétrifié le géant dans les Marches septentrionales ?

— Sabnac ? Euh… En quelque sorte. Il y a des différences, mais cela prendrait trop de temps à expliquer. Je vous en reparlerai un autre jour. En attendant, permettez-moi de vous faire rencontrer quelqu'un.

Monseigneur Da Hora entraîna le mage jusqu'à sa chambre. Lucifer y terminait un gigot qui aurait amplement nourri quatre hommes. Un pichet de vin entamé aux trois quarts, une miche de pain et un cortège de fromages accompagnaient la pièce de viande.

— Je vous présente Lucifer, Prince des Ténèbres et Grand Duc des Enfers.

Maître Cornufle jeta un regard intrigué à celui qui continuait de s'empiffrer devant eux. Il n'avait l'air ni d'un prince ni d'un duc dans sa bure d'une saleté repoussante, roide de graisse et constellée de taches. Si l'homme n'était guère plus grand que lui, en revanche, sa panse faisait bien le double de la sienne. La seule pilosité visible était le collier de cheveux blancs qui auréolait son crâne, aussi lisse qu'un miroir, sur lequel se réverbérait la lueur des flambeaux.

Une chose, toutefois, inquiéta d'emblée le vieux mage. Là où aurait dû se trouver le nimbe, il n'y avait qu'un halo noir. C'était comme si son corps absorbait la lumière au lieu d'en émettre. Quelle sorte de créature pouvait extraire de l'univers l'essence même de la vie ?

Au moment où il se faisait cette réflexion, le bâfreur leva les yeux et sourit.

— Le Mal en personne, dit-il comme s'il avait lu dans ses pensées.

Dans quel pétrin Ylian s'était-il fichu ? S'il ne donnait pas bientôt signe de vie, Norfolk pourrait parvenir à ses fins. Qui sait si alors, la commanderie n'échouerait pas définitivement entre les mains de Zoltan ? Geoffroy ne pouvait supporter cette idée. Il devait retrouver le gamin et le ramener au plus vite à Syatogor, quitte à user de force pour cela s'il le fallait. Ce qui signifiait qu'il devrait se rendre à cette maudite muraille, donc traverser Nayr dans toute sa longueur. Le voyage prendrait des jours et il ne pouvait se résoudre à abandonner Jolanthe. Dans son état, celle-ci serait incapable de se défendre contre les chipies qui lui tournaient autour et n'attendaient que le moment propice pour se débarrasser d'elle. Pour la protéger, Geoffroy n'aurait d'autre choix que de l'emmener avec lui.

Geoffroy fit mander Reinhardt pour lui faire part de ses intentions. Il avait entièrement confiance dans son capitaine, qu'il traitait en ami et qui l'avait remplacé à maintes reprises durant son absence, notamment quand il rendait visite à Jolanthe, à Tombelor, avant que ne survienne le drame qui lui avait coûté la raison.

— Je te dirais bien que c'est folie que de te lancer dans pareille expédition, avec ta douce qui plus est, mais je te connais assez pour savoir que je gaspillerais ma salive. Au lieu d'user ta patience en essayant de te convaincre, je m'appliquerai donc plutôt à te faciliter la tâche. Un mage me doit une grande faveur. Si je le lui demande, il t'accompagnera. Non seulement t'épargnera-t-il la fatigue du voyage, mais il te sera d'un grand secours.

— Comment oses-tu seulement émettre pareille suggestion ? s'emporta Geoffroy. Tu as vu Jolanthe. Tu sais que c'est à
cause de ces fouille-grimoires qu'elle n'a plus que l'esprit d'un
bambin.

— Qarnal est un autodidacte. Il n'a jamais été agréé par
la Magicature, mais sa science est grande. Il a aussi la connaissance des armes. Bien que son adresse ne vaille pas la tienne, il
est rare qu'il éprouve du mal à se tirer d'un mauvais pas. Enfin,
il est d'une agréable compagnie.

— Comment sais-tu qu'on peut lui faire confiance ?

— Je le sais parce que c'est mon frère.

IV. UN CRI
DANS LA NUIT, OU EFFROI
ET CONSTERNATION

Olnir Vorodine regardait le monstre penché à la fenêtre observer la mer. Depuis que son ami l'avait fait surgir du néant, le monstre n'avait pas bougé d'un poil. Ce qui n'était pas peu dire, car une toison drue et jaune, aussi luisante que si on venait de la baigner dans l'huile, couvrait entièrement le corps ailé de l'étrange créature. Les minuscules yeux orange qui perçaient sa tête d'oiseau de proie demeuraient braqués en permanence sur la falaise. Si ses mains rappelaient les pattes d'un poulet, ses pieds, en revanche, n'évoquaient en rien la gent ailée. Graciles et torves, on aurait plutôt dit ceux d'un rat. Enfin, du monstre émanait une puissante odeur d'œufs pourris. Olnir Vorodine ne s'en formalisait pas. Lui aussi puait, ses cheveux étaient gras et la crasse endeuillait ses ongles quand il grattait les croûtes qui parsemaient son épiderme.

Deux jours et deux nuits s'étaient écoulés sans que son gardien ne quitte son poste et, durant ces deux nuits, Celle-qui-aurait-dû-être-morte ne s'était pas manifestée. Olnir n'avait pas entendu ses ongles griffer la muraille ni sa robe frotter contre la pierre. L'ancien seigneur de Syatogor ne s'était cependant pas reposé pour autant. Celle-qui-aurait-dû-être-morte était retorse. Elle attendait sûrement son heure.

Le monstre fascinait Olnir. Il lui rappelait les bêtes qu'il avait combattues jadis, avant que ne lui vienne un fils et que sa raison vacille. Des bêtes qu'il fallait parfois hacher menu pour les convaincre de mourir.

Celle-qui-aurait-dû-être-morte ne se manifesta pas davantage la troisième nuit. Cette fois, la fatigue eut raison d'Olnir. Aussitôt qu'il s'étendit sur sa paillasse pourrie, il s'endormit.

Un bruit le réveilla en sursaut aux petites heures du matin.

L'oiseau jaune n'était plus à son poste. Où était-il passé ? Olnir se leva et s'approcha prudemment de la fenêtre. La mer était calme. Au clapotis des vagues s'ajoutait un son plus ténu, un crissement. Cœur battant, Olnir avança la tête, la pencha dehors. Le monstre était là, quelques dizaines de mètres plus bas, cramponné à la falaise telle une incroyable mouche. Ses ongles s'agrippaient à la pierre, cherchant les moindres aspérités auxquelles s'accrocher pour se hisser plus haut. Était-il tombé ou avait-il plongé dans le vide pour se saisir de Celle-qui-aurait-dû-être-morte ?

Le monstre escaladait le plan vertical avec la pugnacité de l'insecte qui poursuit sa route en dépit des obstacles, comme si sa vie dépendait du seul fait de bouger. Le spectacle avait un je-ne-sais-quoi d'hypnotique.

Quand, au bout d'un temps interminable, le monstre arriva à portée, Olnir tendit son bras pour l'aider à revenir en lieu sûr. Il ne tressaillit même pas lorsque l'horrible patte de poulet tenant lieu de main au monstre lui perfora la peau de ses griffes afin d'assurer sa prise. Mais quand ce dernier leva la tête, le père d'Ylian ne put retenir un hurlement.

Ce n'était pas le monstre qui le regardait en ricanant, c'était Celle-qui-aurait-dû-être-morte.

Le cri retentit dans le château entier, réveillant jusqu'à Zoltan Boralf, pourtant affligé d'une ouïe capricieuse. Maître Cornufle se leva, pensant qu'un malade avait besoin de ses services, mais un garde lui apprit que ce n'était pas le cas. Le père d'Ylian n'en était pas à sa première crise. Plus personne ne s'en souciait. Sitôt le silence revenu, chacun reposa donc la tête sur l'oreiller pour se rendormir.

Seul Lucifer ne le put. Il soupçonnait un drame.

Il avait placé Balek en sentinelle dans la chambre du vieux Vorodine. Bien que stupide, le démon suivait à la lettre les ordres qu'on lui donnait, et le Prince des Ténèbres lui avait commandé de guetter l'apparition qui terrorisait Olnir pour s'en saisir.

— Où vas-tu ? s'enquit monseigneur Da Hora, que la plainte avait également tiré du sommeil.

— Consoler une donzelle, répondit Lucifer en s'empressant de quitter la pièce avant qu'on ne lui réclame de plus amples explications.

Monseigneur Da Hora le regarda partir. Il y avait du louche là-dessous. D'ordinaire, Lucifer limitait ses galipettes à la clarté du jour. Et puis, il y avait eu ce cri. Son intuition lui disait que les deux événements étaient reliés. Il se leva donc à son tour et suivit l'Ange déchu à distance, non sans avoir pris la précaution de se munir du Glock. On ne savait jamais.

La forme rebondie du frère Mellitus tournait le coin au bout du couloir quand monseigneur Da Hora émergea de la chambre. Lucifer se dirigeait vers la partie inhabitée du château. Qu'allait-il trafiquer là ?

Le prélat obtint la réponse à sa question quand il se retrouva dans une pièce sordidement meublée d'une paillasse rongée par la vermine, d'une table bancale au bois labouré de coups de couteau et d'une chaise en non moins piètre état. Un seau d'urine où se désagrégeait un chapelet d'étrons répandait un fumet fétide dans la chambre.

Monseigneur Da Hora reconnut le père d'Ylian dans l'épave que secourait Lucifer. De la bave coulait aux commissures des lèvres du dément, dont les yeux hallucinés cherchaient à attraper le vide. Des paroles sans suite s'échappaient de sa bouche.

— Que s'est-il passé ? demanda monseigneur Da Hora en s'avançant pour soutenir également le vieillard, qu'ils assirent sur la chaise.

— Je l'ignore. Balek était de faction, mais je ne le vois nulle part.

— Balek ?

Lucifer lui expliqua. En apprenant qu'un démon avait foulé le sol de Nayr à son insu, monseigneur Da Hora, furieux, ne put s'empêcher de saisir son bras.

— Tu es sous mes ordres, scanda-t-il. Tu ne dois strictement rien tenter sans mon approbation préalable. Passent encore tes écarts de conduite qui ne cessent de m'embarrasser, mais je ne tolérerai pas que tu convoques tes séides sans m'en parler avant. Est-ce clair ?

La main artificielle de Francisco s'était refermée sur le biceps, le comprimant sans cesse davantage tandis qu'il semonçait Lucifer. Ce dernier avait senti les doigts mécaniques écraser la chair. Le frère Mellitus n'aurait sans doute pas résisté à pareil traitement, mais c'était le Roi des Enfers qui occupait son corps. La souffrance était son domaine.

— Tu peux me lâcher à présent, Francisco. À moins que tu préfères voir ta main réduite en cendres. Le Vatican n'apprécierait pas un tel gaspillage.

Monseigneur Da Hora ouvrit les doigts. Lucifer le fixa dans les yeux jusqu'à ce qu'il détourne le regard. Le prêtre allait trop loin. En silence, il jura de lui donner une leçon.

Olnir Vorodine s'était calmé. À force de le questionner, ils parvinrent à démêler le fatras. Apprendre ce qui s'était passé ne les avança guère.

— Qu'est-ce que c'est que cette histoire ? Qui est cette morte qui n'en est pas une ?

Lucifer haussa les épaules.

— Je n'en sais pas plus. Je présume qu'il s'agit de son épouse. Apparemment, elle s'est jetée de la falaise. Que le mari ait mis la main à la pâte ne me surprendrait pas outre mesure. La jalousie le dévorait.

— Un crime ?

Lucifer ne répondit pas. La disparition de Balek monopolisait son esprit. Sur Terre, les démons comme les anges étaient immortels. Mais qu'en était-il sur Nayr ? On eût dit qu'une force étrangère à la main divine était à l'œuvre. Et cette force œuvrait contre lui. Lucifer était contraint d'admettre qu'il s'était lancé dans cette aventure un tantinet à la légère. L'Église l'avait compris bien avant lui : il y avait dans la magie une menace qu'il fallait juguler au plus vite. Pour la combattre, Lucifer devrait aider Francisco à répandre la religion dans ce monde.

Les événements avaient eu raison d'Olnir Vorodine. Le fou s'était affalé sur sa chaise et assoupi, la tête posée sur la table. Lucifer et monseigneur Da Hora convinrent de le laisser reprendre des forces et retournèrent se coucher.

Lorsque les ronflements de monseigneur Da Hora emplirent la chambre, Lucifer ne dormait toujours pas. Il se leva sur la pointe des pieds et subtilisa la veste de para posée à côté du ronfleur. Trouver ce que le prélat triturait sans relâche dans sa doublure fut un jeu d'enfant. Deux pierres en forme de larme aboutirent dans la main de Lucifer. La première luisait d'un éclat rouge menaçant, la seconde, d'une lueur verdâtre apaisante. Le Prince des Ténèbres passa la main sur le sol de la chambre. Il n'eut ensuite qu'à refermer et à presser sa paume couverte de poussière pour obtenir un caillou de forme et de poids identiques. Il répéta l'opération puis glissa les concrétions à l'intérieur du vêtement.

Tant qu'il ne sortirait pas les pierres de la doublure, Francisco n'y verrait que du feu, mais quand il découvrirait la supercherie, ce serait au tour de Lucifer de rire.

V. DU MALAISE DES MÂLES DEVANT CEUX QUI LE SONT MOINS QU'EUX

Qarnal était un homme mince et élégant, maniéré à l'extrême. D'une nature, en tout cas, qui mettait Geoffroy mal à l'aise, lui qui appréciait par-dessus tout le commerce des femmes. Quoi qu'il en soit, ce dernier dut reconnaître que Reinhardt n'avait pas menti. Le bougre connaissait son affaire.

Le seigneur de Valrouge avait assisté plus d'une fois à l'exécution du sort de déplacement instantané, mais jamais avec une telle adresse : une étincelle plutôt qu'un éclair, un craquement de brindille plutôt qu'un coup de tonnerre. De surcroît, Qarnal ne semblait nullement incommodé par la fatigue, alors que l'enchantement était de ceux qui soutiraient le plus d'énergie aux mages qui l'employaient.

— J'ai perfectionné la formule, se contenta de dire le frère de Reinhardt en prélevant du bout des doigts un morceau de poularde qu'il grignota telle une souris.

Geoffroy l'avait convié à sa table. Pour faire contrepoids, il arracha un pilon au volatile et en engloutit la moitié d'un coup de dents.

— Oui, j'ai entendu parler de cet édifice surgi de nulle part, poursuivit Qarnal quand Geoffroy lui eut annoncé son intention de partir à la recherche d'Ylian. Des ouvrages anciens évoquent une cité emmurée au bord de la mer. Ceux qui l'auraient bâtie voulaient se retrancher du monde, qu'ils jugeaient pourri jusqu'à la moelle. Je serais curieux de voir ce qu'il en est réellement. Par contre, je pense qu'il vaudrait mieux laisser votre amie ici. Le voyage pourrait s'avérer dangereux.

— C'est tout le contraire. Sa vie serait plus en danger ici, avec les hyènes qui gravitent autour d'elle. Je la protégerai.

— Je pourrais…

— Inutile d'insister. Elle nous accompagne.

— À votre guise.

Qarnal suggéra qu'ils partent tôt le lendemain. Puis, il demanda à voir l'étude de maître Loclyne, qu'avait brièvement occupée maître Cornufle. Il avait besoin de divers ingrédients en prévision de leur expédition. Il en profiterait pour examiner la bibliothèque. Les collections des mages de province recelaient parfois des trouvailles.

Les deux hommes se donnèrent ensuite rendez-vous à l'aube dans la cour du château, et Geoffroy ordonna à un laquais de conduire Qarnal aux appartements de maître Loclyne. Le frère de Reinhardt coula un regard concupiscent sur la croupe de son guide, puis s'en fut en roulant des hanches sous le regard dégoûté du prince-dragon.

Celui qui visitait Shariar se serait cru davantage dans l'échoppe d'un marchand de soieries ou de bois précieux que dans la commanderie d'un prince-dragon. William de Norfolk détestait l'étalage de ce luxe, lui qui prônait à Bairdenne austérité et dénuement. Pour convaincre Faris al-Maktoub du bien-fondé de ses projets, il avait néanmoins préféré un entretien face à face. Les communications par voie magique ne permettaient pas toujours de saisir les nuances et l'interlocuteur pouvait camoufler ses intentions véritables en usant d'un simple artifice. Une conversation de vive voix rendrait la chose plus malaisée.

Au lieu de l'accueillir en personne, Faris al-Maktoub avait dépêché quelqu'un pour le faire, prétextant une affaire urgente à régler. William y vit un affront et soutint maître Silasse – que le sort de déplacement instantané avait vidé de ses forces – jusqu'à la chambre qui leur avait été attribuée. Il laissa le vieillard se remettre tandis qu'il partait explorer le château.

Des cinq commanderies, celle de Shariar était assurément celle qui jouissait du climat le plus clément. La proximité de la Mirelune, qui se jetait quelques lieues plus loin dans la mer Océane, la paroi des Marches australes – d'une hauteur vertigineuse à cet endroit – qui réverbérait les rayons du soleil et le souffle de la Ceinture d'Éole réchauffé par le désert conjuguaient leurs efforts pour créer une sorte de microclimat qui faisait de la forteresse et de ses alentours un véritable jardin tropical dans une contrée autrement désolée. Où il n'aurait dû y avoir que lichens, genévriers et graminées poussaient une abondance de fleurs et d'arbustes fruitiers. William se prit à penser que Shariar ferait un excellent pavillon d'hiver pour celui qui régnerait un jour sur Nayr.

Faris proposa qu'ils aient leur entretien après le repas du soir, qui s'étira en longueur, les plats se succédant sans relâche, bien que William se fût contenté d'un bouillon de légumes et d'une pièce de viande saignante. Le spectacle qui agrémentait leurs agapes l'agaça particulièrement : voir des dames court vêtues se trémousser au son d'une musique langoureuse le rendait mal à l'aise. William n'avait jamais éprouvé beaucoup de plaisir dans la fréquentation de l'autre sexe, à peine un soulagement quand, périodiquement, la nature le pressait à purger le contenu de ses reins. Il versait alors une confortable somme à celle qui avait accepté d'accueillir sa semence, lui faisant comprendre qu'il valait mieux pour sa santé et celle de l'éventuel fruit de leur brève union qu'il n'entendît plus jamais parler d'eux.

Au terme du repas, Faris convia enfin William à l'accompagner dans son salon privé pour y discuter de ce qui l'amenait à Shariar. Au moelleux divan qu'il lui proposa, le seigneur de Bairdenne préféra une chaise inconfortable. Le rude contact du bois lui procura un sentiment de réconfort cent fois plus grand que celui que lui auraient procuré les coussins sur lesquels Faris se vautra.

— Un peu de foin d'ivresse ? proposa ce dernier.

— Non merci.

— Du vin de virflore ? De l'eau de fer ?

— Sans façon.

William s'impatientait.

— Si nous abordions le sujet de ma visite ?

— Le contrôle de la Magicature.

William grogna. À présent qu'il les avait dévoilées à Shu-Weï Sang-Noir et à Geoffroy Montorgueil, il était inévitable que ses intentions s'ébruitent. Cependant, il ne s'attendait pas à ce que la nouvelle circule si vite.

— Inutile de me dire qui vous a mis au courant. Montorgueil, je présume ?

— Geoffroy est un être fruste, mais droit comme la lame d'un couteau. Les intrigues l'ont toujours rebuté.

— Je n'intrigue pas, corrigea William, piqué au vif. Je vois aux intérêts du royaume. L'emprise des mages est trop forte. Plus aucune décision ne se prend sans qu'on les consulte. Et comme l'âge les rend craintifs, pour ne pas dire timorés, rien n'avance. Les bévues, les erreurs se multiplient. Il est temps que cela cesse, qu'on en laisse de plus jeunes pratiquer sous la gouverne d'hommes capables de les encadrer. Mais la Magicature s'y oppose. Quelqu'un doit reprendre la situation en main, et la population a confiance dans les princes-dragons. Ensemble, nous rendrons à Nayr sa grandeur passée.

Enflammé, William continua d'exposer ses vues. Faris le laissa parler, se concentrant plus sur le personnage que sur ses paroles.

Tout, dans l'attitude du seigneur de Bairdenne, transpirait l'orgueil. Un orgueil démesuré, pétri de vanité et proche du délire de grandeur. Avant le bien de Nayr, c'était le pouvoir qu'il cherchait : le pouvoir sur les mages, le pouvoir sur les princes-dragons, le pouvoir sur le royaume.

William discourut près d'un quart d'heure, expliquant ce qu'apporterait, selon lui, une gouvernance plus sévère sous sa tutelle. Il réalisa soudain que Faris n'avait plus émis un son depuis le début de sa tirade.

— Vous ne dites rien ? s'interrompit-il brusquement.

— Qu'y a-t-il à dire ? Votre plan n'attend qu'un sceau d'approbation. En réalité, vous n'êtes pas venu me demander mon avis, vous êtes venu me prévenir de ce qui est sur le point de se produire.

La remarque doucha l'enthousiasme de William. Le seigneur de Bairdenne se referma telle une huître.

— Dois-je comprendre que vous êtes réfractaire à ces projets ?

Faris prit le parti de rester dans le vague.

— Je dois y réfléchir.

— La machine est lancée. Ce n'est pas le moment de tergiverser. Vous devez prendre position.

— Peut-être avez-vous agi un peu cavalièrement en présumant que les autres princes-dragons vous emboîteraient le pas. La coutume ne veut-elle pas que la confrérie prenne ses décisions sinon par consensus, du moins par la majorité des voix ?

— La situation exige parfois une action immédiate. Près du quart des habitants de Tombelor ont péri quand les Ténèbres ont englouti la cité. Qu'ont fait les mages pour l'éviter ? Ils ont confectionné de petits masques et organisé l'évacuation.

— Si je me souviens bien, ils ont prévenu la population suffisamment à l'avance, mais les guildes étaient trop absorbées par la reconstruction de la ville. Les kippers affluaient. La Ligue n'était pas disposée à renoncer à pareille manne.

— Cela ne change rien. La pagaille règne à la Magicature et ceux qui la dirigent n'ont pas assez de poigne pour rétablir l'ordre. Les mages se tirent constamment dans les pattes. Nous devons y remédier avant qu'un autre fléau ne s'abatte sur Nayr. Les princes-dragons sont tout désignés pour cela.

— Un autre fléau ?

— À votre avis, qu'y a-t-il derrière cette muraille qui se dresse sur les Marches, près de Syatogor ? On n'érige pas un tel ouvrage sans raison. On le fait pour se protéger ou pour préparer une attaque.

VI. SCÈNES D'INTÉRIEUR ET D'EXTÉRIEUR

Maître Cornufle jeta un peu de scriboule révélateur sur l'eau qu'il venait de verser dans le plat posé devant lui. Il avait attendu que le château s'endorme avant de lancer le charme. Non qu'il fût dangereux ; il tenait simplement à éloigner les curieux. Par mesure de sécurité, il avait semé des graines de renoncule perd-les-fous dans le corridor. Ceux qui les piétineraient perdraient tout sens de l'orientation et échoueraient à un endroit diamétralement opposé à celui où ils voulaient aller.

La poudre grise s'étala à la surface du liquide, qu'elle brouilla, puis l'eau retrouva sa limpidité première et le visage de maître Hélégia apparut sur l'écran argenté.

— J'attendais ton appel, Algésippe, commença le recteur de la Magicature. Comment les choses se présentent-elles ?

— Pas trop mal pour l'instant. Personne ne se doute de mon rôle véritable. Norfolk m'a demandé de former une sorte de corps d'élite en sélectionnant les hommes d'arme les plus habiles et en inculquant des sorts « utiles » à ces futurs « mages-soldats », comme il les appelle, c'est-à-dire maîtriser les éléments, calciner l'ennemi, prendre possession de son esprit, faire flotter des pierres pour s'en servir comme projectiles, et j'en passe.

— Mais c'est contraire à la pratique ! Le Grand Art est de nature pacifique. On ne peut utiliser la magie pour nuire ou tuer. Et puis, un guerrier n'a pas la sérénité voulue pour user de tels enchantements. Imagine les conséquences.

— Je sais, mais Norfolk est persuadé que Nayr est trop vulnérable. D'après lui, seule la magie procurera au royaume la protection dont il a besoin.

— Je communiquerai avec la Ligue pour lui rappeler que la magie ne peut être employée par n'importe qui ni pour n'importe quelle raison.

— Tu perds ton temps. Norfolk a soudoyé les guilde-mestres et les a convaincus qu'ils ne pourraient que gagner à ce que la magie soit exercée librement. Tu sais comme l'appât du gain les motive. Voilà assez longtemps qu'ils se plaignent des tarifs fixés par la Magicature.

— La population ne suivra pas la Ligue…

— … mais bien les princes-dragons.

— Norfolk n'est pas seul.

— Il fera en sorte que les autres l'appuient ou, du moins, qu'ils n'interviennent pas. Mais il y a plus.

— Quoi ?

— Tu te rappelles ce mage venu d'ailleurs dont je t'ai parlé à mon retour de Castelmuir ?

— Batora ? Dabora ?

— Da Hora. Eh bien, il est revenu et a offert son aide à Norfolk. En contrepartie, le prince-dragon l'autorise à enseigner ses croyances. C'est un fanatique, Bolan. Il ne reculera devant rien pour implanter son culte.

— Je ne vois pas ce qu'il y a d'inquiétant. La Magicature préconise depuis toujours la plus grande tolérance envers les convictions de chacun.

— Ce culte ne souffre pas la concurrence, et sa magie diffère de la nôtre. J'ignore si nous pourrions la contrer advenant le cas où il faudrait en venir là.

— Que ce Da Hora pourrait-il contre la Magicature ?

— Il n'est pas seul.

— Un autre mage ?

— Difficile à dire. Son nimbe est étrange. Il capte la lumière au lieu d'en produire. Chaque fois que je le croise, je ne peux m'empêcher de ressentir un malaise. On dirait qu'une grande puissance sommeille en lui et attend d'être éveillée. Une puissance maléfique.

Maître Hélégia soupira.

— Alors, mieux vaut nous préparer au pire. Je demanderai qu'on modifie le programme pour enseigner des sortilèges plus puissants aux meilleurs élèves, mais j'ignore si on m'écoutera. Lorsque j'ai suggéré qu'on effectue des recherches sur le sort d'infantilisme, ainsi que je te l'avais promis, des membres du Conseil de discipline sont immédiatement venus m'interroger sur les motifs de cette démarche. Ils ont accepté mes explications, mais cela ne durera guère. La Magicature est trop divisée. Même le catalogage n'avance plus à la bibliothèque. Maintenant que les Ténèbres sont chose du passé, plus personne n'est aussi pressé de consigner ses formules et de nous les remettre. Certains sont allés jusqu'à exiger qu'on les leur restitue, que leurs sorts soient rayés du corpus afin qu'ils en préservent l'exclusivité.

— Tu dois rester ferme, Bolan. Il faut absolument dresser un compendium des enchantements avant d'en perdre un autre. C'est primordial.

— Je sais. À ton avis, jusqu'où ira Norfolk pour parvenir à ses fins ?

— Il est déjà allé trop loin. Désormais, Norfolk ne s'arrêtera plus avant d'être le maître du royaume. Même s'il doit le mettre à feu et à sang.

Après avoir donné à Reinhardt ses instructions concernant l'intendance de la commanderie, Geoffroy se rendit dans la cour avec Jolanthe pour y attendre Qarnal. Jolanthe lui tenait la main à la manière d'un enfant. S'il lui arrivait encore de se souiller à l'occasion, au moins ne portait-elle plus de couche. Pour le reste, rien n'avait changé.

Qarnal arriva de bonne humeur. Il avait manifestement passé une nuit agréable. Geoffroy en conçut une pointe d'envie. Le goût de la bagatelle s'était évanoui dans sa vie depuis le retour de Jolanthe.

— Encore un peu et j'envoyais quelqu'un vous chercher, grogna-t-il.

— Pardonnez-moi. Vous savez ce que c'est. On s'amuse et on ne voit pas le temps passer. Vous êtes prêt ?

Geoffroy grommela que oui.

— Bien. Hier, j'ai employé un sort de projection pour me faire une meilleure idée des lieux. C'est assez loin, mais nous y rendre ne devrait pas exiger une trop grande dépense d'énergie.

Geoffroy attira Jolanthe contre lui. Il connaissait le sort de déplacement instantané. Mieux valait ne pas trop s'éloigner du mage qui l'exécutait si on ne voulait pas périr foudroyé.

— Ne vous inquiétez pas, le rassura Qarnal. J'ai élargi la zone active. Il n'y a plus de danger.

Qarnal avait aussi abrégé la formule. Quelques mots suffirent pour qu'une nuée apparaisse au-dessus d'eux. Il y eut un éclat blanc et le trio se retrouva devant un très haut mur de pierre grise qui s'étirait, à droite et à gauche, aussi loin que portait le regard.

Geoffroy contempla la construction, interdit. Les rumeurs qui étaient parvenues jusqu'à lui ne l'avaient pas préparé à une telle démesure.

— Et voilà. Il ne nous reste qu'à dénicher votre ami.

Qarnal alla jusqu'à la paroi qu'il tâta de la main.

— Curieux. On dirait qu'un fluide court dans la pierre. Un peu comme lorsqu'on hermétise une pièce.

Le frère de Reinhardt fouilla dans sa besace et en sortit une petite boîte. Y était logé un insecte. Il extirpa celui-ci de sa prison pour le poser délicatement sur le mur. Geoffroy reconnut un bubille pénétrant. Le coléoptère était la plaie des bâtiments à Tombelor, et ailleurs, dans Nayr. Rien n'y résistait. La bestiole se mit instantanément à l'ouvrage. Elle fora un trou pour y disparaître. Quelques minutes plus tard, Qarnal appliquait l'œil sur l'orifice qu'elle avait laissé derrière elle.

— Regardez, dit-il en se retirant.

Geoffroy se pencha à son tour vers la paroi. Au fond de la galerie percée par l'insecte brillait un point lumineux.

— C'est creux !

— On le dirait.

— Vous pensez qu'Ylian est là-dedans ?

Le jeune homme haussa les épaules.

— Pour le savoir, il faudrait y entrer.

— Comment ?

— Il y a toujours un moyen. Tout dépend des risques qu'on est disposé à prendre. Commençons par explorer les alentours. Il y a peut-être une voie d'accès quelque part.

Geoffroy jeta un œil dubitatif à la muraille.

— La promenade pourrait être longue.

— Faites-moi confiance, elle ne le sera pas.

Et Qarnal sortit une autre fiole de son sac.

VII. REMISES EN QUESTION

Lucifer n'y tenait pas vraiment – pas du tout, même – cependant, les circonstances ne lui laissaient pas le choix : il entra mentalement en contact avec le Paradis. La réponse ne se fit pas attendre ; le plafond de la pièce s'effaça pour être remplacé par un ciel limpide d'un bleu iridescent, presque douloureux pour les yeux. Lucifer détestait cette couleur. Il préférait mille fois celles de la terre : les ocres, les rouges, les ombres.

Le Prince des Ténèbres cligna plusieurs fois des paupières quand le faux ciel gagna en luminosité jusqu'à devenir immaculé. Son éclat était quasiment insoutenable.

Puis il y eut un déplacement d'air et un battement d'ailes, et Gabriel daigna apparaître.

— Que veux-tu, fils du Serpent ?

— Arrête avec tes grands airs, Gaby. Si tu ne t'étais pas défilé à la dernière minute, nous partagerions peut-être la Terre aujourd'hui.

— Ou je réchaufferais comme toi mes ailes aux feux de la Géhenne.

— Trève de chamailleries. La situation est grave.

— Parle.

— J'ai perdu un de mes sujets.

Gabriel eut un petit rire condescendant.

— Que veux-tu que cela me fasse ?

— Chanter des cantiques toute la journée doit rendre idiot. Tu ne comprends pas ? Cela n'aurait jamais dû se produire. Anges et démons sont immortels.

La mine de l'archange s'assombrit.

— Maintenant que tu en parles, Michel avait envoyé deux anges secourir Francisco lors de son premier passage dans ce monde. Ils manquent toujours à l'appel.

— Ha !

— Ce n'est peut-être qu'une coïncidence.

— Cela ne nous dit pas ce qu'ils sont devenus.

À regret, Gabriel dut convenir qu'il avait raison.

— Quelle explication suggères-tu ?

Lucifer croisa les bras et regarda l'archange avec un air transpirant la suffisance. Il n'aurait jamais cru qu'il prononcerait un jour les mots qui suivirent.

— Que Dieu n'est pas aussi infaillible qu'Il l'a toujours prétendu.

Monseigneur Da Hora était satisfait. De minuscule qu'elle était au départ, sa congrégation grandissait. D'autres fidèles s'étaient ajoutés aux premiers, au château. Depuis le miracle, les gens lui prêtaient une oreille attentive. Palefreniers, valets, cuisiniers, même quelques hommes d'armes et écuyers se laissaient séduire par la religion du Mage Tout-Puissant et la promesse d'une vie meilleure au Paradis.

Deux ou trois s'étaient fait baptiser. Parmi ses brebis s'en trouvaient même de plus zélées auxquelles monseigneur Da Hora consacrait plus de temps, leur enseignant ce qu'il avait lui-même appris il y a longtemps sur Terre – avec quelques adaptations – en vue d'en faire des missionnaires.

Lorsqu'il jugerait ces disciples prêts, il les enverrait aux quatre coins du royaume afin qu'ils poursuivent son œuvre de prédication. Francisco se voyait déjà bâtissant une seconde basilique Saint-Pierre où une foule entonnerait des hymnes rendant gloire au Très-Haut. Quand son œuvre serait connue à Rome, un jet de pierre le séparerait du trône du Saint-Père.

La visite que William de Norfolk lui fit ce jour-là refroidit cependant sa jubilation.

— Zoltan m'a confié ses appréhensions concernant l'expansion de votre culte. Selon lui, l'ascendance que vous exercez sur nos gens pourrait être néfaste à mes plans. Il craint ce qui arriverait si vous vous retourniez un jour contre moi.

Depuis que Francisco l'avait rabaissé devant William, Zoltan lui vouait une sourde haine qui exacerbait sa xénophobie maladive.

— La seule puissance qui m'intéresse n'est pas de ce monde, je vous l'ai déjà expliqué. Vous n'avez rien à redouter de moi, au contraire. Quand viendra le moment de convaincre les Nayriens de vous appuyer, vous bénirez l'influence que j'exerce sur eux.

— Quoi qu'il en soit, dans l'immédiat, je vous prierais de ne pas élargir vos activités au-delà de Syatogor, où je peux les contrôler. Qu'en est-il de ces kippers que vous m'avez promis ?

Monseigneur Da Hora appréhendait cette question. Il noya le poisson.

— Lucifer s'est attelé à la tâche, mais le travail est délicat. La matière dont les pièces sont fabriquées est d'une nature magique ; la tirer du néant s'avère plus complexe que du vin. Vous m'en voyez désolé.

En réalité, tout à son œuvre d'évangélisation, monseigneur Da Hora n'en avait pas encore touché mot à Lucifer. Depuis leur différend, ce dernier le battait froid et se révélait de plus en plus difficile à manier, en dépit du pacte qui les liait.

— Voilà qui est ennuyeux en effet, déclara froidement William. Je vous avoue que cela m'incline à pencher du côté de Zoltan, qui clame la fumisterie.

Monseigneur Da Hora tenta une récupération.

— Quelque chose de plus simple pourrait-il vous convaincre de ma bonne foi ?

Le seigneur de Bairdenne réfléchit.

— Hum ! Le prince-dragon de Shariar tergiverse, déclara William après un instant de réflexion. Je n'aimerais pas qu'il s'oppose à mes projets. Si je pouvais lui faire comprendre à quoi il s'expose… Peut-être pourriez-vous le lui montrer. Oh ! Rien de bien méchant, juste ce qu'il faut pour qu'il sache ce qu'il risque…

— Mon maître n'a pas l'esprit à l'amour, sa lance fouille le terrier de la renarde avec mollesse. Peut-être d'autres caresses lui rendront-elles son ardeur.

Faris al-Maktoub stoppa Yasminah dont la bouche venait de quitter la sienne à la recherche d'un plaisir différent.

— Tu as raison. J'ai la tête ailleurs. File rejoindre tes compagnes. Je passerai la nuit seul.

La mine boudeuse et un embrasement dans les pupilles, sa favorite enfila le voile lui tenant lieu de vêtement et quitta la pièce, faisant sonner les clochettes qui cerclaient ses chevilles afin de souligner son mécontentement. Faris laissa échapper un soupir, puis se laissa tomber sur les coussins encombrant le lit qui occupait à lui seul la moitié de la pièce.

Il n'avait pas menti. D'autres pensées monopolisaient son esprit. Sa conversation avec William de Norfolk, notamment.

Depuis qu'il s'était entretenu avec le seigneur de Bairdenne, les projets insensés de ce dernier lui trottaient en tête. Si on ne l'arrêtait pas, William les conduirait droit à la catastrophe. Le royaume était stable, certes, mais si on essayait de les tenir en bride, les mages se rebifferaient.

Ils feraient front commun. La population serait divisée et la guerre éclaterait.

Après le départ de William, Faris avait rappelé Shu-Weï pour lui relater ce qui venait de se passer et solliciter son avis. Comment devrait-il réagir à la proposition qu'on lui avait faite ? Suivre le seigneur de Bairdenne dans sa folle entreprise, s'y opposer ou attendre et voir venir ? La maîtresse de Ryu-Gin était restée impénétrable.

— Agis comme tu l'entends, s'était-elle bornée à dire, sans dévoiler le fond de sa pensée.

Faris aurait aimé en parler à Geoffroy, mais celui-ci avait quitté Valrouge, et Reinhardt ignorait quand il serait de retour. Le moment était mal choisi pour une escapade, même si de bons motifs animaient sûrement Geoffroy. Advenant le cas où William précipiterait les choses, il était peu probable que Reinhardt y fît opposition.

Dans un cas comme dans l'autre, Faris devrait veiller à ce que ses hommes fussent prêts à intervenir, que ce fût pour contrecarrer Norfolk ou pour l'épauler.

Il en était à ces réflexions quand une odeur sulfureuse envahit l'air de la chambre. Faris sursauta lorsqu'un visage de crapaud surgit de nulle part et se pencha vers le sien. Il recula instinctivement devant l'épiderme verruqueux et jaunâtre troué d'yeux globuleux à l'étroite pupille qui le regardaient. Nu, le prince-dragon chercha de la main la dague qu'il gardait sous son oreiller sans lâcher l'horreur du regard. Avant qu'il ne la trouve, les joues de l'abomination se gonflèrent monstrueusement et un jet de flegme jaillit de sa gueule pour l'arroser. Une atroce sensation de brûlure irradia les nerfs de Faris, tandis que sa peau se mettait à fumer sous l'action corrosive du liquide. Le seigneur de Shariar hurla.

— Ceci n'est qu'un aperçu de ce qui t'arrivera si tu te mets en travers du chemin de William de Norfolk, coassa la bête.

VIII. OÙ LE LECTEUR EN EST ENCORE POUR SES FRAIS

Son gardien avait beau être différent, Olnir devina que lui non plus ne pourrait le protéger contre Celle-qui-aurait-dû-être-morte. Rien ni personne ne le pouvait. Il en avait la certitude à présent. Ce qui signifiait que, s'il voulait un jour trouver le repos, il devrait la combattre lui-même. Depuis plusieurs jours, Olnir s'exerçait afin de donner au bras gauche la force, l'endurance et la souplesse qu'avait le droit avant qu'il fût tranché.

Le nouveau gardien était aux antipodes du précédent. Autant le premier était sombre, autant celui-ci était lumineux. Il rayonnait et sa beauté n'avait d'égale que la laideur de son prédécesseur. Ma foi, on aurait presque dit une femelle. Deux ailes aux plumes très blanches étaient repliées contre ses épaules et, dans ses fines mains aux doigts délicats se logeait la garde d'une épée dont l'acier brillait d'une étrange clarté dorée.

L'homme-femme fixait la mer et ses rouleaux d'un regard impassible. Au loin, de lourds nuages s'agglutinaient dans le ciel d'étain et le vent forcissait, arrachant aux vagues leur diadème d'écume. Un grain, une tempête peut-être. La nuit serait rude car, en pareilles circonstances, la mer pilonnait impitoyablement la falaise, faisant résonner de sourds chocs jusqu'aux fondations de la forteresse, un peu comme si elle tentait, par cet acharnement liquide, de faire tomber dans les flots l'édifice qui la narguait, là-haut, au sommet de l'escarpement. Le martèlement était parfois si intense que les habitants se réveillaient la nuit, la tête lourde, le sang battant leurs tempes à l'unisson des mouvements de la mer.

Olnir avait appris à vivre avec ce vacarme. Il lui était moins pénible que les voix intérieures qui le tourmentaient sans cesse. Il décida de dormir quelques heures. Il devait prendre des forces pour affronter Celle-qui-aurait-dû-être-morte. Lorsque cette dernière tenterait de parvenir jusqu'à lui, son gardien s'efforcerait de l'en empêcher. Il n'y arriverait pas mais, le temps que Celle-qui-aurait-dû-être-morte franchisse la fenêtre, le tapage aurait réveillé Olnir qui se lancerait à l'attaque. On verrait bien alors qui, d'elle ou de lui, serait le plus fort.

Les choses ne se déroulèrent pas tout à fait de cette façon.

Olnir ne se réveilla pas avant le matin. Quand il le fit, le soleil était déjà haut dans le ciel et, de l'homme-femme, ne subsistait plus qu'un tas de plumes ensanglantées.

Un gouffre. Voilà ce qu'il y avait à l'extrémité du mur : un abîme et un second mur qui longeait celui-ci et se perdait au loin.

Geoffroy se tenait immobile à une dizaine de centimètres de cette faille d'une profondeur insondable dont l'autre bord, s'il y en avait un, demeurait invisible.

— Nous voilà bien avancés, grommela-t-il à l'intention de Qarnal. Impossible d'aller plus loin à moins de nous transformer en oiseaux.

Par dépit, il dégaina et frappa la paroi avec un grand « han ! ». Un éclat de pierre s'envola, accompagnant le choc du métal contre le roc. Le seigneur de Valrouge ne craignait rien pour son arme. La coutume voulait que l'épée des princes-dragons fût conditionnée magiquement pour garder son tranchant. Elle pénétrait n'importe quelle substance pourvu que le bras qui la tenait en eût la force et l'endurance. Deux nouveaux éclats ponctuèrent les exclamations de colère qui suivirent, mais malgré leur vigueur, les coups entamèrent à peine le mur.

Jolanthe applaudissait cette démonstration avec la jubilation d'une enfant qu'amusaient les pitreries d'un saltimbanque.

Qarnal arrêta le prince-dragon avant qu'il ne s'épuise.

— Attendez. J'ai une idée. J'ignore si cela fonctionnera, mais cela vaut la peine d'essayer.

Le frère de Reinhardt plaqua ses mains sur la paroi et récita une formule. D'abord il n'y eut rien, puis la texture de la pierre changea sur une partie du mur, prenant un aspect lisse et luisant.

— Sort de vitrification, expliqua-t-il quand il eut terminé. La masse est trop grande pour être changée en entier, cependant il se peut qu'elle le soit sur toute son épaisseur en cet endroit.

— Nous allons voir.

Geoffroy se mit à l'ouvrage. Cette fois, l'épée fit plus de dégâts. De gros morceaux de pierre vitrifiée filèrent dans tous les sens. Prudent, Qarnal s'écarta avec Jolanthe afin que les fragments ne pussent les blesser accidentellement. Geoffroy n'échappait toutefois pas à la pluie d'esquilles. Son visage et ses mains étaient couverts d'estafilades.

Il s'acharna près d'une heure durant avant de s'interrompre, exténué. L'épée avait pratiqué un orifice en entonnoir dans la matière vitreuse. Après avoir retrouvé son souffle, Geoffroy entreprit de l'agrandir, utilisant son arme comme un pilon.

— On dirait que la pierre est vivante, finit-il par dire. Elle se régénère. Si nous voulons passer, c'est maintenant qu'il faut le faire.

Puis, joignant le geste à la parole, il prit Jolanthe par la main et traversa le mur sans attendre la réponse de Qarnal.

SIXIÈME PARTIE

IL EST VRAI QU'ON EST LE JOUET DES ÉVÉNEMENTS

I. DES PROMESSES QUI NE VALENT PAS LEUR PESANT D'OR

— Là, c'est lui.

Malgré elle, Judith était impressionnée. Par les dimensions de la pièce ; par l'atmosphère lugubre qui y régnait ; par le sentiment d'écrasement qu'inspirait le lieu ; par le titan, enfin, qui se trouvait enchaîné au mur du fond.

L'Oracle était deux fois plus grand qu'un Harponneur. Obal lui-même semblait un nain à côté de lui. Jamais Judith n'avait vu d'être si grand, hormis le géant que maître Cornufle avait pétrifié dans les Marches septentrionales, il y avait de cela une éternité.

Sans le bruit du souffle rauque qui s'exhalait périodiquement de la gigantesque poitrine, on eût cru à une statue, à l'œuvre d'un artiste dément, gardée dans la salle d'un étrange musée.

Judith s'approcha, intimidée.

— Et il parle ?

— Seulement quand on retire un des clous qui percent sa peau.

Ainsi, c'était donc lui qui avait annoncé sa venue. Dans deux jours, elle se montrerait à la population rassemblée, confirmant ainsi la véracité de la prophétie. Ensuite, elle irait librement. Obal la ferait sortir de la nasse qu'était Urbimuros et elle rentrerait à Syatogor sans qu'on l'inquiétât davantage.

— Nous entend-il ?

L'Amnonte majeur haussa les épaules.

— Difficile à dire. Il ne réagit à aucun stimulus à part celui du clou qu'on retire. L'Oracle est une énigme. Impossible de savoir d'où il vient, ce qu'il est, quel est son but – s'il en a un. Même sa constitution nous échappe. Il semble vivre dans un perpétuel état végétatif. À moins qu'il n'extraie directement sa subsistance de l'air qui l'entoure. Sans l'incident qui a conduit à sa découverte, son existence serait restée inconnue jusqu'à la fin des temps, comme s'il avait été placé là par une force supérieure dont les intentions nous restent incompréhensibles.

Judith était tout près à présent. L'Oracle les surplombait. Sa masse la fascinait.

La physionomie de l'Oracle évoquait celle d'un mâle, bien qu'aucun organe génital ne confirmât cette impression. Un mot ancien revint à l'esprit de Judith : un golem. Voilà à quoi il ressemblait. Sauf qu'à l'inverse du géant conjuré par les kabbalistes de Pologne pour les défendre, l'Oracle n'était pas en glaise. Il était fait d'un autre matériau, une matière noire, souple et mate, un peu pulvérulente aussi.

Judith ne put s'empêcher de tendre la main.

La peau était tiède et sèche, granuleuse comme si du sable s'y était collé. Les doigts de Judith coururent sur la carapace jusqu'à une des excroissances qui l'émaillaient. À peine l'eut-elle effleurée que l'Oracle tressaillit. Là-haut, sur le visage impavide, deux fentes rectangulaires s'éclairèrent. Judith recula vivement.

— N'ayez pas peur. Cela se passe toujours ainsi.

Les traits lumineux se mirent à suivre les moindres mouvements de Judith, qui ne put réprimer un frisson.

— Partons, fit-elle. Cet endroit me donne la chair de poule.

Obal lui emboîta le pas.

— Qu'attendez-vous de moi, au juste ?

— Je vous l'ai déjà dit : que vous m'accompagniez à la cérémonie de l'Éveil afin que je vous présente à la foule.

— Parce que l'Oracle a prédit qu'une main noire marquerait le début d'une ère nouvelle pour Urbimuros.

— Exactement. La population n'y croit plus. Trop de temps s'est écoulé depuis que la prophétie a été prononcée. Un signe lui rendrait toute sa force. Vous êtes ce signe. Vous n'aurez qu'à montrer votre main.

— Et ensuite je pourrai partir.

— La Grande Place d'Orbe est contiguë au Mur prime, derrière lequel se trouve le Dehors. Quelqu'un vous le fera traverser pour vous conduire de l'autre côté.

La jeune femme goba la fable sans même se douter que c'en était une. Derrière la partie du Mur prime jouxtant la Grande Place d'Orbe, il n'y avait qu'un gouffre.

Ils revinrent à l'étage inférieur. Une collation les attendait sur la table, dans la pièce cumulant les fonctions de salle à manger et de salle de séjour, mais Judith n'avait pas faim.

— Si vous le permettez, dit-elle, je préfère me retirer. Je suis épuisée.

— Bien sûr, mon enfant. Reposez-vous. Bientôt, tout sera fini et vous rentrerez chez vous.

— On vous l'a toujours caché, mais l'aalma n'est qu'un parasite. Il faut vous en débarrasser. Alors seulement retrouverez-vous votre intégrité, votre libre arbitre. Vous comprenez ?

Non, Aloysius ne comprenait pas. Ils étaient trois autour de lui à s'acharner à le convaincre que ce à quoi il tenait le plus au monde, ce qui avait dirigé ses actes, guidé ses pensées depuis sa plus tendre enfance, ce vers quoi tendait sa vie entière n'était en réalité qu'un leurre, un artifice conçu par une bande de vieillards qui avaient espéré échapper à l'oubli en faisant porter à leur progéniture le fardeau de leur mémoire et en les privant de sentiments de manière à étouffer en eux la moindre velléité de révolte.

— Oubliez ce que vos parents vous ont dit. Il faut se connecter à ses émotions, pas s'en retrancher ; sans quoi la vie ne vaut pas la peine d'être vécue. Vous n'imaginez pas l'intensité qu'elle acquiert une fois qu'on se libère de cette goule qu'est l'aalma. Faites-nous confiance. Tranchez le lien. Laissez-vous aller.

C'était eux qu'Aloysius aurait voulu laisser aller. Pas un instant il n'aurait imaginé qu'en les retrouvant, ceux de sa race l'inciteraient à renier les enseignements que lui avait prodigués sa mère avec une patience infinie, ceux auxquels elle lui avait fait promettre de se conformer scrupuleusement jusqu'à son dernier souffle.

À force, quelque chose de nouveau naquit en lui qu'il comprenait mal. Une pulsion intérieure si puissante qu'elle le pousserait, s'il y cédait, à s'en prendre physiquement à ceux qui le tourmentaient. Il élargit donc le canal mental l'unissant à son aalma et laissa couler le flot qui menaçait de l'inonder. Répondant à son appel, cette dernière prit le relais et absorba l'énergie destructrice qui grondait en lui. Aloysius se sentit tout de suite mieux, plus calme et sûr de lui. Il se dit que la meilleure façon d'échapper au harcèlement dont il était la cible serait de jouer le jeu, de faire semblant d'accepter ce qu'on lui disait et d'abonder dans le sens de ses tortionnaires. Une fois qu'il aurait gagné leur confiance en leur faisant croire qu'il souscrivait à leurs vues, il serait plus facile de leur fausser compagnie.

Feignant de s'intéresser à leurs inepties, Aloysius demanda pourquoi on perpétuerait une telle ignominie.

— Pour les pères fondateurs, l'aalma était une façon de transcender la mort. Ils continueraient de vivre à travers celle de leurs descendants. Leur mémoire serait colportée d'une aalma à l'autre, et leurs sentiments, leurs souvenirs, leur personnalité y demeureraient à l'abri jusqu'à la Réunification ultime, quand ils réintégreraient un corps neuf. C'est leur démence que les amnontes ont érigée en culte.

Aloysius revit sa mère le jour de sa mort. Elle avait puisé dans ses dernières forces pour lui expliquer comment exécuter le rite du passage en l'absence d'un amnonte.

Quand la dernière étincelle de vie avait fui ses prunelles vitreuses et que s'était rompu le lien qui la rattachait à sa pierre de mémoire, Aloysius avait pratiqué une incision jusqu'au cœur de cette dernière avec le stylet pétrolytique que chaque enfant recevait le Jour de l'Éveil. Il en avait prélevé un fragment puis, à l'aide du même instrument, l'avait introduit dans sa propre aalma afin que les deux fusionnent, que la mémoire de sa mère continue de vivre en lui.

La souffrance avait été atroce, tant physiquement qu'émotivement, mais il en avait été récompensé car, depuis, sa mère revivait en lui. Il ne serait jamais seul. Sa mère et ceux qui l'avaient précédée demeureraient pour toujours à ses côtés.

À condition que le lien avec la pierre de mémoire ne fût pas rompu.

Aloysius devait le préserver à tout prix. Il refusait de perdre le peu qui lui restait de sa mère, seul amour qu'il avait connu dans sa vie.

— Je comprends, mentit-il. Mais je ne me sens pas prêt à laisser aller mon aalma tout de suite. J'ai besoin de temps pour m'habituer à cette idée.

Les trois Ubsalites n'en demandaient pas plus.

Un quatrième émergea soudain du mur, accompagné de Pryul. Les membres du trio se levèrent en cœur pour le saluer.

— Où est le Hors-Murs ? demanda le nouveau venu.

— Dans la pièce à côté. Il dort.

— Bien. Et lui, qui est-ce ?

Il désignait Aloysius du menton.

— Lui aussi vient du Dehors, mais c'est un Ubsalite. Je crois qu'on en fera une bonne recrue.

— Nous verrons. Où en êtes-vous avec lui ?

— Bien qu'il accepte la doctrine, le grand saut l'effraie.

— Les préparatifs sont trop avancés pour que nous courions le moindre risque. Ne le lâchez pas d'une semelle. Après-demain, vous pourrez le laisser aller. De toute manière, plus rien ne sera comme avant.

Sans ajouter un mot, l'Ubsalite les quitta pour se rendre dans la pièce où se reposait Brent. Curieux, Aloysius interrogea un de ses compagnons.

— Qui est cet homme ?

— Kal, le chef des Affranchis.

— Et qu'y a-t-il après-demain ?

— Nous passons à l'action. Le règne des amnontes est sur le point de s'achever.

II. COMMENT S'ÉGARER EN RETROUVANT CE QU'ON A PERDU

Ylian remontait une des interminables allées qui, aux dires de Kal, divisaient la ville emmurée en quatre grands secteurs. Du fait de sa largeur, la progression y était plus aisée que dans les couloirs secondaires où le corps massif de Frogmir, même amaigri, courait constamment le risque de rester coincé à un coude. Le dragon avait beau être puissant, les parois d'Urbimuros paraissaient inébranlables.

Ils avançaient ainsi depuis plusieurs heures lorsque Frogmir renâcla. Ylian posa la main sur son museau écailleux.

— Du calme, dit-il en langage draconiste. Tu sens un danger ?

Frogmir n'eut pas le loisir de répondre. Un éclair illumina le passage, laissant trois silhouettes dans son sillage.

— Geoffroy ! s'exclama Ylian en reconnaissant l'une d'elles.

Il sauta du dragon pour l'accueillir. Les deux amis s'étreignirent.

— Tu ne peux imaginer ma joie de te revoir. Mais explique-moi ce que tu fais ici, demanda Ylian au terme de leurs effusions.

— Il fallait que je te retrouve et si j'y suis parvenu, c'est grâce à Qarnal, répondit Geoffroy en désignant du doigt l'intéressé. Côté magie, je crois qu'il pourrait en montrer à bon nombre de vieilles barbes de la Magicature.

— Pourquoi me cherchais-tu ?

— Nous en parlerons plus tard. Le plus urgent est de regagner Syatogor, car il s'y trame de vilaines choses. Qarnal nous aidera à sortir de cette prison.

— Cela ne posera aucune difficulté pour nous, confirma le mage, mais il faudra abandonner la bête. Elle est trop volumineuse.

— Laisser Frogmir ! s'insurgea Ylian. Jamais !

C'est à ce moment seulement que Geoffroy parut prendre conscience de la présence de l'animal, immobile derrière Ylian.

— Frogmir ? Attends… Ne me dis pas… Non mais, je rêve !

Il écarta son cadet. Non, il ne rêvait pas. C'était bien un dragon. De terre, manifestement, car il n'avait ni la robe rouge des dragons de feu, ni les ailes diaphanes des dragons d'air, ni les pattes fines et palmées des dragons d'eau.

La bête leva la tête à son approche. Geoffroy posa un genou au sol puis, après avoir montré sa déférence, se releva et s'adressa au dragon dans l'ancienne langue. Il n'avait pas prononcé trois mots que Frogmir lui soufflait un nuage de fumée au visage. Geoffroy écarta la tête pour échapper aux miasmes.

— Bravo ! dit-il en se tournant vers Ylian. Je constate que tu l'as vassalisé. Tu as bien retenu mes leçons. Je crois que tu feras un bon maître, et lui, un excellent serviteur. J'ai hâte de voir la tête de Norfolk quand il apprendra que Syatogor est redevenu une dragonerie. Je ne peux nier que je t'envie. Dis-moi, il n'y en aurait pas d'autres dans les parages, par hasard ?

— Je suis désolé.

— Tant pis. Cela ne change malheureusement rien au problème. Nous devons sortir d'ici et regagner Nayr au plus vite.

— J'ai peut-être une solution, déclara Qarnal.

— Quand je te disais que cet homme est un génie, dit Geoffroy en tapant l'épaule d'Ylian.

En allant vers le mage, Ylian reconnut la jeune femme qui se cachait peureusement derrière lui : c'était Jolanthe. Il ne l'avait pas vue depuis qu'elle était rentrée à Tombelor avec maître Cornufle, après leur retour de Castelmuir. Force lui fut de constater qu'elle avait beaucoup changé. Plus aucune flamme ne brûlait dans ses prunelles et la chevelure dont elle s'enorgueillissait jadis pendait lamentablement sur ses épaules en mèches sales et cotonneuses. La farouche et valeureuse amazone qu'il avait connue s'était métamorphosée en une souillon au regard dénué d'intelligence. Ylian aurait aimé en savoir plus, mais il se retint. Le moment était mal choisi pour interroger Geoffroy.

Qarnal exposa sa solution.

— Un enchantement de réduction devrait faire l'affaire. C'est la masse de l'animal qui fait obstacle. En la réduisant suffisamment, je devrais pouvoir arriver à le faire sortir d'ici. N'ayez crainte, ajouta-t-il devant l'air soucieux d'Ylian, je rendrai à votre dragon sa taille réelle dès que nous serons en lieu sûr.

— Il faut d'abord que je le convainque, déclara Ylian. Les dragons n'ont guère confiance dans les mages et la magie.

— Je suis persuadé que vous…

Qarnal ne termina pas sa phrase. Un crochet mince et effilé venait de transpercer sa poitrine de part en part. Il fut happé et tiré en arrière tel un poisson qu'on vient de ferrer.

Geoffroy et Ylian dégainèrent simultanément. Devant eux venaient d'apparaître trois géants au corps cuirassé de plaques métalliques. Chacun était muni d'une arme similaire à celle qui avait coûté la vie à Qarnal.

— Qu'est-ce que… ? commença Geoffroy en se plaçant devant Jolanthe pour la protéger.

— Je l'ignore, répondit Ylian, mais ils vont le payer cher.

Un des monstres s'avança. Bien que son pas fût lourd et lent, il lança son javelot avec une telle puissance et une telle dextérité qu'Ylian ne dut la vie qu'à un réflexe. Son épée s'abattit et dévia la course mortelle du harpon dont la pointe s'enfonça dans le sol avec un bruit sonore. Le tueur replia aussitôt le bras et l'arme réintégra sa main comme par enchantement.

Ses compagnons se mirent en branle. À trois, ils barraient totalement l'allée, pourtant large. Les coups se multiplièrent, prenant vite une cadence infernale.

La longueur des javelots empêchait les princes-dragons de toucher leurs assaillants. L'attaque palliait en férocité son manque de finesse. C'était un véritable tir de barrage à l'arme blanche. Geoffroy et Ylian avaient beau parer de tous côtés, peu à peu, ils cédaient du terrain. À ce rythme, ils ne tiendraient pas longtemps.

Un harpon frôla le bras gauche de Geoffroy, le lacérant sur presque toute sa longueur.

— Ne peux-tu demander à ton dragon de nous aider ?

— Quel idiot je suis ! Je n'y avais même pas songé. Écarte-toi !

Sans escamoter les politesses d'usage, Ylian sollicita le secours de Frogmir.

Bien que les forces lui manquassent, le dragon ne put rester sourd à la supplique de son maître. Un pacte les liait désormais. Il s'avança donc pour lui faire un rempart de son corps.

Les harpons avaient beau traverser la pierre, le cuir de Frogmir était plus résistant encore. L'un d'eux plia au contact des écailles ; un autre se cassa net. Pourtant, les assaillants ne semblaient pas s'en être rendu compte. Ils continuaient de tendre puis de ramener leurs bras en un geste mécanique, même si leur arme ne leur était plus d'aucune utilité.

Frogmir tisonna le brasier intérieur qui lui servait d'estomac et cracha un jet de flammes acides sur un Harponneur. Une abominable odeur de chair brûlée accompagnée d'une abondante fumée envahirent le couloir, tandis qu'un hululement lugubre sortait de la bouche de la torche vivante.

En essayant d'éteindre le feu qui le consumait, le géant bouscula ses compagnons, semant dans la petite troupe un désordre que les princes-dragons mirent immédiatement à profit. Ylian s'attaqua au monstre à sa droite, tandis que Geoffroy taillait en pièces celui qui se tenait à sa gauche. Ils en vinrent rapidement à bout, leurs adversaires n'ayant manifestement aucune science du combat. Seule une force brutale, sans intelligence, les animait.

L'escarmouche terminée, Geoffroy s'empressa de rejoindre Jolanthe. Morte de peur, elle pleurait à chaudes larmes, recroquevillée contre un mur.

— C'est fini, ma douce. Tu n'as rien ? s'enquit-il, ne sachant que trop bien qu'il ne tirerait pas un mot d'elle.

Rassuré de constater que Jolanthe était indemne, Geoffroy revint vers Ylian qui achevait le rite de gratitude pour remercier Frogmir de son aide.

Parmi les énormes dépouilles des Harponneurs, le corps transpercé de Qarnal faisait figure de poupée.

— Voilà qui n'arrange pas nos affaires, maugréa Geoffroy en arrachant un bout d'étoffe pour se confectionner un garrot et stopper le sang qui coulait de son bras. Comment allons-nous sortir d'ici sans guide, à présent ?

Il finissait de prononcer ces mots qu'une dizaine d'hommes émergèrent des murs pour les encercler, pointant un petit bâton lumineux dans leur direction.

— Au nom de la Milice, vous êtes en état d'arrestation. Lâchez vos armes et rendez-vous, fit la voix mal assurée de celui qui devait être leur chef.

Geoffroy sourit à Ylian.

— Je crois que je tiens la réponse à ma question, fit-il en ressortant son épée du fourreau.

III. OÙ LE HASARD, POUR NE PARLER QUE DE LUI, FAIT PARFOIS BIEN LES CHOSES

Quand Bragh voulut l'embrasser, Valtor le repoussa.

— Et il ne t'a rien révélé de ses intentions ?

— Obal se méfie. Même à moi, il ne raconte pas tout.

Ils étaient allongés, nus l'un contre l'autre sur le lit. Amants depuis plusieurs années, c'est Valtor qui avait poussé Bragh dans les bras de l'Amnonte majeur, qui avait un penchant pour les éphèbes au corps glabre. Les confidences sur l'oreiller font et défont les administrations.

Puis, Bragh avait initié Obal aux plaisirs sulfureux que procurait l'extraction des sentiments de l'aalma. À présent, l'Amnonte majeur ne pouvait plus s'en passer. Depuis quelques jours cependant, le vieil amnonte se refaisait une virginité. Il ne puisait plus dans les pierres de mémoire qui passaient entre ses mains avant d'être restituées à la Matrice aalmique.

Ce brusque revirement tracassait Valtor.

— Ne sais-tu rien de plus ? Ce ne sont pourtant pas les façons de se renseigner qui manquent.

— Je préfère des plaisirs moins intellectuels, répondit Bragh en caressant Valtor dans l'espoir de voir naître chez ce dernier une envie comparable à la sienne.

Valtor se dégagea avec agacement. Il détestait quand la situation lui échappait. Que mijotait Obal ?

— Et tu prétends qu'il séquestre la Hors-Murs dans ses appartements ?

— Depuis qu'il me refuse son lit, pour être exact. Cela fait donc près d'une semaine.

— Qui est-elle ? Si Obal y tient tant, il doit y avoir une raison.

— Tout ce qu'il a consenti à me dire, c'est qu'après la cérémonie de l'Éveil, la Pétrarchie ne pourrait plus rien contre lui. Que si jamais elle tentait quoi que ce soit, la population entière se porterait à sa défense.

Valtor n'aimait pas cela. Il naviguait dans le noir. À présent que la machine était lancée, il y avait trop en jeu pour prendre le moindre risque. Il devait parer à toute éventualité et mettre Kal au courant sur-le-champ. Le chef de la Milice quitta donc la chambre, laissant Bragh assouvir seul le désir qu'il avait vainement essayé de partager avec son amant.

— Viens !

Judith se réveilla en sursaut.

— Qui est là ?

Personne ne lui répondit. Et pour cause : elle était seule. Il n'y avait qu'elle dans la chambre et on était au milieu de ce qui, à Urbimuros, tenait lieu de nuit.

— Viens !

Non, elle ne se trompait pas. L'ordre avait bien été lancé, mais à l'intérieur de sa tête ! Il ne s'adressait qu'à elle.

Une fine couche de sueur humecta son front et ses omoplates.

À pareille heure, Obal dormait profondément. L'amnonte était vieux et les préparatifs du Jour de l'Éveil lui demandaient beaucoup d'énergie. Judith enfila la chasuble de soie azur qui était devenue son unique vêtement et se leva.

Tout était paisible dans la pièce située à l'avant-dernier étage du Palais amnontial. Sans doute aurait-elle mieux fait de se recoucher et de se rendormir, car une rude journée l'attendait elle aussi le lendemain, mais une intuition toute féminine la poussait à n'en rien faire.

Bientôt, Urbimuros ne serait qu'un mauvais souvenir. Obal l'avait promis. Il la laisserait partir après la cérémonie. Elle retournerait dans son monde.

L'Amnonte majeur était resté très évasif sur la nature exacte de sa participation, se bornant à dire que les Ubsalites espéraient l'apparition d'une main noire depuis longtemps, que cela marquerait le début d'une ère nouvelle et que la population entière devait en être témoin.

Judith eût préféré se passer de ces célébrations. Elle ne tenait pas vraiment à devenir une icône ou un symbole, cependant, que pouvait-elle faire ? Depuis qu'on l'avait enlevée, elle était prisonnière. Prisonnière de la ville, prisonnière de ses habitants, prisonnière des murs, prisonnière de son incapacité de fuir. Elle se caressa le ventre distraitement. Elle avait lu quelque part que les bébés réagissaient à l'état d'esprit de leur mère. Celui qui se développait dans ses entrailles ressentait-il ses angoisses ? Cela ne pouvait lui apporter rien de bon.

— Viens !

L'urgence grandissait. Elle s'en fut sur la pointe des pieds, passant silencieusement devant la chambre où Obal s'était retiré pour la nuit. Ne pouvoir traverser les murs lui procurait l'avantage de ne faire l'objet d'aucune surveillance : quoi qu'elle tentât, elle ne pouvait s'échapper.

Arrivée à l'escalier qui conduisait au dernier étage, celui où était enchaîné l'Oracle, Judith en gravit prestement les marches. Quelque chose lui disait que celui-ci n'était pas étranger à l'appel qui résonnait, pressant, dans sa tête.

Elle se dirigea vers les points lumineux qui rougeoyaient dans le noir, lui indiquant l'endroit où se tenait l'Oracle. La créature – était-elle humaine, animale ou minérale ? Elle ne savait trop – l'attirait et l'effrayait à la fois, comme on peut être fasciné et repoussé par le vide. Ce corps massif, percé de clous sur toute sa surface et pourvu de fentes en guise de bouche, d'yeux, d'oreilles, de nez avait quelque chose d'horrible, mais aussi de terriblement envoûtant.

— Viens !

Quoique plus doux, le commandement demeurait aussi impérieux. Judith s'approcha timidement de la masse. Les fentes oculaires s'éclairèrent, laissant apparaître leur trait rouge. S'imposa subitement à Judith l'image d'un être de lumière emprisonné dans sa gangue ; elle se fit la réflexion que si l'on retirait tous les clous transperçant l'Oracle, sa carapace éclaterait et la lumière rejaillirait sur le monde étouffant, plongé dans une perpétuelle pénombre, qu'était Urbimuros.

Elle était si près à présent que l'Oracle semblait former un pan de mur à lui seul. Ses appréhensions, en revanche, s'étaient évanouies. Une grande compassion les avait remplacées. Judith aurait voulu aider cet être torturé, apaiser sa souffrance en posant les mains sur son front comme elle l'avait fait naguère avec les habitants de Nayr fauchés par les Ténèbres.

Animée par ce sentiment, elle chercha de quoi se hisser jusqu'à la tête du golem. Dans un coin, elle dénicha une sorte d'escabeau qu'elle traîna jusqu'à la carcasse immobile. Puis, elle en escalada les barreaux. La voix dans sa tête s'était tue. Elle ne se fit entendre de nouveau qu'au moment où elle arriva à hauteur de l'impressionnante poitrine.

— Ici !

Devant elle se trouvait la cavité pectorale. Elle était plus grosse que les autres ; un clou d'une taille monstrueuse avait dû s'y loger autrefois. Chez un être humain, c'est le cœur qui aurait été transpercé. Une lueur rouge battait sourdement au fond de la cavité, telles les palpitations sanglantes de l'organe absent.

C'est alors qu'elle la vit.

Une excroissance en forme de goutte, de couleur orangée qui se fondait presque dans le carmin environnant, mais il était impossible de se méprendre : l'objet était identique à celui que Judith avait porté à son cou et qui, une fois rendu au miroir d'obsidienne dans le palais de Castelmuir, avait libéré Nayr du fléau qu'étaient les Ténèbres. Une des sept larmes d'Obéron ! Il ne pouvait s'agir d'une coïncidence. Tout en elle clamait le contraire. Des forces qui dépassaient son entendement l'avaient conduite jusqu'ici pour qu'elle la découvre. Il ne pouvait en être autrement.

Cœur battant, elle enfonça la main dans la plaie béante pour s'en emparer, mais l'en retira aussitôt. C'était comme la plonger dans un four. Judith tendit de nouveau les doigts. Inutile. La chaleur qui se dégageait de l'ouverture était trop intense. Jamais elle n'atteindrait la pierre sans se brûler. Puis elle songea à sa main carbonisée. Elle n'y prêtait plus guère attention. Comme quoi on s'habitue à tout, même aux pires infirmités. Le temps est une panacée. Bien que Jolanthe lui eût rendu souplesse et dextérité, aucune sensation ou presque ne lui parvenait de son appendice calciné. Sa « griffe », comme elle l'appelait par dérision, aurait-elle enfin son utilité ? Ce qui avait été brûlé ne pouvait l'être de nouveau, n'est-ce pas ?

Un peu craintive malgré tout, elle glissa sa main gauche dans l'orifice sans ressentir autre chose qu'un léger picotement. Ses ongles racornis et jaunes agrippèrent la protubérance et tirèrent. L'objet n'opposa aucune résistance. Il se détacha sans difficulté du corps auquel il était soudé.

La voix caverneuse de l'Oracle rompit aussitôt le silence.

— Il mourra, mais tu le retrouveras.

La surprise fit perdre l'équilibre à Judith. Basculant vers l'arrière, elle atterrit rudement sur le sol, tandis que l'escabeau s'abattait avec fracas. Elle se releva d'un bond. Le tintamarre allait réveiller Obal. Elle récupéra l'escabeau et le remit rapidement à sa place. La pierre lui avait échappé. Elle avait dû rouler quelque part, mais où ? Judith se mit à la chercher frénétiquement par terre, dans l'obscurité.

— Que se passe-t-il ? Que faites-vous ?

Judith se retourna. Ainsi qu'elle le redoutait, le fracas avait tiré Obal de son sommeil.

— Rien, bredouilla-t-elle. Je n'arrivais pas à dormir. J'ai eu envie de voir l'Oracle.

— L'avez-vous touché ? J'ai cru entendre une voix.

— C'était moi. Je me suis cognée. Il fait si noir.

Obal grogna, à moitié convaincu. Il se rendit jusqu'à l'Oracle qu'il examina attentivement, comme s'il connaissait par cœur l'emplacement de chaque clou, chaque orifice. Peut-être était-ce le cas. Il ne dut rien trouver, car l'Amnonte majeur revint vers elle et, la prenant par le coude, la ramena doucement mais fermement à l'étage du bas.

— Retournez vous coucher, ordonna-t-il. Vous aurez besoin de toutes vos forces demain.

— D'accord, opina docilement Judith.

Elle regagna sa chambre, les yeux d'Obal lui forant la nuque. L'homme lui déplaisait de plus en plus. Elle attendrait qu'il se rendorme puis remonterait chercher la pierre. Il la lui fallait absolument.

Elle s'aperçut toutefois très vite qu'elle n'aurait pas à mettre son plan à exécution. Quand elle ouvrit sa main carbonisée, la larme s'y trouvait déjà. L'objet s'était enchâssé dans la paume de charbon. Le métal roux s'était amalgamé à son épiderme, et il lui était impossible de l'en retirer.

IV. PRISE D'OTAGES, OU DE LA SAGESSE D'OBÉIR POUR QUI SOUHAITE VIVRE VIEUX

On l'avait réveillé au milieu de son sommeil et traîné sans ménagement. Brent avait eu beau se débattre, essayer de se libérer, bien que peu robustes, les mains qui le tenaient étaient trop nombreuses pour qu'il leur échappât.

— Où m'emmenez-vous ? avait-il crié plusieurs fois sans obtenir de réponse.

Des murs avaient suivi. Tellement qu'il en avait perdu le compte. Puis, il avait émergé sur une place immense ceinturée de hauts bâtiments, des tours qui grimpaient vers le ciel factice d'Urbimuros. Après le sentiment de claustrophobie provoqué par le labyrinte, cet espace dégagé donnait le vertige.

Brent remarqua également une pyramide tronquée, une imposante estrade, un cercle noir sur le sol, deux larges allées qui convergeaient vers la place déserte et, au bout de chacune, dans le lointain, deux bâtiments d'une hauteur incroyable qui luisaient doucement dans la pénombre, le premier d'une teinte bleutée, le second d'un éclat rose nacre.

Ses ravisseurs se joignirent à un petit groupe rassemblé dans l'ombre d'un immeuble, face à l'estrade. Ils le libérèrent une fois dans leur cercle, sachant qu'il ne pourrait leur échapper.

— Je m'appelle Kal, déclara sèchement l'Ubsalite qui se tenait devant lui. Comme je n'ai pas le temps de finasser, je serai franc avec vous : un Hors-Murs devait me servir de porte-étendard, mais il a disparu. Le hasard vous a placé sur mon chemin. Vous pouvez vous joindre à nous de votre plein gré pour ensuite bénéficier de ma reconnaissance ou y être contraint et vous débrouiller seul une fois que je n'aurai plus besoin de vous. Que préférez-vous ?

— Que devrai-je faire ?

— Rester près de moi. Votre présence suffira à galvaniser mes troupes. Nous nous dissimulerons dans ce mur. À l'aube, la foule commencera à envahir la place. Mes hommes s'y mêleront. Plus tard, les amnontes amèneront l'Oracle et l'installeront sur l'estrade. Ensuite viendront les parents et les enfants qui recevront leur embryon d'aalma. Vers dix heures arriveront les dignitaires : le Grand Pétrarque et sa clique, le chef de la Milice, l'Amnonte majeur, ainsi que les membres du Conseil pétrarchique et du Saint-Culte. Nous interviendrons dès que l'Oracle aura prophétisé. À mon signal, nous émergerons du mur et vous crierez avec moi : « Affranchis de l'aalma, ivres de liberté ! ». C'est le cri de ralliement. Pour la suite, nous verrons bien ce qui se passera.

Brent jura silencieusement. Parti à la recherche de Judith pour lui avouer son amour, il se retrouvait au cœur d'un coup d'État. Et dire qu'il aurait pu rester tranquille chez lui, à siroter une bière en regardant la télé. N'apprendrait-il donc jamais ?...

— Un ami m'accompagnait, s'entendit-il dire sans y avoir réfléchi une seconde.

— Sitôt l'opération enclenchée, il sera libre de faire ce qu'il veut. Cela vous convient ?

— Oui.

Ils se fondirent donc dans la pierre et l'attente commença.

— Ces êtres ont plus que la couleur des souris, ils en ont la férocité et la robustesse.

Telle fut la conclusion à laquelle parvint Geoffroy au terme de leur brève échauffourée avec la Milice. Ylian soupçonnait que les rescapés avaient une tout autre perception de l'expérience.

Les miliciens ne s'attendaient manifestement pas à une telle résistance. Ils les avaient mitraillés de leurs armes, mais le pinceau lumineux qui émanait de ces espèces de bâtons n'avait déclenché qu'un fou rire chez Ylian, tandis que Geoffroy s'était mis à pleurer à chaudes larmes, comme s'ils ne maîtrisaient plus leurs émotions. Ils n'avaient pas été plus incommodés que cela. Les têtes et les membres des miliciens, en revanche, n'avaient guère posé d'obstacle au fil plus tranchant qu'un rasoir de leurs épées. Sept ou huit hommes s'étaient retrouvés sur le sol, morts ou agonisants, en le temps de le dire ; les autres avaient préféré tourner les talons. À présent, ne subsistait de valide que le milicien que Geoffroy avait saisi au collet et qu'il empêchait de fuir en lui serrant le cou.

— C'est répugnant, commenta le seigneur de Valrouge. On jurerait qu'il n'y a rien sous la peau. Leur chair s'écrase comme de la glaise. En plus, celui-ci s'est vidé dans ses chausses. Il pue autant qu'un troll.

— Relâche ton étreinte ou il va périr étouffé.

— Pas avant que j'aie trouvé comment l'empêcher de nous fausser compagnie en s'enfonçant dans un mur comme l'ont fait ses poltrons de compagnons.

En définitive, Geoffroy lia si étroitement les chevilles du prisonnier qu'il n'aurait pu faire deux pas sans qu'ils le rattrapassent aussitôt.

— À présent, passons aux choses sérieuses. Quel est ton nom ?

— Sp... Sprague 643, bafouilla le malheureux.

— Tu es aussi blême que William de Norfolk. Je t'appellerai donc Will, ce sera plus simple. Tu as vu ce qui est arrivé à tes confrères, Will ?

— Ou... Oui.

— Eh bien, ce n'est rien à côté de ce qui t'attend si jamais tu ne m'obéis pas au doigt et à l'œil. Tu as compris ?

— Ou... Oui.

— J'aimerais te libérer pour que tu fasses un brin de toilette, malheureusement, je crains que tu n'en profites pour t'éclipser. Je supporterai donc temporairement ton odeur. Je dis bien temporairement. Tu as intérêt à nous conduire où nous voulons aller, et rapidement, c'est-à-dire avant que je décide de t'occire parce que je ne peux plus te sentir, même si la raison me dicte de n'en rien faire. C'est déplorable, mais j'ai le sang bouillant et la patience mince. Nous aideras-tu, Will ?

— Ou... Oui.

— Très bien. En réalité, nous ne souhaitons pas grand-chose. Simplement que tu nous conduises au plus vite hors de cette agréable cité.

— Par là, fit le milicien en indiquant l'allée devant eux. Vous arriverez au quadrant des Premiers, puis à la Grande Place d'Orbe. Le Mur prime en longe le côté nord. Derrière se trouve le Dehors. Mais, si j'étais vous, je prendrais la direction opposée même s'il faut deux fois plus de temps pour atteindre le Mur prime.

— Pourquoi ?

— C'est le Jour de l'Éveil. La place sera noire de monde. Jamais vous ne passerez.

Geoffroy se tourna vers Ylian.

— Qu'en penses-tu ?

— Nous devrions suivre son conseil, mais...

— Mais?

— Il me tarde de revoir le soleil et encore plus de retrouver Judith.

— Voilà des paroles comme je les aime. Nous nous paierons donc un bain de foule. Et si la foule ne nous laisse pas passer, alors nous lui paierons un bain de sang.

V. UN DÉPART
ET UNE ARRIVÉE

Obal assistait avec amertume au départ de l'Oracle. Depuis qu'il était en fonction, jamais encore celui-ci n'avait quitté le Palais amnontial. L'annonce du Grand Pétrarque avait fait du bruit, car les curieux s'agglutinaient de chaque côté de l'imposant boulevard qui aboutissait à la Grande Place d'Orbe, où aurait lieu dans quelques heures la cérémonie de l'Éveil. Ce moment était l'un des rares dans l'année où un semblant d'émotion animait les visages autrement dénués d'expression des Ubsalites. Mais ce soupçon d'étonnement, d'effroi, de gaieté, voire de soulagement serait vite étouffé par l'aalma de chacun, et les visages retrouveraient leur impassibilité coutumière. Les Ubsalites des autres quadrants devaient déjà affluer sur la place.

Sanglé en position verticale sur une barge de transport modifiée à la hâte pour la tâche, l'Oracle était flanqué d'un cortège d'amnontes et de miliciens. Derrière le char marchaient les parents des enfants auxquels serait greffé un fragment de la Matrice aalmique qui, au fil des ans, grandirait avec eux et les accompagnerait jusqu'à la fin de leur vie.

Le moment le plus attendu du Jour de l'Éveil était sans conteste la Révélation. D'ordinaire, l'Amnonte majeur lisait la prophétie dévoilée la veille par l'Oracle. Cette année, ce serait différent ; la foule l'entendrait de la bouche même de celui-ci.

Le plus souvent, la catastrophe annoncée par l'Oracle était bénigne – un mur qui s'effondrerait, une canalisation qui céderait, parfois une maladie, voire une disette qui surviendrait – et les pertes se chiffraient en dizaines, voire, plus rarement, en centaines de vies. Car les prophéties étaient toujours de nature calamiteuse. Sans doute eût-il été préférable de se débarrasser de l'Oracle et d'y renoncer, mais l'espoir demeurait que, dans le nombre, s'en trouverait une qui, par sa perspective enthousiasmante, compenserait les précédentes. Depuis celle annonçant la destruction d'Urbimuros, prononcée au moment de l'extraction du clou pectoral il y avait des siècles, les amnontes s'assuraient de ne retirer du corps de l'Oracle que le plus petit clou. Ainsi, les dégâts étaient limités. Mais la séquestration de l'Oracle et l'insigniance des prophéties, révélées lors des cérémonies antérieures, avaient lentement érodé l'intérêt des Ubsalites pour le Culte. La situation était cependant sur le point de changer.

Obal imaginait déjà la scène.

Quand il saisirait la main fuligineuse de Judith et la brandirait afin que chacun la vît, tous se souviendraient de la prophétie à laquelle plus personne ne croyait. Les aalmas auraient alors fort à faire pour digérer la peur qui envahirait l'esprit des citadins. Puis, Obal rassurerait les Ubsalites en faisant en sorte que la prophétie ne se réalise pas, et son souvenir demeurerait gravé à jamais dans l'aalma de ceux qui auraient assisté à la cérémonie ce jour-là.

Du haut du Palais amnontial, Judith assistait elle aussi au départ de l'Oracle. Après son escapade nocturne, la fatigue avait eu raison d'elle. Elle avait sombré dans un profond sommeil duquel Obal l'avait tirée sans ménagement au matin.

— Préparez-vous, avait-il ordonné sèchement. Vous mettrez ceci.

Puis il lui avait remis une tunique identique à la sienne, mais verte, sur le devant de laquelle était imprimée une grande main noire. Si tout se déroulait comme prévu, à la fin de la journée, Judith reprendrait la route de Syatogor. Advenant le cas où Ylian ne l'y avait pas précédée, elle reviendrait avec des hommes – une armée s'il le fallait – munis de pics et de pioches, et démolirait cette damnée cité pierre par pierre jusqu'à ce qu'elle le retrouve.

En examinant sa main morte, elle se rendit compte que la larme d'Obéron avait presque disparu. Par quelque mystérieuse alchimie, la pierre s'était fondue dans la chair. Sur la peau noire et crevassée ne subsistait plus qu'une trace orangée.

Sous la douche, Judith se palpa le ventre, ainsi qu'elle en avait pris l'habitude au réveil depuis qu'un enfant y avait creusé son nid. Quel petit être allait-il sortir de cette matrice où s'étaient mêlés les germes de deux races? Elle s'imaginait donnant le sein à un minuscule prince-dragon, un blondinet aux yeux bleus qui ne connaîtrait jamais ni télévision ni ordinateur, et aurait pour compagnons elfes, nains et mages. Elle pressentait qu'un grand bonheur l'attendait au terme de cette aventure.

Quelqu'un avait servi le petit-déjeuner pendant qu'elle faisait ses ablutions. Si la nourriture d'Urbimuros n'était guère appétissante, au moins avait-elle le mérite d'être excellente pour la santé. Que du végétal. Brent en aurait fait une jaunisse, lui qui avait une poussée d'urticaire à la seule prononciation du mot « tofu ».

Pourtant, ce matin-là, l'appétit n'était pas au rendez-vous. Judith se contenta d'une galette au vague goût de sésame. Tout en grignotant, elle se rendit à une fenêtre au verre souple et grossissant qui permettait d'observer ce qui se passait dans la rue presque comme si on y était. De cet endroit, on voyait le large boulevard qui s'étendait du Palais amnontial – siège du clergé ubsalite – à la Grande Place d'Orbe où Obal la présenterait à la foule. L'Amnonte majeur avait omis de préciser le rôle de sa main. Quelle pouvait être l'importance de ce morceau de charbon pour qu'on en reproduise le dessin sur sa toge ? Qu'importe. Elle se plierait à tous les caprices pourvu qu'on la laisse quitter la ville.

Grâce aux propriétés particulières du verre, Judith vit l'Oracle partir sur son chariot vers la pyramide qui jetait un éclair bleu par intermittance, à l'autre extrémité du boulevard. La structure, lui avait expliqué Obal, était un moyen de transport, et son éclat bleuté signalait l'arrivée des Ubsalites affluant des autres quadrants. Au pied du Palais amnontial, la foule s'entassait le long du parcours dans l'espoir d'apercevoir, ne fut-ce qu'un instant, l'énorme corps noir ponctué de rouge de celui que la majorité des habitants considéraient comme une créature mythique.

Un reflet dans la vitre lui indiqua qu'Obal venait de pénétrer dans la pièce.

— Vous êtes prête ? Parfait. Allons-y. En empruntant un passage pratiqué dans les murs du quadrant des Premiers, nous serons sur place avant l'arrivée du cortège.

La foule se faisait de plus en plus dense sur l'esplanade. Certains étaient venus à pied, longeant une des deux immenses artères qui convergeaient vers la grande place ; d'autres surgissaient périodiquement de nulle part, chaque fois que l'air se mettait à grésiller et qu'un halo bleuté illuminait le sommet de la pyramide décapitée.

L'estrade avait été érigée près de la pyramide, dans l'angle que formait le prolongement des deux boulevards. En voyant les piliers qui se dressaient sur la plateforme, Brent ne put s'empêcher de penser aux colonnes auxquelles Samson avait été attaché après la trahison de Dalila, dans la Bible.

— Mes hommes se sont dispersés un peu partout parmi les Ubsalites, aux premières loges, murmura le chef des Affranchis à son oreille. À mon signal, ils se rueront pour s'emparer de l'Amnonte majeur. Alors, je m'adresserai à la foule et j'annoncerai aux Ubsalites que le temps de la servitude est terminé. Désormais, chacun vivra sa vie comme il l'entend, sans que les chaînes de l'aalma pèsent sur lui.

Ce gars-là était cinglé. Comment pouvait-il croire qu'il s'en sortirait aussi facilement ?

— On vous en empêchera, souffla Brent.

— Vous vous trompez. La Milice n'interviendra pas pour la simple et bonne raison que son chef est lui aussi un Affranchi. Tout a été prévu. Mon message sera entendu et on vous verra. Tout le monde saura que l'existence est possible sans aalma pour se délester de ses émotions.

Brent se sentait comme un chat qu'on s'apprête à jeter dans un chenil.

— Écoutez, je veux bien vous donner un coup de main, mais croupir en prison pour le restant de mes jours, très peu pour moi.

Mais Kal ne l'écoutait pas.

— Chut. Voici le cortège. L'Amnonte majeur ne tardera pas à paraître. Nous interviendrons sitôt que l'Oracle aura parlé.

VI. COMME QUOI L'OBSTINATION L'EMPORTE SUR TOUT LE RESTE

Une porte gigantesque bloquait le passage devant eux.

— C'est une des voies d'accès au quadrant des Premiers, expliqua Will à Geoffroy. D'habitude le portail est gardé, mais je suppose que les miliciens ont été envoyés à la Grande Place d'Orbe pour protéger les dignitaires ou qu'ils font respecter l'ordre le long du parcours emprunté par le cortège. Nous ne pourrons aller plus loin sans personne pour l'ouvrir.

— C'est ce que nous allons voir, rétorqua Geoffroy.

Puis, s'adressant à Ylian :

— Demande à Frogmir de nous frayer un passage.

Ylian relaya sa requête au dragon, qui s'avança pesamment vers la porte colossale. Il y eut comme une pause, puis un ronflement sortit des naseaux de l'animal, sa gueule s'ouvrit et en jaillit un torrent de flammes. Le milicien n'avait certainement jamais vu pareille fournaise, car il se recroquevilla, en proie à une vive terreur. Frogmir dut s'y prendre à trois fois avant que la porte ne montre des signes de faiblesse. Dès que ce fut le cas, le dragon enfonça le battant en usant de son corps comme d'un bélier.

De l'autre côté, ils ne découvrirent que la continuation de l'allée qu'ils suivaient depuis plusieurs heures. Seule différence, ici les murs avaient un aspect beaucoup plus fastueux : du métal ou du verre remplaçait la pierre par endroits, des ornementations décoraient les parois, des arbres factices travaillés plus finement bordaient l'allée et quelques édifices se dressaient, isolés des autres. À leur droite, une tour monumentale parcourue d'une multitude de filaments lumineux dominait le paysage.

— Le Palais amnontial, expliqua Will. C'est le siège du Culte. L'Oracle y est gardé en permanence. On raconte que les fondations mêmes de l'édifice s'appuient sur la Matrice aalmique.

— Très joli, commenta Geoffroy, mais nous reviendrons admirer les beautés de cette prison un autre jour. Je croyais que nous devrions tailler une foule en pièces, or je ne vois nulle part âme qui vive.

— Toute la population est rassemblée à la Grande Place d'Orbe pour la cérémonie de l'Éveil.

— Où est ce mur qu'il faut traverser pour retrouver l'air libre? voulut savoir Ylian.

— La Grande Place d'Orbe y est adossée. Les avenues du quadrant y mènent toutes. Et la Milice entière doit s'y trouver.

Geoffroy prit Jolanthe par la main et se remit en marche.

— Dans ce cas, dommage pour eux et tant mieux pour nous.

La loge d'honneur bourdonnait d'activité.

Outre les membres du Conseil pétrarchique, le Grand Pétrarque y avait réuni quelques invités triés sur le volet. Valtor était du nombre. En tant que chef de la Milice, il y assurait discrètement la sécurité.

L'arrivée de l'Amnonte majeur et de Judith eut l'effet d'une bombe. À la vue de la toge émeraude imprimée d'une main noire stylisée, la foule se tut et le teint cendreux de plusieurs convives devint nettement cadavérique.

— Qu'est-ce que cela veut dire, Obal? gronda Rhoiman. Que signifie cette mascarade?

— Ce n'en est pas une, répondit posément l'interpellé en savourant d'avance son triomphe. Cette jeune femme est celle dont l'Oracle a annoncé la venue il y a des siècles.

Pour montrer qu'il ne divaguait pas, il saisit la main gauche de Judith et la leva bien haut afin que chacun la contemple.

Il y eut des cris. Une dame s'évanouit.

Le Grand Pétrarque se tourna vers Valtor.

— Vous étiez au courant?

— Il doit s'agir de la Hors-Murs qui a disparu de l'Hospice de la Repentance.

— Comment pareille chose a-t-elle pu vous échapper? Ne m'aviez vous pas affirmé avoir un espion dans l'entourage d'Obal?

— Un espion? intervint Obal. Vous avez osé placer un espion dans le Palais amnontial? Je suis outré! Qui est-ce? Je veux savoir.

— C'est moi, trésor.

Obal reconnut la voix de Bragh avant que celui-ci ne se faufile jusqu'à lui. Il s'attendait à tout sauf à cela. Son visage se décomposa.

— Rassure-toi, mon chou, je ne leur ai rien raconté de tes petites perversions. Du moins, pas encore.

Judith profita du désarroi de l'Amnonte majeur pour récupérer sa main. Elle en avait assez d'être traitée comme une marionnette.

— Me direz-vous enfin exactement ce que l'Oracle a prédit à mon sujet? Qu'est-ce que ma main a à voir là-dedans?

La réponse vint de Valtor.

— Selon l'Oracle, votre main causera la destruction d'Urbimuros.

— Ma main ?

Judith regarda celle-ci sans comprendre. Comment une main pourrait-elle détruire une cité entière ? Elle était assommée par cette révélation.

— Quelles sont vos intentions, Obal ? reprit le Grand Pétrarque en s'avançant d'un pas.

Mais l'Amnonte majeur avait repris contenance. Un sourire s'épanouit sur ses lèvres. Ils avaient beau être contre lui, ni le Grand Pétrarque ni le chef de la Milice ne tenteraient quoi que ce fût devant tant de monde. Cela reviendrait à un suicide politique. Le Culte restait plus puissant que l'ensemble de la Pétrarchie. Quant à cette petite ordure de Bragh, il s'en occuperait plus tard. Son aalma devait contenir bien des délices.

— Ce que je veux ? Rassurer la population, finit-il par dire. Montrer aux Ubsalites qu'ils n'ont rien à craindre de cette jeune femme, car je veille et je ferai en sorte que rien n'inquiète les fils et les filles de l'aalma. À présent, si vous le permettez, je ne voudrais pas faire attendre mes fidèles.

L'Amnonte majeur sortit, et Rhoiman agrippa Valtor par le bras.

— Faites quelque chose. J'ignore quel plan il mijote, mais il ne doit pas le mettre à exécution, vous m'entendez ?

— Les Affranchis n'interviendront que lorsque l'Oracle aura parlé. C'est ce qui a été convenu.

— Je me moque des Affranchis. Arrêtez Obal avant qu'il montre cette Hors-Murs à la foule.

— Je vais voir ce que je peux faire.

Dans la loge, tous les yeux étaient braqués sur Obal qui avançait à pas mesurés sur l'estrade, accompagné de la Hors-Murs.

Valtor ouvrit son communicateur et tapa le code.

Trois pulsations passèrent avant que Kal ne daigne répondre.

— Tu es fou de m'appeler à un moment pareil, lui parvint la voix courroucée du chef des Affranchis.

La communication était mauvaise, signe que Kal était caché quelque part dans un mur.

— C'est une urgence. Donne le signal maintenant.

— Maintenant ? Mais… Ce n'est pas ce qui avait été convenu. Nous avions dit après la prophétie.

— Si tu n'agis pas maintenant, il n'y aura pas de prophétie et le Culte sera plus puissant que jamais. Donne le signal. Je me charge de Rhoiman.

Justement, le Grand Pétrarque revenait aux nouvelles.

— Alors, avez-vous une solution ou dois-je commencer à chercher un nouveau chef de la Milice ?

— Venez par ici. Nous serons plus à l'aise pour parler.

Rhoiman suivit Valtor sans méfiance dans l'enclave murale aménagée pour les entretiens discrets et les étreintes furtives. Le reste ne prit qu'un instant. D'un geste sûr, Valtor sortit un décérébreur qu'il appuya contre la nuque du Grand Pétrarque. L'arme était réglée à puissance maximale. Une violente décharge balaya le cortex de Rhoiman, court-circuitant ses centres nerveux. La fragilité émotive des Ubsalites était leur point faible. Les scientifiques de la Milice l'avaient compris depuis longtemps et avaient mis au point cette arme, qui ne causait aucun dommage physique. Elle grillait simplement le cerveau par une surcharge d'émotions.

Valtor s'assura que le Grand Pétrarque respirait encore, puis trancha le canal de son aalma, empêchant la pierre d'expédier le signal automatique qui suivait de peu l'arrêt des fonctions vitales. Cela fait, il traîna le corps de Rhoiman dans la section inutilisée d'un mur dont il resserra la trame avec un autre appareil. Parfois, des pans de mur entiers devenaient infranchissables parce qu'ils se densifiaient sans raison apparente. Les savants supposaient une forme de suicide particulière aux Ubsalites, où l'aalma du désespéré fusionnait avec la pierre. On ne retrouverait jamais le Grand Pétrarque. Ses intimes présumeraient qu'il avait fui les intrigues de l'administration ubsalite pour gagner un coin perdu de la ville où il mènerait une vie paisible, comme il en avait à maintes reprises manifesté l'intention. Puisque le signal de détresse n'avait pas été transmis, le voyant correspondant à l'aalma de Rhoiman resterait allumé sur l'écran du Centre de sécurité. En apparence, le Grand Pétrarque continuerait de vivre et de longues années s'écouleraient avant qu'on s'interroge sur son sort.

Après avoir abandonné Rhoiman dans son cercueil de pierre, Valtor revint dans la loge d'honneur.

Dehors, loin de se douter qu'il vivait lui aussi ses dernières minutes, Obal présentait la femme à la foule.

VII. QUI FERA RETENIR SON SOUFFLE AU LECTEUR

Une vibration se répercuta dans la pierre et Brent entendit distinctement Kal proférer un juron lorsqu'il s'empara d'une espèce de téléphone cellulaire qu'il porta à son oreille. Suivirent d'autres manifestations de mécontentement, puis l'appareil réintégra sa place dans sa poche.

— Les plans ont changé, dit Kal à l'escogriffe qui lui faisait office de bras droit. Nous n'attendrons pas que l'Oracle ait parlé. L'opération débute immédiatement. Fais passer.

Brent reporta son attention sur ce qui se déroulait dehors.

Un Ubsalite venait de surgir sur l'estrade. Haut et mince comme tous ceux de sa race, mais nettement plus âgé, il tirait quelqu'un de plus petit, vêtu d'une chasuble verte sur laquelle se détachait une grande main noire. D'où il était, Brent distinguait mal son visage. Il se demanda s'il allait assister à un sacrifice.

Le déclic se fit quand il aperçut les cheveux blonds. Judith ! C'était Judith que cet abruti malmenait ! Il voulut s'élancer, mais Kal le retint.

— Lâchez-moi ! rugit Brent.

— Si je le fais, vous mourrez dans l'instant. Patience. Il n'y en a plus pour longtemps.

Brent serra les poings. Celle qu'il aimait, celle qu'il avait tant voulu retrouver était là, à quelques centaines de mètres devant lui, et il restait là, impuissant, coincé dans son mur.

L'Ubsalite qui détenait Judith se mit à haranguer la foule. Un brouhaha suivit, presque aussitôt remplacé par un silence de mort. D'interminables secondes s'écoulèrent durant lesquelles l'inconnu poursuivit son discours. Les coups que lui donnait Judith pour se libérer n'aboutissaient à rien. Son ravisseur ne lâchait pas prise. C'est alors que soudainement, ce dernier leva la main carbonisée de Judith pour la montrer à l'assemblée. Nombreux furent ceux sur la place qui s'agenouillèrent, se jetèrent à terre, furent pris de convulsions ou perdirent connaissance. L'hystérie collective ne dura cependant que peu de temps, la majorité des gens retrouvant rapidement l'impassibilité qui leur était coutumière.

La suite se déroula comme dans un vieux film, en accéléré.

Toujours immobilisé, captif de la poigne de Kal, Brent vit l'orateur sortir un couteau de sa toge et accomplir l'innommable.

— Maintenant ! cria Kal à côté de lui.

Après avoir quitté le Palais amnontial, Judith et Obal traversèrent une série de murs, après quoi ils débouchèrent dans une pièce spacieuse où bavardaient une trentaine de personnes, qui buvant un verre, qui dégustant des canapés. Leur arrivée jeta un froid. Judith comprit vite qu'elle en était la cause, car les regards se fixèrent sur elle. Plus précisément sur le dessin qui ornait sa tunique. La conversation entre l'Amnonte majeur et un nommé Rhoiman lui apprit que son arrivée n'annonçait pas une ère nouvelle, ainsi qu'Obal l'avait prétendu, mais la destruction de la cité. Si Obal lui avait menti sur ce point, que penser de sa promesse de la libérer ?

Laisserait-on aller quelqu'un qui a détruit une ville entière ? Non. Elle était si naïve ! Une vague de découragement s'abattit sur elle, la privant de ses moyens.

Obal la tira par le bras et ils grimpèrent sur une vaste tribune dans ce qui devait ressembler de plus près à l'air libre dans cette ville étouffante. À la gauche de Judith se dressait la masse de l'Oracle, cloutée par endroits, couturée ou trouée ailleurs. Les fentes qui lui servaient d'yeux étaient éteintes. De lourdes chaînes maintenaient le colosse attaché à deux hauts piliers. Voir la malheureuse créature enchaînée de la sorte la révolta de nouveau. Elle n'avait jamais pu supporter l'injustice, sous quelque forme que ce fût. Cela lui rendit sa combativité. Elle se débattit pour se libérer, mais Obal la tenait fermement.

— Restez tranquille. Dans un instant, tout sera fini et vous pourrez partir.

— À d'autres. Je ne vous crois pas.

— Vous n'avez pas le choix. Ne jouez pas les idiotes. Je ne suis pas le monstre que vous pensez et je demeure votre meilleur atout.

Il n'avait pas tort. Sans lui, que pourrait-elle ? Elle se résigna donc.

Obal la conduisit au bord de l'estrade. Sur la grande place, une centaine de parents tenaient leurs bébés emmaillotés dans une robe blanche en faisant la queue sur plusieurs rangs. Des amnontes les encadraient. On se serait cru à une cérémonie de baptême. Derrière, la foule avait empli l'esplanade et les boulevards qui convergeaient vers elle. Mais ce qui sidéra le plus Judith fut ce qu'elle découvrit au pied de l'estrade.

Le fameux orbe qui donnait son nom à la place n'était qu'un cercle noir tracé sur le sol. Le cercle était fracassé en sept et une de ses parties avait la transparence d'un miroir sans tain. Judith sut instantanément ce qu'elle avait devant les yeux, car elle avait vu le même cercle à deux reprises : une première fois dans les caves de l'abbaye de Rochebrune, une autre dans la salle du trône de Castelmuir.

Le miroir d'Obéron !

— Ubsalites, écoutez-moi, déclara soudain Obal dont la voix, amplifiée par les propriétés acoustiques du lieu, parut saturer l'espace. Nombreux êtes-vous aujourd'hui à douter du Culte et à vous demander s'il vaut la peine de nourrir votre aalma de ces sentiments et émotions qui polluent votre esprit au lieu de leur donner libre cours, ainsi que le prônent les Affranchis. Nombreux êtes-vous aussi à songer avec envie à ceux qui fuirent jadis Urbimuros dans l'espoir de trouver une vie meilleure hors des bras protecteurs de la Matrice aalmique. De ceux qui sont partis, aucun n'est revenu, et leur mémoire est morte à jamais. Ce sort n'est pas celui que vous désirez. Si c'était le cas, vous ne seriez pas venus assister à cette cérémonie où de jeunes enfants attendent d'être unis à leur future aalma, celle-là même qui les protègera des perturbations de l'humeur et leur permettra de mener une vie paisible parmi leurs semblables, sans connaître les affres de l'amour ou de la haine. Les pétrarques soutiennent que le temps des amnontes est révolu, que le moment est venu de confier la destinée d'Urbimuros à des gens plus pragmatiques que des prêtres, des gens qui régiront la cité au mieux de ses intérêts et qui en feront la ville florissante qu'elle fut jadis mais qu'elle n'est plus depuis longtemps. Peut-être. Pourtant, je vous le demande : les pétrarques sauront-ils vous prémunir du mal comme le font les membres du clergé ? Sauront-ils, par exemple, sauver Urbimuros du sort que lui a prédit l'Oracle il y a des siècles ? La réponse est évidemment non. Pour cela, vous avez besoin des amnontes. Car ces derniers ont à cœur plus que votre bien-être immédiat. Ils souhaitent votre bonheur jusqu'à la fin des temps…

Judith en avait la nausée. Elle aurait voulu fuir cet homme et ce monde peuplé d'êtres ternes et blêmes, privés d'une partie d'eux-mêmes parce que retranchés de leurs émotions. Mais il n'y avait aucune porte de sortie.

Un malaise grandissait de plus en plus en elle, une angoisse sourde, un pressentiment qui lui comprimait l'estomac et le cœur, et l'empêchait de respirer, la tétanisait. C'était comme si son organisme, toutes les cellules de son corps, appréhendaient ce qui allait suivre.

Ainsi qu'il l'avait fait un peu plus tôt dans la loge, l'Amnonte majeur prit sa main gauche et la souleva bien haut pour la montrer à la foule. Un tumulte général suivit. Il y eut des cris. Des gens s'évanouirent sans raison apparente. Puis le calme revint, et avec lui le silence. Un silence de mort.

— Qui ne se souvient de ce qu'a prophétisé l'Oracle ? Que la destruction d'Urbimuros viendra d'une main noire. Eh bien moi, Obal, cent seizième Amnonte majeur depuis la fondation du Culte, cette main, je l'ai trouvée et, parce que vous avez confiance en moi, je ferai en sorte que jamais vous ne soyez les témoins de cette destruction !

Judith eut à peine le temps de voir le couteau qu'Obal sortit de sous sa robe cérémonielle avant que sa lame lumineuse lui pénètre la chair.

SEPTIÈME PARTIE
ON A BEAU ÊTRE PRÊT, MIEUX VAUT DEMEURER SUR SES GARDES

I. DES TRAVERS HUMAINS DES CRÉATURES D'ESSENCE DIVINE

— Assez perdu de temps. Passez aux choses sérieuses.

— L'analyse du nimbe est le fondement même de la magie. Comment voulez-vous qu'ils arrivent à quoi que ce soit s'ils ne peuvent distinguer les effets d'un empoisonnement au pligure des séquelles d'un simple rhume ?

— Vous avez mal compris, je crois. Ces hommes doivent apprendre à repousser et à jeter des sorts, pas à guérir les malades.

— La magie est avant tout un art qui…

— Obéissez ou je le rapporterai au seigneur de Bairdenne.

Zoltan Boralf s'en alla en claquant les talons, ce qui n'était pas inhabituel chez lui. À cause de son tempérament irascible, la moindre vexation mettait le commandeur de Syatogor hors de lui. Il n'y avait qu'à regarder son nimbe pour savoir quand il allait exploser.

Maître Cornufle soupira. Mettre des bâtons dans les roues des comploteurs n'était pas aisé, car ses moyens restaient limités. Surtout avec Zoltan pendu à ses basques. Bien qu'il n'eût pas terminé sa première année d'études à la Magicature, il en savait assez pour soupçonner l'anguille sous la roche.

Jusque-là, Zoltan avait attribué les incidents à la maladresse des soldats plutôt qu'à l'usage d'une formule sciemment trafiquée, cependant il ne serait pas dupe longtemps. Tôt ou tard, il découvrirait le subterfuge et maître Cornufle devrait en inventer un autre, jusqu'à ce que le pot aux roses soit de nouveau découvert.

Maître Cornufle se résigna à inculquer une formule sans conséquences à la bande d'abrutis qui s'évertuaient à diriger tant bien que mal un bloc flottant à quelques centimètres du sol. Quand il leur eut appris un enchantement causant de terribles maux de ventre et le leur eut fait essayer sur eux-mêmes, le soir tombait. Il remit à chacun une potion constipante afin qu'ils passent une nuit reposante et se rendit à sa chambre pour s'y changer avant le repas.

Ses pas croisèrent ceux de monseigneur Da Hora et les deux hommes firent un bout de chemin ensemble. Quoique tout les opposât, maître Cornufle éprouvait du plaisir à s'entretenir avec le prêtre, car leur soif de savoir mutuelle était insatiable. Le nimbe de son collègue lui apprit que quelque chose tracassait ce dernier. Sa couleur fluctuait constamment, ainsi que le faisait apparemment le nimbe de tous les Terriens, ce qui en compliquait la lecture. Actuellement, la couleur trahissait les soucis, l'embarras, la perplexité. Maître Cornufle l'interrogea à ce sujet.

— L'intérêt de mes brebis pour la parole de Dieu est très volatil, répondit le prélat. Dès que l'intégration des préceptes divins devient tant soit plus ardu ou réclame quelque effort supplémentaire, mon troupeau fond comme neige au soleil. Je ne vais tout de même pas accomplir un miracle quotidiennement pour m'assurer leur fidélité !

— Les Nayriens sont de grands enfants. Ils ont besoin de merveilleux et les responsabilités les ennuient. La magie a un caractère plus ludique que ne semble l'avoir la religion, d'après le peu que j'en sais.

— Servir Dieu est une affaire sérieuse qui a pour récompense la vie éternelle. Je ne peux concevoir qu'on refuse pareil cadeau.

— Avant d'y consacrer l'éternité, encore faut-il que la vie en vaille la peine. La passer à louanger quelqu'un, même dans la félicité, me paraît d'une incroyable platitude.

— Je constate que mes chances de vous gagner à ma cause demeurent bien minces, commenta amèrement monseigneur Da Hora.

— Changeons de sujet. Comment se porte votre compagnon ? Je ne le vois plus guère.

— Lucifer ? Le vieux Vorodine le monopolise.

— Tiens ! L'aurait-il pris en pitié ?

— Si vous le connaissiez mieux, vous ne poseriez même pas la question. L'altruisme n'est pas dans la nature de Lucifer. Non, il y a autre chose. Malheureusement, je serais bien en peine de vous dire quoi. Il ne m'a pas fait l'honneur de me mettre dans la confidence.

— Quelle perversité as-tu encore inventée, Saccageur de lumière ?

Lucifer se contint. Michel était le seul à lui servir ce sobriquet, allusion peu subtile à « Porteur de lumière », titre que le Tout-Puissant lui avait dérobé au lendemain de sa rébellion contre Son autorité.

— Je n'ai rien inventé, Pourfendeur de limaces. Tu n'as qu'à demander à Gabriel.

Ce fut au tour de Michel de se retenir pour ne pas brandir l'épée qui flamboyait dans sa main et s'en prendre au moine rondouillard qui le toisait sans vergogne. En son temps, Lucifer n'avait pas été que le préféré du Seigneur. Avant sa déchéance, c'était lui qui commandait les troupes célestes. Aucun archange ne le surpassait. Adversaire redoutable,

Michel ne l'avait terrassé qu'une fois depuis l'aube des temps et Lucifer s'était bien juré de prendre sa revanche.

— Pour une fois, il dit vrai, confirma à contrecœur Gabriel, qui se tenait un peu à l'écart.

L'archange messager n'avait pas l'âme aussi combative que son confrère.

— Tu as perdu deux anges, Gabriel, un, et moi, un démon, renchérit Lucifer. Cela n'aurait pas dû se produire. Quelque chose cloche. Je pense que nous devrions Lui en toucher un mot.

— Tu voudrais Le déranger pour cette broutille ? Je constate que tu Lui accordes autant de confiance qu'auparavant. Quoi qu'Il fasse en ce moment, Il veille sur nous. S'Il le désirait, Il interviendrait en un instant. Son silence n'est qu'apparent. C'est une façon pour Lui de nous mettre à l'épreuve, de voir si nous Lui restons fidèles.

Michel était encore plus borné que Gabriel ou Raphaël. On lui aurait prouvé noir sur blanc que Dieu avait mis les voiles, qu'Il s'était désintéressé d'eux ou, plus simplement, qu'Il n'était pas aussi éternel qu'Il l'affirmait depuis toujours, Michel aurait persisté à nier l'évidence.

— L'entente était que nous serions immortels. Préfères-tu croire qu'Il nous a menti ou qu'Il est revenu sur Sa parole ?

— Notre immortalité n'est garantie que jusqu'à Armageddon.

Lucifer en eut le souffle coupé. Armageddon ! Cet imbécile ramenait encore cette aberrante histoire qu'ils savaient inventée de toutes pièces.

— Les visions de cet ahuri de Jean résultaient du pain de seigle ergoté qu'il a avalé à Patmos lorsqu'il crevait de faim. Elles n'ont aucune inspiration divine.

— Le Tout-Puissant ne les a pas démenties pour autant, c'est donc qu'elles sont vraies.

— Il ne les a pas démenties parce qu'Il ne nous adresse plus la parole depuis longtemps. Qui nous dit qu'il n'a pas vidé les lieux après son *one man show* sur le Golgotha ? Pour autant qu'on le sache, à l'heure qu'il est, Il pourrait se bidonner quelque part en regardant les humains se torturer la cervelle pour trouver un sens à ce galimatias. Pour en avoir le cœur net, il faudrait jete un œil dans le Saint des Saint, mais vous crevez tellement de trouille que vous n'osez pas.

— La trouille ? Me traiterais-tu de froussard ?

La tension montait. Gabriel crut bon de l'apaiser.

— La nature de l'Apocalypse importe peu. Nous ne pouvons nier l'évidence. Dans ce monde qu'on appelle Nayr, anges et démons ne bénéficient pas de l'immortalité qui leur est acquise sur Terre. Je pense donc qu'il faut redoubler de prudence et, surtout, garder cela pour nous. Sinon, nos confrères se poseront des questions et renâcleront à la tâche. Nous pourrions même nous trouver avec une rébellion sur le dos. Francisco a raison. Tant que la religion n'aura pas supplanté la magie, le danger est véritable. Je propose que nous instaurions une trêve et œuvrions de concert à la réalisation de son projet d'évangélisation.

II. OÙ CERTAINS SE RÉJOUISSENT ET D'AUTRES SE DÉSOLENT

Des éclats de verre volèrent dans toutes les directions. Faris al-Maktoub ne prêta nulle attention à son poing ensanglanté. Depuis sa mésaventure, plus d'un miroir avait subi le même sort à Shariar ; tous ceux, en fait, qui lui avaient renvoyé le reflet de son visage grelé et crevassé. Désormais, l'apitoiement remplaçait le désir dans les yeux des courtisanes, y compris les plus aguerries, celles que ni la maladie ni l'âge ne rebutaient d'ordinaire. Jusqu'à la pupille fendue de Shu-Weï Sang-Noir qui s'était élargie quand il lui avait relaté la vilenie dont il avait été la victime.

Tout cela à cause de William de Norfolk !

Le seigneur de Shariar poussa la porte de l'officine de maître Rikasdil si fort que les flacons étalés sur la table de travail tintèrent quand elle heurta le mur.

— Si vous ne vous calmez pas, je ne pourrai rien pour vous, le prévint le vieillard. Pour être efficace, le sort de réfection exige un sujet totalement détendu.

Faris grommela en s'installant sur le siège réservé aux malades que soignait le mage. Jamais il ne s'était assis sur quelque chose d'aussi inconfortable. Maître Rikasdil dut le deviner car, d'une passe discrète, il assouplit le bois pour qu'il épouse à la perfection le postérieur capricieux du prince-dragon.

— Cessez de gigoter, à présent.

Faris obéit et ferma les yeux. En se concentrant, il pouvait sentir les cellules de son épiderme qui se détachaient les unes des autres pour se restructurer, bouchant les crevasses laissées par l'acide, effaçant cicatrices et ulcérations. Contrairement à Geoffroy, Faris ne trouvait aucune noblesse dans l'étalage de ses « marques guerrières ». Il préférait arborer une peau douce, lisse, sans imperfections.

Tandis que maître Rikasdil officiait, les pensées de Faris revinrent à William de Norfolk. Ce dernier allait trop loin. Qu'il recourût à des actes aussi vils que celui qu'il avait choisi pour l'intimider prouvait qu'il avait perdu la raison. L'ambition lui avait dérangé l'esprit. Le seigneur de Bairdenne ne recule-rait devant rien pour parvenir à ses fins, il en était persuadé à présent. Pas même la guerre. Une guerre qui risquerait de causer de terribles ravages puisque William avait recruté, pour l'épauler, des mages si dévoyés qu'ils usaient de leur art à des fins malveillantes.

Quand il en avait parlé à maître Rikasdil, celui-ci avait affirmé qu'il ne saurait en être ainsi.

— En plus de prêter serment de ne nuire en rien à personne, les membres de ma confrérie sont assujetis à une incantation très puissante et durable de non-belligérance. Un mage agréé ne peut accomplir le mal. Cela lui est physiquement impossible. Évidemment, il a toujours le loisir de ne pas intervenir, même si la compassion exigerait de porter assistance à une personne en difficulté, mais c'est une autre histoire.

— Un sort en annule un autre, vous êtes mieux placé que moi pour le savoir.

— Pas si on a supprimé le contre-sort. Et la Magicature y a veillé dans certains cas, pour diverses raisons.

— Si les mages ne peuvent faire le mal, comment expliquez-vous ce qui m'est arrivé ? D'où venait la créature qui m'a estropié ?

— Je l'ignore. J'ai passé vos appartements au peigne fin. De faibles émanations, que je ne suis pas parvenu à identifier, y subsistent. J'en ai référé à mes collègues de Tombelor. Ils sont aussi perplexes que moi. S'il s'agit de magie, elle est d'une autre nature que la nôtre. La seule consolation que je puisse vous offrir est de remédier de mon mieux aux dommages causés à votre épiderme.

Faris émergea de ses pensées lorsque maître Rikasdil annonça qu'il avait terminé.

— Encore deux ou trois petites séances et votre visage sera comme neuf.

Le bois du siège retrouva sa dureté à l'instant où le seigneur de Shariar se leva. Faris se regarda dans le miroir que lui tendait le mage. L'amélioration était manifeste, néanmoins, les lésions restaient visibles. Quoi que fît maître Rikasdil, Faris les verrait toujours, à l'instar de l'artisan qui distingue l'indiscernable défaut dans l'œuvre qu'il a forgée.

Le miroir se fracassa sur le sol quand Faris sortit en trombe. William avait commis une erreur en présumant qu'il céderait devant la menace. Une grossière erreur.

— Il m'en coûte de le dire, mais je suis agréablement surpris.

Monseigneur Da Hora dînait en tête-à-tête avec William de Norfolk. Zoltan Boralf avait bien essayé de se faire inviter, mais le seigneur de Bairdenne était demeuré inflexible. Ce dont il avait à discuter avec le prêtre ne souffrait aucune oreille indiscrète. Monseigneur Da Hora en avait été flatté.

— Et selon vous, le petit tour que vous avez joué à ce débauché de Faris n'est rien à côté de ce que votre ami est en mesure d'accomplir ?

— Les pouvoirs de Lucifer surpassent largement ce que ce démon de deuxième ordre vous a montré. Cependant, je me dois de vous avertir : lorsqu'on joue avec le feu, la prudence la plus élémentaire commande de prendre des précautions pour ne pas se brûler les doigts.

— Je ne vous suis pas.

— Lucifer est dangereux. Imaginez quelqu'un capable de vous planter un couteau dans le dos au moment où il vous avoue son amour, et vous n'aurez qu'une petite idée de sa duplicité. Par chance, j'ai une longue expérience du Malin. Je sais comment m'y prendre avec lui et je possède les moyens pour le contraindre à m'obéir. Tant que je serai là pour veiller au grain, il n'y a rien à craindre. Sa puissance vous est acquise.

William n'eut aucune peine à comprendre où le prêtre voulait en venir. Pour profiter des services de Lucifer, il devrait passer par monseigneur Da Hora, qui avait autant d'ambition que lui, sinon plus, bien que le pouvoir convoité se situât sur un autre plan. Rien ne garantissait toutefois que leurs ambitions ne se heurteraient pas un jour. William devrait se méfier, suivre de près la situation et prendre des dispositions afin de se protéger. Se débarrasser des deux étrangers avant qu'ils ne deviennent trop encombrants, par exemple. Dans l'immédiat, ils pouvaient lui être utiles. Il aviserait dès que la Magicature serait neutralisée.

— Les mages s'opposeront à toute ingérence, déclara-t-il finalement. Cependant, puisqu'ils ont juré ne jamais employer leur art pour nuire à autrui, leur résistance sera essentiellement passive. La plupart se contenteront de ne plus exercer. Nous devrons les y contraindre le temps de former des mages plus jeunes et plus conciliants.

— Cela ne posera aucune difficulté. Lucifer ne manque pas de persuasion ni de personnel pour l'assister dans ce genre de tâche.

— Très bien. Et côté pécuniaire ?

— Je vous promets que Lucifer se mettra à la tâche dès demain. Vos coffres déborderont bientôt de kippers.

— Parfait. Que souhaitez-vous en échange de ces services ?

— Je vous le répète, seules les âmes m'intéressent. Laissez-moi propager ma foi en toute liberté. J'érigerai quelques lieux de culte où les convertis viendront prier. Vous gouvernerez le tangible, et moi, l'intangible.

— Je n'ai aucune objection à cela.

— Dans ce cas, nous sommes faits pour nous entendre.

Maître Cornufle établit la communication avec maître Hélégia vers deux heures du matin. Le recteur de la Magicature paraissait soucieux. Maître Cornufle prit la parole le premier, narrant à son ami les développements des derniers jours, sans lui cacher la difficulté qu'il avait d'atermoyer davantage.

— Zoltan est pire qu'une teigne. Il me surveille de près et en sait suffisamment pour me percer à jour. Pour prouver ma bonne foi, j'ai bien été contraint d'enseigner quelques babioles aux soldats. Heureusement, le sort de légèreté n'a jamais fait de grands dégâts. Quoi qu'il en soit, je ne pourrai me limiter encore très longtemps à des formules aussi bénignes. Je devrai passer à des enchantements à plus grande portée.

— Ne pourrais-tu user du sort de confusion ?

— Je l'ai fait à deux ou trois reprises, jusqu'à ce que Zoltan questionne des gens dont l'esprit avait été brouillé et me demande d'employer un philtre révélateur pour déterminer la cause du problème. Si je n'avais pris la précaution de doubler mon sort d'un enchantement de dissipation, il aurait découvert que j'en étais à l'origine et, à l'heure qu'il est, je croupirais dans un cul-de-basse-fosse. Cet homme est d'une incroyable suspicion. Il ne fait confiance à personne. D'ailleurs, son nimbe présente la fissure caractéristique de ceux que tourmente une individualité divisée, à cela près qu'elle n'apparaît que lorsque la colère s'empare de lui. Je soupçonne Zoltan de la masquer avec une amulette. Il n'y a pas à en sortir. Si tu veux garder un espion dans la place, Bolan, je devrai enseigner des sorts plus puissants aux soldats tôt ou tard.

— Fais-le. Ici, la situation est loin de s'améliorer. Avant que tu ne me le demandes, nous n'avons toujours pas trouvé le remède au sort d'infantilisme. Par ailleurs, maître Silasse est souffrant. Je n'ai donc plus de nouvelles de Bairdenne. À la Magicature, il suffit que j'évoque l'idée de mesures préventives pour qu'on me taxe de sénile ou qu'on hurle au gaspillage. Outre la zizanie habituelle, que tu connais, quelques mages s'ingénient à me compliquer la vie. Je les soupçonne d'être en cheville avec Norfolk. L'argent les motive tant qu'ils vendraient un enchantement à un gobelin s'ils pouvaient y gagner un kipper. Je n'ose imaginer ce qui arriverait si de tels mages venaient à se hisser à la tête de la Magicature. William n'éprouverait aucune peine à en prendre le commandement. Heureusement, ils n'ont pas grande influence sur le conseil. J'ai mis des amis sûrs dans la confidence. Nous nous organisons tranquillement. Le temps reste notre meilleure arme.

— Nous n'en avons pas tellement à notre disposition. L'impatience ronge William. Il risque d'agir sur un coup de tête.

— Raison de plus pour que tu persévères. Tu es notre allié le plus précieux.

— Je verrai ce que je peux faire.

— J'ai sollicité un entretien avec des membres influents de la Ligue. Je leur expliquerai à demi-mot ce qu'il adviendrait si la Magicature échouait dans d'autres mains que celles des mages. Cela les incitera peut-être à réfléchir. Prends garde à toi, Algésippe.

— Toi aussi, Bolan.

III. UNE DISPARITION INATTENDUE ET UNE AIDE INESPÉRÉE

Lucifer avait passé quatre nuits dans la chambre d'Olnir Vorodine, quatre nuits à contempler les eaux sombres de la mer pilonner la falaise éclaboussée de clarté lunaire.

Celle-qui-aurait-dû-être-morte n'avait pas reparu depuis qu'elle avait transformé Mahasiah en chair à pâté. Que fallait-il en conclure ? Michel et Gabriel avaient finalement convenu que la disparition de trois anges et d'un démon ne devait pas être prise à la légère. Cependant, tous deux refusaient qu'on dérange le Seigneur dans Sa retraite et aucun n'avait proposé de solution. Lucifer avait espéré plus sans vraiment y croire. Après la rébellion céleste, Dieu avait pour ainsi dire « émasculé » les anges, les privant de tout esprit d'initiative. Depuis, ils étaient les rois de la procrastination. Parce qu'ils avaient échappé au « lavage de cerveau » divin, les démons s'avéraient plus alertes. Plus lucides aussi : Dieu était bon dans la mesure où on ne contestait pas Son autorité ; Il disait la vérité, mais pas toute… Mensonge par omission. Sa manière à Lui de tirer les ficelles. De son côté, Lucifer persistait à croire que quelque chose n'allait pas. Cela faisait trop longtemps que Dieu ne donnait pas « signe de vie ».

Un bruit le sortit de ses réflexions.

— Je sais… Oui, je sais… Non, je ne le répéterai pas… Arrête… Ah ! Tu es bien comme lui…

Olnir délirait. Ses propos sans queue ni tête se poursuivirent longtemps avant de s'éteindre dans un murmure. Et dire que c'était comme cela chaque nuit ! Le vieux parlait dans son sommeil. Dans ses cauchemars, plutôt. Comme s'il s'entretenait avec une entité invisible qui le tourmentait sans cesse.

Le vieil homme sombrait de plus en plus dans la démence. Lucifer l'observa songeusement. Le corps torturé baignait dans une sueur qui dégageait une puissante odeur aigre. Les paupières s'étaient soulevées découvrant des yeux révulsés dans leurs orbites. S'il lui était interdit de lire les pensées, Lucifer aurait pu investir le corps d'Olnir, ainsi qu'il l'avait fait avec le frère Mellitus, et essayer de percer les secrets qui se dissimulaient dans les méandres de cet esprit perturbé mais, comme cela s'était produit pour maints démons qui s'étaient laissé tenter par l'aventure, le corps pouvait devenir un piège. Les cas de possession consignés dans les registres de l'Église étaient plus qu'éloquents à ce sujet. Lucifer pourrait demeurer prisonnier du corps d'Olnir ; le danger lui paraissait encore plus grand dans ce monde qui semblait échapper aux lois divines.

Renonçant à ce projet, Lucifer examina, pour la centième fois peut-être, les pierres qu'il avait dérobées à Francisco. Là aussi résidait un mystère. Le métal composant les objets avait une signature particulière indiquant qu'il ne provenait pas de la Terre. Cependant, il n'était pas davantage de Nayr. Il venait d'ailleurs et était bien plus ancien que tout ce qu'on pouvait imaginer. Comme s'il avait été engendré au même instant que l'univers. Un léger fluide parcourait les pierres, telle la vie qui sommeille dans une graine et attend les conditions idéales pour germer. Où Francisco les avait-il dénichées et quelle était leur importance ? Que serait-il prêt à sacrifier pour les récupérer ?

Avant d'entamer quelque négociation que ce fût, encore fallait-il connaître la valeur de ce qu'on souhaite échanger. Or, pour Lucifer, ces gouttes ne valaient que leur poids de métal.

Il revint à la fenêtre qui donnait sur la mer. La larme aux nuances verdâtres intercepta un rayon de lune et prit un éclat irisé. Le fluide qui l'habitait s'intensifia légèrement, comme si la clarté lunaire l'avivait. Mais le Prince des Ténèbres n'eut pas l'occasion d'approfondir la chose. Un mouvement attira son attention. Quelque chose venait de bouger plus bas. S'agissait-il de cette créature qui terrorrisait Olnir Vorodine et avait coûté la « vie » à quatre des leurs, ou ses sens lui jouaient-ils un tour ? Lucifer se concentra sur la paroi luisante d'embruns qui filait en droite ligne vers l'onde. Les yeux du frère Mellitus manquaient d'acuité. Du doigt, Lucifer toucha le rebord de la fenêtre et un ruban de feu sinua entre les moellons, éclairant la verticalité grise. Rien. Il n'y avait rien. Que le reflet de l'astre nocturne qui flottait sur les eaux glauques et drapait la pierre d'un velours opalin.

Puis une ombre se déplaça.

Lucifer tiqua. Il n'y aurait pas dû y avoir d'ombre à cet endroit, car il n'y avait rien pour en créer. Il se pencha un peu plus et attendit que le phénomène se reproduise. Au moment où il allait abandonner, se disant qu'il avait rêvé, un trait coupa le sillon igné qui zébrait la muraille, plus haut que précédemment. Non, il n'avait pas la berlue. Quelque chose grimpait. Quelque chose escaladait la paroi. Qu'à cela ne tienne, il était prêt. Le Roi des Enfers n'était pas le premier démon ni ange venu. Pour se débarrasser de lui, il faudrait s'y prendre autrement.

On remua dans son dos.

Olnir Vorodine s'était réveillé. Assis sur sa paillasse, il dévisageait fixement Lucifer. Celui-ci ne s'en préoccupa pas, il avait d'autres chats à fouetter. Sur la paroi, le feu avait cessé de brûler, la replongeant dans l'obscurité. Lucifer le ralluma aussitôt. Le mur rougeoya de nouveau, et il le scruta avec toute l'attention dont il était capable. L'ombre reparut ailleurs, à quelques dizaines de mètres à peine de la fenêtre. Ce n'était qu'une parcelle au noir plus profond que le noir alentour, mais cela suffisait pour trahir l'ascension de la créature qui plongeait le vieux Vorodine dans une terreur abjecte.

— Monte. Allez, monte, murmura Lucifer. Tu ne sais pas ce que je te réserve.

Les secondes s'égrenèrent sans que rien ne se produise.

Chez d'autres, l'angoisse, la peur auraient pris le dessus avec l'attente ; chez Lucifer, ce furent l'impatience et la colère. Il serra si fort les larmes d'Obéron dans sa main que, n'eussent-elles été magiques, elles auraient été réduites en poussière. Puisant dans les forces infernales qui étaient siennes, il fit jaillir de l'autre main un torrent de lave qui dévala la paroi, calcinant tout sur son passage.

Au même instant, la tête d'Olnir Vorodine s'encadra dans la fenêtre afin de regarder par-dessus son épaule.

— C'est fini, ricana Lucifer. Vous n'avez plus rien à craindre. Nul n'échappe aux feux de l'Enfer.

— Vraiment ?

Un sourire narquois éclairait le visage du père d'Ylian. Lucifer le regarda, intrigué. Puis, les traits du vieil homme se transformèrent : ses joues se creusèrent, sa chevelure s'allongea, prenant la teinte verte des eaux mortes, ses yeux fondirent dans leurs orbites, ses lèvres s'arrondirent comme pour imiter celles d'une femme, et Celle-qui-aurait-dû-être-morte emprisonna le Prince des Ténèbres dans ses bras avant de se propulser avec lui par la fenêtre, l'entraînant vers les flots qui jouaient entre les éperons rocheux des falaises d'Ambre.

Monseigneur Da Hora se réveilla en sursaut. Jamais il n'avait entendu pareil cri, même durant les pires horreurs de la guerre. Pourtant, Dieu sait qu'il en avait entendus :

du hurlement de la mère devant qui on étripe son enfant à celui de l'homme que l'on castre avec des tenailles chauffées à blanc. Un tel cri ne pouvait sortir d'une gorge humaine. Il tourna la tête, cherchant Lucifer afin lui demander ce qu'il en pensait, mais ce dernier était parti. Monseigneur Da Hora soupçonna que quelque jupon avait attiré le Malin hors de son lit. Un peu hébété, il s'interrogeait sur ce qu'il convenait de faire, quand la chambre s'emplit d'une vive lumière. Michel parut dans un bruyant battement d'ailes. Du glaive qu'il tenait à deux mains jaillissait une fontaine de flammes. L'archange aimait les entrées tape-à-l'œil.

— La Bête n'est plus, annonça-t-il, triomphant.

— Pardon ?

Le sommeil embrumait les pensées du prélat.

— L'Enfer a perdu sa tête. Sans le Saccageur de lumière pour les guider, les hordes démoniaques ne résisteront pas au déferlement des troupes célestes.

Le cri ! Il devait s'agir de Lucifer ! Il ne pouvait en être autrement. Le prêtre jura intérieurement. Sans lui, il n'obtiendrait jamais les kippers promis à William de Norfolk.

L'archange poursuivit :

— Nous t'aiderons, Francisco. Raphaël, Uriel, Gabriel et les autres sont d'accord. Tu auras l'appui dont tu as besoin pour faire rayonner la parole de Dieu sur ce monde impie. Bientôt, le blé y poussera plus dru que l'ivraie dans un champ en friche. Plus besoin de t'adresser aux forces mauvaises désormais. Trouve un lieu adéquat et, avec notre concours, tu auras ta nouvelle Jérusalem. Puis, lorsqu'elle sera bâtie et clamera à tous la gloire du Très-Haut, les anges descendront pour décimer les âmes noires qui peuplent la Géhenne afin qu'elles ne tourmentent plus jamais les fils de l'Homme. Demande, Francisco, et le Ciel entier se mettra à ton service pour honorer Dieu.

IV. DU PLAISIR INEFFABLE POUR L'AUTEUR DE TOURMENTER SES LECTEURS

Le sable remuait comme jamais il n'avait remué. Les formes se faisaient et se défaisaient avec une telle rapidité que Shu-Weï éprouvait de la peine à en déchiffrer le sens. Balayé par le vent issu du fond de l'univers, les minuscules grains dessinaient des paysages dans lesquels s'agitaient d'éphémères personnages, parfois aisément reconnaissables, parfois totalement inconnus. Le sable parlait, cependant il gardait sa propriété première : sa mouvance. À l'instar de l'avenir qu'il révélait, jamais il ne se fixait.

Une intervention au bon moment, même infime, pouvait rendre improbable une certitude, et vice-versa. Néanmoins, on ne jouait pas impunément avec le sable. Shu-Weï l'avait appris plusieurs fois à ses dépens. Mais si l'on ne se montrait pas trop gourmand, si on procédait avec parcimonie, le destin se montrait parfois docile. Le hic était que, cette fois, le coup de pouce nécessaire serait de taille. Les quatre éléments – l'eau, le feu, la terre et l'air – le confirmaient : William de Norfolk ne réussirait pas sans intervention de sa part et, si les plans du seigneur de Bairdenne échouaient, le risque était grand que la roue cosmique repartît pour un autre tour et que ce cycle passât sans que la boucle fût bouclée. Huit nouveaux cycles s'écouleraient alors avant qu'une autre occasion se présente. Shu-Weï ne pouvait se le permettre. L'harmonie devait revenir dans l'univers et, pour cela, Obéron devait retrouver son trône. S'il le fallait, Shu-Weï était disposée à donner sa vie pour y parvenir.

Lorsque viendrait le moment, elle interviendrait.

Zoltan Boralf était un homme d'habitudes. Comme il faisait souvent passer les devoirs de sa charge avant ses propres besoins, il négligeait chaque matin de petit-déjeuner pour faire le tour de la forteresse. L'exercice lui permettait, d'une part, de vérifier la vigilance des sentinelles et, d'autre part, de s'assurer que la nuit n'avait enfanté aucun péril susceptible de menacer la commanderie et le royaume au-delà d'elle.

La journée s'annonçait radieuse. Avec bourgeose s'amorçait le printemps. Bientôt viendrait l'oscillation vernale grâce à laquelle la Ceinture d'Éole apporterait une température plus chaude et clémente, assortie de la promesse de récoltes abondantes.

Il avait plu la veille, ainsi que cela se produisait souvent à cette période, et l'eau du ciel remontait des entrailles de la terre en volutes brumeuses qui stagnaient çà et là, en poches, dans les creux et les vallons. Lorsqu'il atteignit la face nord du château, Zoltan leva machinalement les yeux vers les Marches qui débutaient à quelques lieues, là où avaient disparu Ylian et la sorcière. Son espoir secret était qu'ils ne reparussent jamais.

Plusieurs secondes s'écoulèrent avant qu'il ne saisît pleinement la signification de ce qu'il avait devant lui.

L'étrange muraille qui avait surgi des Ténèbres et qui barrait l'horizon depuis des mois était toujours à sa place, sombre et menaçante, immuable. Et pourtant… Zoltan plissa les yeux pour aiguiser sa vue et finit par découvrir ce qui l'avait intrigué : au lieu de la continuité grise, une multitude de points parsemaient l'édifice, des points lumineux qui tremblaient dans la clarté de plus en plus vive du jour renaissant.

Presque sans transition, les points fusionnèrent, devinrent des traits, puis des lignes. Celles-ci s'unirent en plaques jusqu'à ce que le mur entier brillât d'un éclat aveuglant. Puis, d'un coup, tout redevint noir.

De l'incroyable muraille érigée sur les hauteurs, il ne restait plus que de la poussière.

HUITIÈME PARTIE
TOUT VIENT À POINT À QUI SAIT ATTENDRE

I. LE DÉBUT DE LA FIN, OU CERTITUDE DE LA FATALITÉ

Judith ne sentit rien, ou presque.

La lame du couteau trancha sa main au ras du poignet, puis l'horrible chose roula sur le sol de planches et chuta par-dessus l'estrade pour atterrir sur le disque noir situé à son pied. Le miroir d'Obéron.

Un silence de mort régnait toujours sur la Grande Place d'Orbe.

La main carbonisée se recroquevilla comme si le miroir extrayait le peu de vie qui y subsistait encore, ne laissant que la terrible réalité : un morceau de charbon auquel un sculpteur aurait donné forme humaine dans un instant d'égarement.

Incrédule, Judith contempla son bras. À son extrémité ne restait qu'un moignon, un amas de bourrelets cartilagineux, de cuir tanné et d'os jaunâtres.

Ensuite, tout se déroula très vite.

L'Amnonte majeur la lâcha – il n'avait plus besoin d'elle. Urbimuros était sauvée. Le souvenir de cet instant resterait gravé dans l'aalma des Ubsalites jusqu'à la fin des temps. Soudain, on entendit « Affranchis de l'aalma, ivres de liberté ».

Il y eut des remous dans la foule, qui se fractionna : des courants la parcouraient, la divisaient en îlots vivants. Quelqu'un saisit Judith par le bras, l'écarta sans ménagement et s'approcha vivement d'Obal pour lui plaquer un petit appareil sur la nuque.

Judith eut encore le temps de voir l'Amnonte majeur s'effondrer et l'Oracle rompre ses entraves. Puis la tête lui tourna. En un geste futile, elle posa sa main valide sur son ventre pour protéger la vie qui s'y lovait et perdit conscience à son tour.

Quand le grand escogriffe en robe blanche sortit un couteau et coupa la main de Judith, Brent se précipita. Eût-il lâché Kal une seconde plus tôt, il aurait péri instantanément, les molécules de son corps dispersées et figées dans la pierre qui l'aurait emprisonné. Mais le chef des Affranchis commanda l'assaut au même instant et ils se retrouvèrent sur la place, devant la foule qui se massait pour voir l'Oracle et l'entendre prophétiser une nouvelle catastrophe.

La main de Kal agrippa son biceps.

— Allez. Criez. Avec moi.

— Foutez-moi la paix, répondit Brent en se libérant d'un coup sec.

Le chef des Affranchis ne chercha pas à le retenir. Brent filait vers l'estrade où se tenait l'Amnonte majeur. Il n'aurait pu demander mieux.

Derrière lui, Brent entendit Kal clamer : « Affranchis de l'aalma, ivres de liberté ! ». Des mouvements agitèrent aussitôt la foule, mais plus personne ne se préoccupait de lui. Trop d'événements se déroulaient simultanément.

Brent ne voyait plus, sur l'estrade, Judith et le prêtre à la noix qui l'avait assaillie. Seul le monstre bardé de clous demeurait visible. Les Affranchis convergeaient vers la plateforme. Brent devait y parvenir avant eux. Au passage, il jeta un œil sur le disque noir.

Le fragment sur lequel était tombée la main tranchée brillait d'une étrange lueur, mais il ne s'attarda pas davantage ; il grimpa quatre à quatre les marches menant à l'estrade. Les officiants qui s'y trouvaient s'élancèrent pour l'arrêter.

Puis le temps parut se figer.

L'Oracle rompit ses chaînes comme si elles n'étaient que des fils d'araignée et, devant la foule médusée, se mit à arracher par poignées les clous qui le hérissaient. De chaque plaie jaillissait un faisceau de lumière. Bientôt l'Oracle ne fut plus qu'un éblouissement. La place entière en était illuminée. Partout, les Ubsalites levaient le bras pour se protéger les yeux de cet éclat insoutenable.

— Vivez ! tonna la voix de l'Oracle avant que le soleil miniature qu'il était devenu s'éteignît, replongeant tout dans la pénombre.

Brent en profita pour se frayer un chemin à travers les Ubsalites qui l'entouraient, transformés en statues de cire.

— Stop ! cria un homme en le menaçant d'un court bâton.

L'éclair qui en sortit toucha à la poitrine, mais Brent ne ressentit qu'une folle envie de s'esclaffer. Constatant que son arme ne donnait rien, l'importun voulut lui barrer le passage. Il se ravisa en voyant Brent dégainer son épée. Ce dernier se rua vers Judith sans se soucier de son assaillant davantage.

Dieu merci, elle vivait ! Aucune trace de liquide vital ne maculait le sol alors qu'il craignait la trouver se vidant de son sang. La poitrine de Judith se soulevait et s'abaissait à un rythme régulier, signe qu'elle n'était qu'évanouie.

La revoir après ces longs mois lui donna un coup. Il réalisa soudain pleinement l'importance qu'elle avait pour lui et à quel point était vaste le vide que leur séparation avait creusé dans sa vie.

Judith avait changé. Ses joues étaient un peu plus rondes, ses bras plus potelés, ses seins plus lourds. Elle ne semblait pourtant pas avoir pris de poids. Était-ce le fait de vivre avec

Ylian qui lui donnait cet air épanoui ? Brent en éprouva une pointe de jalousie.

Il souleva la tête de la jeune femme pour la poser sur ses genoux, puis écarta doucement les cheveux qui couraient sur son visage. Ils avaient perdu la couleur brune dont Judith les teignait naguère pour camoufler sa blondeur naturelle. Brent la trouva magnifique. Il aurait voulu la serrer contre lui, l'étreindre dans ses bras et la couvrir de baisers. Contenir son envie ne fut pas aisé.

Rassuré de la savoir saine et sauve, il leva les yeux pour se rendre compte qu'il ne restait plus qu'eux sur l'estrade. La place elle-même se vidait rapidement. Les hommes gris couraient partout, chassés par un véritable vent de panique.

Les murs d'Urbimuros se délitaient.

Pour dire la vérité, Kal n'avait jamais cru que l'action des Affranchis changerait quoi que ce fût dans la vie d'Urbimuros. Il était lucide. Au mieux, si Valtor réussissait à se débarrasser du Grand Pétrarque, il remplacerait celui-ci au sommet de l'administration et on verrait naître une plus grande ouverture d'esprit au sein de la société ubsalite. Néanmoins, du temps s'écoulerait avant qu'on assistât à de réels changements, car les habitudes sont tenaces. Le mouvement des Affranchis connaîtrait de sérieux revers, le premier étant que la majorité de ceux qui auraient participé à l'insurrection seraient arrêtés, jugés, puis condamnés et sans doute décérébrés. Valtor et lui en avaient discuté *ad nauseam*. Kal avait fini par se rendre à ses arguments : une fois au pouvoir, Valtor devrait sacrifier des individus pour en faire des exemples avant de chercher à améliorer la situation. Et puis, une cause avait toujours besoin de martyrs. Avec les ans, les Affranchis de la première heure finiraient par être réhabilités. Ils seraient éventuellement reconnus comme des héros et on leur érigerait une statue. L'entente était que Kal échapperait à la purge et que lorsqu'il aurait pris la tête du nouveau gouvernement, Valtor légitime-rait le mouvement. Ils avaient tout prévu, tout calculé, tout planifié.

Mais la vie est ainsi faite qu'elle déjoue les stratégies les mieux échafaudées.

Le grain de sable qui enraya cette belle mécanique fut la main morte de Judith, qu'un caprice du hasard ou un dessein mystérieux fit choir sur l'orbe noir auquel la Grande Place devait son nom. Le simple contact entre la chair carbonisée et la pierre vitrifiée suffit pour que les principes de la larme d'Obéron qui y étaient mêlés se combinent à ceux du miroir. À l'instar des Ténèbres, qui s'étaient instantanément dissoutes en pareilles circonstances quelques mois plus tôt, au moment où elles menaçaient d'engloutir Nayr, ainsi en fut-il du lien qui asservissait chaque Ubsalite à sa pierre de mémoire. Les aalmas se retrouvèrent instantanément orphelines.

Privée de nourriture, la Matrice aalmique se mit à périr.

II. FOLIE, SOULAGEMENT ET RÉSIGNATION

Tel que promis, Aloysius fut relâché sitôt que Kal eut donné le signal de l'assaut. Dès lors, Aloysius n'eut qu'un but : récupérer son aalma et fuir cette ville. Il avait tant attendu des habitants de cette cité ; ceux-ci avaient déçu ses espoirs. Il préférait encore retourner à Tombelor et y reprendre sa vie solitaire, perpétuant les enseignements de sa mère dont il continuerait à chérir le souvenir dans son aalma. L'anticipation de revoir Francisco fit naître une onde de plaisir qu'il garda égoïstement pour lui, privant sa pierre de mémoire d'une nourriture dont elle avait pourtant bien besoin.

Oubliant Brent, les Affranchis, la foule massée sur la Grande Place d'Orbe et le reste, Aloysius remonta le fil jusqu'à son aalma à travers les murs de la cité aussi vite que la prudence le lui permettait.

Puis, ce qui n'aurait jamais dû se produire arriva : le canal se rompit et il se retrouva seul comme jamais il ne l'avait été durant son existence. L'écho de son hurlement résonna longtemps entre les murs de la ville agonisante.

Ylian et Geoffroy avançaient avec une facilité déconcertante sur la grande artère déserte quand le milicien qui les précédait prit sa tête entre ses mains et poussa un cri terrible. Les princes-dragons se regardèrent, interloqués.

— Qu'est-ce qui lui prend, à cet abruti ? interrogea Geoffroy en s'assurant d'un coup d'œil que Jolanthe, juchée sur le dos de Frogmir, ne risquait rien.

— Je l'ignore, mais restons sur nos gardes, répondit Ylian en empoignant son épée.

La folie semblait s'être emparée de leur guide. Roulant des yeux effarés, celui-ci arracha ses entraves malgré les menaces de Geoffroy et disparut dans le premier mur sans qu'ils puissent l'en empêcher.

— Regarde, fit Ylian en désignant une paroi voisine.

Des filaments bleus la parcouraient. Des points lumineux surgissaient sur sa surface avant de s'effacer, puis de réapparaître en nombre grandissant, formant des entrelacs compliqués. Le mur fut bientôt couvert de stries. La luminosité crût au point de devenir aveuglante, puis elle s'éteignit, emportant le mur avec elle. Celui-ci s'était volatilisé comme éclate une bulle de savon, ne laissant derrière lui qu'une poussière scintillante. Le même phénomène affecta un deuxième mur, puis un troisième et encore un autre. Tous les murs n'étaient cependant pas touchés ; certains demeuraient intacts, comme si la pierre dont ils étaient faits différait de celle que dévorait l'étrange lèpre lumineuse.

L'espace autour d'eux s'élargissait. En même temps, des hommes gris arrivaient de partout et de nulle part, en proie à une vive agitation.

— Hâtons-nous, je pressens quelque catastrophe, maugréa Geoffroy.

Ils accélérèrent le pas, poursuivant dans la direction que leur avait indiquée Will. Selon lui, au bout de l'allée, ils verraient une pyramide et, derrière elle, le mur qui ceinturait la ville et qu'ils devraient traverser pour quitter ce monde insensé.

Partout, c'était la débandade. En conséquence, nul ne leur prêtait attention. Les gens fuyaient droit devant eux, en proie à un délire voisin de la folie. La marée grise finit toutefois par se résorber, de sorte que le trio arriva à l'extrémité du boulevard et à la place annoncée. La pyramide était bien là, de même que l'incroyable mur périphérique. Des traits de lumière bleue en sillonnaient la surface sur toute sa longueur. Ils virent aussi une estrade sur laquelle se tenaient deux personnes.

En les apercevant, Ylian sentit son cœur bondir. Il aurait reconnu la première entre mille : il ne s'agissait de nulle autre que Judith.

Lorsque Valtor voulut intervenir, il était déjà trop tard : Obal avait tranché la main de la Hors-Murs. Il enleva celle-ci de son chemin et appliqua son décérébreur sur la nuque de l'Amnonte majeur comme il l'avait fait un peu plus tôt sur celle de Rhoiman. Le corps d'Obal s'écroula à ses pieds, privé de toute activité cérébrale.

L'Oracle se libéra au même instant, alla jusqu'à l'extrémité de l'estrade en arrachant les clous qui le trouaient et rugit son commandement avant de disparaître dans un éclair de lumière. La pagaille fut instantanée. Valtor ne perdit pas son calme. Il profita de l'occasion pour se débarraser discrètement de son arme. Plus tard, il lui suffirait de prétendre que l'Amnonte majeur avait eu un malaise, que son cœur avait cédé et que ses tentatives pour le ranimer n'avaient abouti à rien. L'explication était plausible. Personne ne mettrait en doute la parole du chef de la Milice.

Partout autour, les Ubsalites affichaient un comportement insensé : certains se lamentaient, la tête entre les mains ; d'autres fuyaient devant eux, s'enfonçant à qui mieux mieux dans les murs ; quelques-uns pleuraient à genoux ; d'autres encore riaient à gorge déployée ou s'en prenaient à leur voisin, en proie à une inexplicable hystérie.

Valtor saisit sans ménagement un officiant qui se trémoussait sur le sol.

— Que se passe-t-il ? Qu'avez-vous ?

— Mon aalma ! Mon aalma ne répond plus !

S'il n'avait rien senti, c'est que Valtor avait coupé le lien avec la sienne depuis longtemps. Il avait vécu et surmonté l'affreux choc du sevrage il y avait des lustres. Désormais, à l'instar de n'importe quel Affranchi, ses sentiments lui appartenaient en propre. Il n'en nourrissait plus une entité parasite.

Son esprit tournait à plein régime. Si la pierre de mémoire des Ubsalites ne répondait plus, qu'arriverait-il à la Matrice aalmique ? Elle mourrait d'inanition. Il en eut la confirmation en tournant la tête. Une multitude d'étincelles parcouraient le Mur prime. À l'instar de nombreux autres dans la cité, le mur d'enceinte n'était qu'une excroissance de la Matrice. Ils poussaient lentement, permettant à la cité de poursuivre son expansion. Seul le nombre d'habitants en limitait la croissance. Mais les signaux ne passaient plus. Le cocon à l'abri duquel les Ubsalites vivaient depuis si longtemps se désagrégeait. Ne resteraient bientôt que les ouvrages en pierre véritable. Les murs qui enfermaient la ville disparaîtraient, et le peuple ubsalite serait libre d'aller où il voulait, libéré de l'esclavage légué par ses aïeux. Valtor comprit qu'il devait réviser ses plans. Il aperçut Kal debout, impassible, sur la Grande Place d'Orbe en train de se vider. Les deux hommes s'envoyèrent un signe de la main.

Dans peu de temps, tout serait démoli, tout resterait à reconstruire.

III. QUAND LES ESPOIRS ONT POUR FÂCHEUSE HABITUDE DE FINIR DÉÇUS

— Disparu ? Que voulez-vous dire, disparu ?

William de Norfolk n'était pas encore tout à fait réveillé. Les libations de la veille… Le vin de virflore avait la réputation de garder longtemps les esprits embrumés.

Pour la troisième fois, Zoltan expliqua le phénomène dont il avait été témoin.

— La muraille a scintillé de plus en plus, puis elle s'est désagrégée. À la place se dressent maintenant une multitude de bâtiments.

Cette fois, William avait la tête claire.

— Rassemblez les hommes sur-le-champ. Nous devons nous préparer au pire. À présent, les guildemestres n'auront plus le choix. Ils devront m'écouter. Une nouvelle menace pèse sur le royaume.

Maître Cornufle s'efforça tant bien que mal de tempérer le seigneur de Bairdenne en préparant ses ustensiles. Le prince-dragon lui avait remis la liste de ceux avec qui il désirait s'entretenir sans délai.

— Ne sautez-vous pas un peu vite aux conclusions ? Nous ne savons même pas si ces bâtiments sont habités.

— N'essayez pas de m'apprendre mon métier. Je sais reconnaître une menace quand j'en vois une. Lorsqu'on se cache derrière des murs aussi longtemps, on ne mijote rien de bon. Et je ne vous ai pas pris à mon service pour que vous me contredisiez. Contentez-vous de me mettre en contact avec les personnes que je vous ai indiquées.

Alarmés par le rapport de William de Norfolk, les guildemestres votèrent à l'unanimité pour que les princes-dragons rassemblent ce qu'ils comptaient d'hommes valides et convergent vers Syatogor afin de contenir la nouvelle menace. Faris al-Maktoub consentit à conduire ses troupes jusqu'aux Marches septentrionales au sommet desquelles se dressait la cité « ennemie », mais il refusa de se placer sous les ordres de son homologue de Bairdenne, arguant que les princes-dragons étaient égaux et qu'aucun ne pouvait commander à un autre. La Ligue ne pouvait exiger cela de lui. Seul Obéron, qui avait confié la protection du royaume aux princes-dragons, aurait pu le contraindre à se soumettre à William de Norfolk. Le seigneur de Shariar en profita pour marteler le danger qu'il y avait à concentrer le pouvoir chez un seul homme, fût-il prince-dragon. La Ligue dut convenir qu'il n'avait pas tort. En fin de compte, il fut décidé que chaque prince-dragon commanderait son armée et qu'ils se consulteraient afin d'élaborer la meilleure stratégie. On réexaminerait la question plus tard, une fois la menace écartée.

En l'absence de Geoffroy, Reinhardt déclara qu'il amènerait les hommes de Valrouge à Syatogor, mais qu'à cause de la distance à parcourir, il lui faudrait près d'une semaine pour parvenir à destination. Shu-Weï Sang-Noir ne répondit à aucun des appels qui lui furent lancés. Ryu-Gin se trouvant encore plus loin de Syatogor que Valrouge, la Ligue estima que les forces de quatre commanderies suffiraient à juguler une attaque s'il y en avait une. Mandée pour son aide, la Magicature rappela qu'un sort de non-belligérance interdisait aux mages agréés d'occire quelque être vivant que ce fût, y compris d'éventuels envahisseurs. Elle pouvait néanmoins fournir des moyens de protection, soigner les blessés et insuffler du courage ainsi que de la vigueur aux combattants par le biais d'amulettes, de philtres et de concoctions diverses.

Ces nouvelles déplurent suprêmement à William lorsqu'elles lui furent rapportées. Il en profita pour réitérer son point de vue. Selon lui, il fallait contraindre les mages à user de leur science pour défaire l'ennemi. S'ils étaient trop timorés pour agir, on devait leur retirer le privilège d'enseigner et d'exercer le Grand Art, et le confier à des hommes d'action qui rendraient à Nayr sa grandeur passée. Les princes-dragons étaient tout désignés pour cela, à condition que les commanderies soient réunies sous la même oriflamme. Obéron avait disparu depuis longtemps. Il était temps que les Nayriens prennent leur destinée en main. La Ligue pouvait désigner celui qui dirigerait le groupe et William était tout disposé à être celui-là. Les guildemestres ne firent malheureusement pas écho à ses propositions, arguant que la Ligue était mal placée pour imposer un tel changement aux princes-dragons. Par ailleurs, si la situation à la Magicature était déplorable, une trop grande précipitation pourrait avoir l'effet contraire à celui recherché. La prudence était de mise. Dans l'immédiat, on se bornerait donc à prendre note des recommandations de William et à étudier le dossier. Il serait toujours temps d'aviser lorsque la crise serait passée. William vit donc une fois de plus ses espoirs s'envoler en fumée.

Shu-Weï Sang-Noir reçut bien l'appel de la Ligue, mais elle n'y répondit pas.

Si elle ne donna pas signe de vie ainsi qu'elle aurait dû le faire, c'est que le point où divergeaient les avenirs approchait. Elle ne pouvait relâcher sa vigilance un seul instant et avait besoin de toute son énergie pour intervenir au moment idoine. Il n'y aurait pas de deuxième chance. Elle devait s'assurer que la roue cosmique s'engage dans la bonne voie. Pour cela, un choix s'imposait. Un choix difficile, douloureux, déchirant, et qui lui coûtait. Cependant, elle ferait ce qu'il convenait de faire, même si cela lui arrachait le cœur.

Car, qu'était une vie en regard de millions d'autres ?

Dans le branle-bas qu'engendra l'apparition de la mystérieuse cité, monseigneur Da Hora eut l'impression de devenir invisible. Plus personne ne s'occupait de lui. William lui-même semblait l'avoir oublié. En un sens, le prélat en fut soulagé. Avec la disparition de Lucifer annoncée par Michel, c'était la promesse faite au prince-dragon de renflouer ses coffres qui venait d'éclater telle une bulle de savon. William risquait de le prendre mal, avec les conséquences qu'on pouvait imaginer. Monseigneur Da Hora devait trouver une solution. Malgré leur engagement à l'aider, les anges refuseraient certaines besognes qu'ils jugeaient indignes d'eux. Créer de la richesse en était une. Il aurait pu recourir à un démon mineur, ainsi qu'il l'avait déjà fait à diverses reprises, mais l'or, l'argent et les pierreries n'avaient pratiquement aucune valeur sur Nayr et les résultats étaient loin d'être garantis. Non, sa seule chance était de retrouver le Malin. Que lui était-il arrivé exactement ?

Monseigneur Da Hora songea au vieux Vorodine. Ce dernier était la personne la plus susceptible de le renseigner, dans la mesure où il réussirait à tirer des paroles sensées de cette caboche fêlée. Il découvrit le père d'Ylian dans sa chambre. L'ancien seigneur de Syatogor se tenait debout à la fenêtre, contemplant la mer. Le prêtre affronta le fumet de pisse et de merde qui flottait en permanence autour du vieillard et s'approcha pour l'interroger.

— Désolé d'interrompre votre rêverie, Olnir, mais je cherche mon ami et je me demandais si…

— Ami ? Oui, certainement. C'était un bon ami…

— C'était ? Pourquoi « c'était » ?

Olnir tourna la tête. L'homme avait changé. Subtilement, mais changé tout de même. Il paraissait plus reposé, moins inquiet aussi. La folie qui dansait dans ses yeux était plus douce, moins tumultueuse. Simples remous verts dans les eaux grises des prunelles. Un sourire un peu triste naquit sur les lèvres parcheminées, dévoilant une palissade de dents jaunes et abîmées.

— C'est une catin, savez-vous ? Tous les hommes l'intéressent. Il lui a plu, alors elle l'a pris.

Puis, de la main, le dément indiqua la fenêtre.

Craignant comprendre, monseigneur Da Hora jeta un œil dans le vide.

Loin en bas, une tache brune allait et venait au gré des flots : la bure du frère Mellitus.

IV. RETROUVAILLES

La première pensée qui traversa l'esprit de Judith quand elle ouvrit les yeux et vit Brent penché sur elle fut : « Tout cela n'était qu'un rêve ». Puis elle vit l'hexagone de corne sur son front et elle comprit qu'elle n'était pas sur Terre ; c'était lui qui était revenu sur Nayr.

— Brent ! fit-elle en se redressant. Mais… Comment ?

— Ça demanderait des heures. Nous en parlerons plus tard. Dis-moi plutôt comment tu te sens.

— Un peu étourdie, sinon ça va.

— Après ce qui vient d'arriver, c'est une chance.

À ces mots, Judith se souvint. Elle leva son bras, vit qu'il se terminait au poignet. Elle aurait pu éclater en sanglots ou piquer une crise ; au lieu de cela, elle sentit un grand détachement descendre sur elle. À quoi bon ? Que pouvait-on contre le destin ? Curieusement, dans les jours qui avaient suivi la brûlure de sa main, elle aurait tout donné pour qu'on la débarrasse de sa « griffe » ; maintenant qu'elle l'avait perdue, elle en venait presque à la regretter.

Quand Brent l'aida à se relever, Judith remarqua qu'il avait de nouveau cinq doigts à la main droite. Cela avait-il un lien avec cette marque sur son front ? Brent avait aussi perdu cette attitude d'éternel adolescent qui l'avait tant séduite autrefois, avant de devenir une des causes principales de leur discorde et d'entraîner leur rupture. Il avait pris de l'assurance. Même sa carrure s'était développée. À présent, elle ressemblait davantage à celle d'un homme. Judith le trouva beau.

Elle chassa aussitôt cette pensée. C'était Ylian qu'elle aimait désormais. Son visage se referma.

— Pourquoi es-tu revenu ? demanda-t-elle sèchement.

— Il fallait que je te parle. Je dois savoir. On s'est quittés trop vite. Je n'ai pas eu le temps de t'expliquer.

— Il n'y a rien à expliquer.

— Écoute, je sais que j'ai manqué de franchise. J'aurais dû te raconter ma... L'aventure que j'ai eue avec Jolanthe. Je regrette de ne pas l'avoir fait. J'ai été faible. Tu t'es sentie trahie, et tu as parfaitement raison de m'en vouloir, mais je regrette ce que j'ai fait. Cela ne se reproduira plus, je le jure. Je t'aime trop. Tu me dois... Tu nous dois au moins une chance. Ça ne peut pas se terminer comme ça.

Entendre Brent reconnaître ses torts était tellement nouveau. D'habitude, il rejetait toujours la faute sur autrui. Judith en fut agréablement surprise, mais elle se blinda.

— Arrête, c'est fini entre nous. De toute façon, ça l'était déjà avant que nous échouions ici.

— Que veux-tu dire ?

— La fin de semaine sur l'îlot... C'était la dernière. J'avais décidé de te quitter.

Il parut tomber des nues.

— Pourquoi ? Je sais que cela n'a pas toujours été facile entre nous, mais nous sommes toujours parvenus à surmonter les difficultés. Pourquoi pas cette fois ?

— Tu le sais... Nous en avons discuté souvent. Je vais bientôt avoir trente ans. Je voulais... Je veux un enfant.

— Je ne te cache pas que ça me fiche la trouille, mais je suis prêt à m'engager. Vraiment. Si tu acceptes de me donner une autre chance, si tu veux bien que nous refassions un bout de chemin ensemble, nous ferons cet enfant.

— Trop tard. C'est trop tard, Brent.

— Il n'est jamais trop tard. Je sais que c'est dur de me croire, mais fais-moi confiance. J'ai changé. Je ne suis plus celui que tu as connu. Tu ne peux pas savoir l'importance que tu as pour moi.

— Tu ne comprends pas. C'est trop tard. Je suis enceinte. J'attends l'enfant d'Ylian.

La nouvelle fut comme un coup de massue. Enceinte ! Et d'Ylian ? Brent sentit le sol se dérober sous ses pieds. Ses jambes flageolèrent avant que l'orgueil ne les solidifie. Il se ressaisit et ses traits se durcirent.

Judith le surveillait du regard avec inquiétude.

— Je suis désolée, dit-elle, un ton plus bas, la sincérité dans la voix.

Brent aurait voulu la battre.

— Ça va, répondit-il. Je n'en mourrai pas.

— Écoute, je…

— Bon, on n'en parle plus, trancha-t-il pour couper court à ses explications.

Il n'avait pas envie d'en apprendre davantage.

Un appel les fit se retourner.

Quand on parlait du loup…

Sur l'esplanade, Ylian venait vers eux. Le seigneur de Syatogor était escorté de Geoffroy et de Jolanthe, juchée sur une bête monstrueuse qui rappelait les dragons des contes de fée. En moins joli. Des pustules couraient sur sa carapace dont les écailles manquaient par endroits ; ses courtes ailes membraneuses étaient effilochées et il boîtait. Sans parler de sa saleté, qui était repoussante. On devinait aussi qu'une énorme fatigue accablait la bête.

Judith abandonna Brent pour courir à la rencontre de son amoureux. La voir s'élancer ainsi vers Ylian écrasa Brent mieux que la révélation qu'elle venait de lui faire concernant son état. Non mais, quel idiot il était ! Il n'aurait jamais dû se donner tout ce mal pour la retrouver. Il s'était bercé d'illusions en croyant que leur amour s'équivalait, qu'Ylian n'était qu'un béguin, voire une vengeance de femme, et que Judith lui tomberait dans les bras dès qu'il reparaîtrait pour lui demander pardon. Crétin ! Pascal était dans le vrai depuis le début. En fin de compte, Judith ne valait pas mieux que les autres. Elle aussi craquait pour les apollons aux cheveux longs qui jouaient des pectoraux. Brent eut un geste de dégoût. Plus rien ne le retenait sur Nayr. Dès qu'il en aurait l'occasion, il retournerait sur Terre afin d'y retrouver une vie normale.

Tandis qu'il suivait Judith de loin pour rejoindre le groupe, son front l'élança. Brent frotta machinalement la protubérance à l'endroit où l'os du zordomm s'était soudé à son crâne et sa vue se troubla. Devant lui, il ne vit plus une, mais deux Judith. Non, quatre. Toutes semblables, toutes légèrement différentes. La première et la seconde possédaient encore leur main gauche, noire chez l'une, normale chez l'autre ; deux Judith avaient le ventre rebondi, pas les deux dernières ; des cheveux blonds couronnaient la tête de la troisième alors qu'ils flottaient en cascades brunes sur les épaules de la seconde ; enfin, trois Judith étaient vivantes, mais la quatrième agonisait sur le sol…

Il passa de nouveau la main sur l'excroissance et le phéno-mène cessa. Les quatre Judith se fondirent en une seule, celle en train d'enlacer Ylian.

V. IL EST DE LA NATURE DES COQS DE SE BATTRE

Judith n'eut qu'à s'engouffrer dans les bras d'Ylian pour sentir le poids des épreuves qu'elle avait vécues ces derniers jours s'envoler comme par magie de ses épaules. De son côté, Ylian ne put s'empêcher de noter la disparition de sa main estropiée.

— Tu m'as tellement manqué, mon amour, lui souffla-t-elle à l'oreille en l'ensevelissant sous ses baisers.

— Je ne saurai te dire combien tu m'as manqué aussi, lui répondit le prince-dragon en l'embrassant fougueusement. Je n'ai pas arrêté de penser à toi. J'espérais que tu aies regagné Syatogor saine et sauve, mais je m'aperçois maintenant que ce n'était pas le cas et je remercie le ciel de t'avoir préservée. Je m'en veux de ne pas avoir mis plus de hâte à te retrouver.

— Surtout pas. Tu ne pouvais savoir. Et puis, vois comme la vie arrange bien les choses, nous voici de nouveau ensemble. Ylian, j'ai une grande nouvelle à t'apprendre.

— Cela peut-il attendre ? Il est urgent de rallier la commanderie. Tu y seras en sécurité.

— Non, j'ai déjà trop tardé. Je dois absolument t'en parler maintenant.

Ylian fronça les sourcils. Ce que Judith voulait lui dire avait-il un rapport avec sa main disparue?

— De quoi s'agit-il?

— Tu vas être père.

— Père? Tu veux dire que…

— Oui, je suis enceinte.

Il la serra encore plus fort dans ses bras.

— C'est merveilleux! Je n'aurais pu souhaiter femme plus noble que toi pour perpétuer la lignée des Vorodine. Sitôt rentrés, je ferai organiser une grande fête pour célébrer comme il se doit cet événement. Tu seras la nouvelle châtelaine de Syatogor et tous te devront le respect.

Ainsi que l'avait prévu Valtor, avec l'agonie de la Matrice aalmique se mirent à disparaître les murs de pierre fibreuse qui en constituaient les prolongements. Urbimuros se trouva rapidement à l'air libre, ce qui pour la Grande Place d'Orbe équivalait à être adossée à un gouffre sans fond. Derrière le Mur prime qui s'y élevait naguère, il n'y avait plus que le vide. En découvrant l'abîme, Geoffroy ne put réprimer un frisson. Sans doute s'agissait-il de celui qu'ils avaient découvert à l'extrémité du mur est, avant de pénétrer dans la cité. Ce souvenir raviva celui de Qarnal, embroché par un de ces maudits Harponneurs. Peste soit de cette ville et de ses habitants!

Ylian l'avait devancé pour accueillir Judith qui accourait vers eux. Le jeune flandrin qui avait cocufié Geoffroy, l'ancien prétendant de Judith, la suivait à distance. Geoffroy subodora un drame. Ce genre de relations triangulaires n'avait pas coutume de se terminer d'heureuse manière. Il était bien placé pour le savoir.

Geoffroy fit descendre Jolanthe de l'encolure de Frogmir et, l'entraînant avec lui, dépassa les tourtereaux qui, tout à leurs retrouvailles, ne lui prêtèrent nulle attention. Il n'aspirait qu'à rentrer à Valrouge pour y réorganiser sa vie du mieux qu'il le pourrait. Que William de Norfolk complote autant qu'il veuille ! Maintenant que Geoffroy avait retrouvé Ylian et l'avait mis au courant de la situation, le seigneur de Bairdenne n'arriverait pas à ses fins. Ylian, Faris et Geoffroy feraient front commun contre lui ; la Sang-Noir leur emboîterait le pas et William se retrouverait seul. Ce dernier était ambitieux, pas suicidaire. Il renoncerait à ses projets.

Brent arriva auprès d'eux, un air résigné sur le visage.

— Pas d'esclandre, gamin, dit Geoffroy en lui prenant le bras.

— Ce n'était pas mon intention.

La voix était atone. Brent posa le regard sur Judith et Ylian qui s'entretenaient à voix basse, un peu plus loin, puis accompagna docilement Geoffroy et Jolanthe jusqu'au gouffre.

La faille était immense. La lumière du soleil s'y enfonçait sans en ressortir, comme si le vide l'aspirait. Au-delà d'une cinquantaine de mètres, on n'y voyait plus. Là-dessous, c'était l'inconnu, le néant, la mort.

— Pas si près, ma mie.

Geoffroy retint Jolanthe avec douceur.

Brent s'approcha, fasciné. Parvenu au bord de l'abîme, il hésita. Il serait si simple de faire un pas et de sauter. Sa souffrance s'éteindrait avec sa vie et les remords tortureraient Judith le restant de ses jours. Douce revanche.

La main de Geoffroy l'empoigna fermement.

— Pas d'acte inconsidéré non plus.

Il suffit que leurs yeux se croisent pour que Brent sache avec certitude que le chevalier-dragon avait lui aussi, un jour, caressé cette alternative. Ils n'eurent pas besoin de se parler pour se comprendre.

Ylian et Judith arrivaient à leur tour, enlacés par la taille, plus amoureux que jamais. Le dragon fermait la marche. Quand elle reconnut Jolanthe, Judith se sépara d'Ylian pour venir vers elle, visiblement heureuse de la revoir.

— Jolanthe ! Il y a si longtemps.

Sa joie s'évanouit quand elle voulut serrer la jeune femme dans ses bras. Jolanthe s'était figée, bras collés au corps. Dans les yeux violets, la curiosité se mêlait à la crainte.

— Qu'a-t-elle ? demanda Judith à Geoffroy.

— C'est une longue histoire, se borna à répondre celui-ci.

Il était las de raconter les circonstances qui avaient privé sa maîtresse de sa conscience.

— Ne pouvez-vous m'en dire plus ?

— Fous-lui la paix, veux-tu ? intervint Brent, exaspéré. Mais qu'est-ce que vous avez toutes dans la tête, vous, les femmes ? Tu ne vois pas qu'il souffre ? Pourquoi faut-il que vous vouliez toujours tout savoir ? Pourquoi, hein ? Pourquoi ?

L'amertume le faisait parler avec hargne.

Frogmir fit entendre plusieurs petits ronflements. En langage draconiste, ils signifiaient qu'on venait de porter atteinte à l'honneur d'une dame. Geoffroy vit Ylian caresser nerveusement le pommeau de son épée. Le gamin avait le sang aussi bouillant que son père, même s'il se maîtrisait davantage. Par ailleurs, Geoffroy ne pouvait s'empêcher d'avoir de l'empathie pour Brent, dont il comprenait la réaction. Lui aussi en avait voulu à Jolanthe quand celle-ci leur avait révélé son inconduite. Il s'efforça de désamorcer la situation.

— Calme-toi, petit, dit-il en posant la main sur l'épaule de Brent. Ça n'en vaut pas la peine.

— Vous avez raison, renchérit Brent, incapable de s'arrêter. Après tout ce mal que je me suis donné… Cette pouffiasse n'en vaut vraiment pas la peine.

Frogmir ronfla plus fort. Geoffroy se fustigea mentalement. Il avait perdu une belle occasion de se taire. À présent, Ylian ne pouvait reculer, car s'il le faisait, il perdrait l'estime de son dragon, pour qui l'honneur se plaçait au sommet des vertus chevaleresques. Ylian n'aurait plus de maîtrise sur lui. La bête refuserait purement et simplement de le servir et se prendrait un autre maître. Dans l'histoire de Nayr, plus d'un prince-dragon avait perdu son titre pour avoir commis une faute que son dragon n'avait pu lui pardonner.

Les lames sortirent de leurs fourreaux et le combat s'engagea.

— Mon Dieu ! s'exclama Judith en portant la main à sa bouche.

VI. CINQ MOINS UN ÉGALENT QUATRE

Shu-Weï discerna le nœud où divergeaient les possibles quand le sable se mit à habiller l'ours représentant Geoffroy Montorgueil d'une armure scintillante. Elle avait peu de temps pour agir, car le sable remuait à une vitesse folle, mais elle était prête. Elle prononça rapidement l'incantation si souvent répétée et sentit son esprit quitter sa prison de chair pour jaillir dans l'éther. L'opération était périlleuse. Libéré des entraves de la matière, l'esprit ressemblait à un poulain dans un pré, au printemps. Il caracolait, gambadait, furetait à gauche et à droite, attiré par tout ce qui l'intriguait, au point qu'il lui arrivait parfois de se perdre en chemin si on ne lui tenait pas fermement la bride. Shu-Weï avait néanmoins l'expérience de ce genre d'exercice et elle n'avait pas loin à aller. Évidemment, s'introduire dans un autre corps, ne serait-ce que quelques instants, n'allait pas sans risques. Surtout pour celui ou celle dont on délogeait l'esprit. C'était déplorable ; malheureusement, Shu-Weï n'avait pas le choix. Il fallait arrêter Geoffroy. Elle se glissa donc dans le corps de Jolanthe afin d'en saisir les commandes.

Geoffroy était tiraillé par des sentiments contradictoires. Quand le combat s'était engagé, il avait naturellement pris parti pour Ylian, qu'il connaissait depuis toujours et à qui il avait tout appris, cependant il ne pouvait s'empêcher d'encourager Brent en silence également. Le jeune homme avait forcé son amitié. D'abord parce qu'il lui avait rendu Jolanthe après en avoir pris soin, ensuite parce que les chagrins d'amour rapprochent. Ils avaient l'un comme l'autre souffert des agissements d'une femme. Geoffroy était de surcroît enclin à prendre la part du plus faible car, si Brent avait gagné en force et en habileté, le seigneur de Valrouge doutait qu'il fût de taille à battre un prince-dragon aguerri.

Afin de faire taire cette contradiction, Geoffroy prit la décision d'encourager les adversaires à tour de rôle avec objectivité. Judith ponctuait chacun de ses commentaires d'un regard lourd de reproches.

Pendant un temps, l'issue du combat demeura incertaine. Brent avait été à bonne école, car il accomplissait des prodiges. Ce fut son manque d'endurance qui le perdit. La fatigue alourdit rapidement son bras. Il se mit à rater des passes, à céder plus souvent du terrain ; il éprouvait du mal à repousser les assauts et essuyait plus de coups. Inéluctablement, Ylian emporterait la victoire. Ce dernier aurait pu se montrer magnanime, réduire son ardeur et accorder un répit à son adversaire, mais Geoffroy nota que ses traits se durcissaient. Dans les yeux d'Ylian luisait une froide détermination, celle d'en finir.

Geoffroy sentit Jolanthe se presser contre lui.

— Le petit est comme son père, murmura-t-il tout en sachant qu'elle ne le comprenait pas. La fièvre du combat est la plus forte. Elle corrompt son jugement. Si on ne l'arrête pas, il ne fera pas merci.

Un coup entailla l'épaule de Brent, dont le pourpoint se colora d'écarlate.

— Arrêtez, pour l'amour du ciel, plaida Judith au bord des larmes. Vous allez vous entretuer.

Seul le tintement de l'acier répondit à sa supplique. Deux coups encore et Brent, à bout de souffle, se retrouva acculé au bord du précipice.

— En voilà assez ! se décida finalement Geoffroy.

Mais Jolanthe le retint au moment où il allait intervenir.

— Tu ne dois pas !

Surpris, Geoffroy se tourna vers elle. Dans les yeux améthyste, le regard avait perdu sa vacuité. Il avait retrouvé sa vivacité d'antan.

— Jolanthe ?!

Cette dernière posa les mains sur la poitrine de Geoffroy comme pour se coller à lui.

— Tu ne dois pas intervenir, articula-t-elle d'une voix rauque tout en le poussant doucement.

Geoffroy fronça les sourcils. Quelque chose clochait. C'était Jolanthe qu'il avait devant lui, et pourtant ce n'était pas elle. Sa voix était différente. Et ses yeux ! Une ligne les fendait en leur centre. Il ne connaissait qu'une personne dont les prunelles présentaient cette particularité. Des yeux dont la pupille se dilatait ou se contractait avec la lumière tels ceux d'un chat. Ou d'un serpent.

— Shu-Weï !

Les bras de Jolanthe se tendirent vigoureusement. Geoffroy ne s'y était pas préparé. Il recula, perdit pied et chuta par-dessus la falaise.

Le hurlement fit se retourner Judith, qui eut à peine le temps de voir Geoffroy disparaître dans le vide. Oubliant un instant le duel, elle se précipita vers son amie qui titubait au bord du gouffre.

— Attention ! dit-elle en retenant Jolanthe de justesse.

Jolanthe battit des paupières. Elle était complètement désorientée, comme si elle se réveillait d'un long sommeil. Que faisait-elle là ? Quelle était cette ville aux bâtiments étranges qui se dressaient devant elle ? Comment Brent était-il revenu et pourquoi Ylian se battait-il avec lui ?

— Où suis-je ? Que se passe-t-il ?

— Vous me comprenez ! s'étonna Judith à qui Ylian avait narré le drame dont avait été victime la jeune femme.

— Bien sûr que je vous comprends ! Où sommes-nous ?

— Que vous rappelez-vous exactement ? Quel est votre dernier souvenir ?

Jolanthe fit un effort, fouillant dans sa mémoire.

— Le mage qui me pelotait les fesses pendant que son collègue récitait le sort d'infantilisme.

— Donc, vous n'avez pas… Mon Dieu !

— Quoi ? Qu'y a-t-il ?

— C'est terrible.

— Mais parlez, à la fin ! Quoi ? Qu'est-il arrivé ?

— Geoffroy… Geoffroy est tombé dans le vide.

À ces mots, Jolanthe sentit quelque chose mourir en elle. Quelque chose de doux et de tendre que remplacèrent sur-le-champ une grande colère et un désir de vengeance. Les mages. Tout était de leur faute. Elle n'aurait de cesse tant qu'ils n'auraient payé pour leur ignominie. À commencer par maître Cornufle.

VII. QUI DÉPLAIRA
PEUT-ÊTRE AU LECTEUR

Si le hurlement de Geoffroy chutant dans le précipice avait détourné l'attention de Judith, les belligérants, eux, n'avaient les oreilles emplies que du choc du métal cognant le métal. Ils ne se rendirent aucunement compte du drame.

Brent n'en pouvait plus.

Son sang fuyait par plusieurs blessures. La plus importante barrait son épaule et le privait du bras gauche. L'épuisement le vidait rapidement de ses forces et sa vision se brouillait. Il esquiva un coup, puis son pied dérapa sans rien rencontrer de solide sur quoi se poser. La jambe et le reste du corps suivirent. En un geste de désespoir, il lâcha son arme pour agripper le rebord du précipice de la main droite. Il resta suspendu par les doigts au-dessus du vide.

Le temps parut s'arrêter.

Jamais il n'avait eu l'esprit si clair. Ses sens étaient survoltés par l'adrénaline qui s'injectait à grands flots dans ses veines : il distinguait les arômes du sol qui lui rasait le nez, voyait jusqu'aux rémiges des oiseaux qui tournoyaient haut dans le ciel, goûtait les humeurs que la peur distillait dans sa bouche, entendait le crissement des insectes qui fouissaient la terre, sentait le grain du roc qui s'effritait au bout de ses doigts, le rapprochant peu à peu d'une mort certaine.

Ylian devait l'avouer, Quatre-Doigts ou Brent – peu importait son nom – se défendait mieux qu'il ne s'y était attendu. Toutefois, il n'était pas de taille à vaincre un prince-dragon qui avait consacré la majeure partie de sa vie à s'entraîner au maniement des armes.

Ylian avait attaqué Brent avec fougue dans l'intention de l'humilier devant Judith en le désarmant et en l'obligeant à plaider pour sa vie. De cette façon, l'injure serait lavée et ses liens avec Frogmir s'en trouveraient renforcés.

Ylian savourait le plaisir de se mesurer à un nouvel adversaire. D'abord coriace, Brent accusa cependant vite le coup de la fatigue. Ses attaques manquaient de précision et il cédait régulièrement du terrain. La magnanimité aurait dicté qu'Ylian lui laisse une chance. Cependant, celui qui parait tant bien que mal ses coups avait aussi été l'amant de Judith. C'était un rival. Un rival qui, de surcroît, avait insulté sa dame. Au lieu de ralentir la cadence ou d'amortir ses coups afin de lui donner un répit, Ylian accéléra le rythme et se surprit à frapper plus fort. Voir Brent souffler et suer lui amena un sourire aux lèvres.

Jusqu'à présent, Ylian s'était toujours mesuré à plus fort que lui : Geoffroy, quelques brigands, des trolls et des gobelins, des elfes noirs et l'ogre occasionnel. Brent ne faisait pas partie de ceux-là.

L'insidieux plaisir du fort qui l'emporte sur faible plut à Ylian dès qu'il y eut goûté. Petit à petit, il repoussa Brent jusqu'au gouffre. À chaque pas qui rapprochait ce dernier du précipice, son plaisir s'accroissait. Puis, ce qui devait arriver arriva : perdant l'équilibre, Brent chuta dans le vide. Il ne dut la vie qu'à un réflexe. Sa main s'accrocha au rebord. Sans quelqu'un pour le secourir, il ne tiendrait pas longtemps, car son bras gauche, sérieusement entaillé, ne lui était d'aucune utilité.

La scène ramena Ylian à la réalité. Son esprit chevaleresque reprit le dessus. S'agenouillant, il saisit Brent au poignet pour le tirer de sa fâcheuse posture.

Brent ne vit pas sa vie défiler devant lui ainsi que le voulait la croyance populaire, mais les pensées se bousculaient à une vitesse folle dans son esprit. Il songea à tout ce qu'il aurait pu réaliser et n'avait pas fait ; aux mots qu'il aurait dû dire et n'avait jamais prononcés ; aux erreurs qu'il avait commises et été trop lâche pour réparer... Il allait mourir. Aucune conviction n'aurait pu surpasser celle-là.

Puis, la main d'Ylian encercla son poignet et le serra.

Deux regards se croisèrent : celui de la victime persuadée que la mort l'attend et celui du sauveur sur le point de lui ménager la vie.

Un doute traversa l'esprit de Brent. Pouvait-il vraiment faire confiance à Ylian ? Il se dit qu'il n'avait rien à perdre. Ses ongles cessèrent de s'agripper au roc et il laissa le poids entier de son existence reposer dans la main du prince-dragon. Puis, un voile obscurcit les yeux d'Ylian. Brent n'eut aucune peine à deviner ce qui se passait dans la tête de ce dernier. Tout prince-dragon qu'il était, la nature humaine demeurait la même : imparfaite. Brent pouvait presque lire les pensées dans sa tête. Personne ne le voyait. Rien ne serait plus facile pour Ylian que lâcher la main de Brent pour se débarrasser d'un gêneur. Sa vie et celle de Judith s'en trouveraient considérablement facilitées.

Les yeux de Brent forèrent le front d'Ylian.

— Qu'est-ce que tu attends, salaud ? grinça-t-il des dents.

Le prince-dragon ouvrit les doigts.

Un second cri ramena le regard de Judith vers les duellistes. Elle vit Brent glisser par-dessus la falaise. Lâchant son épée, Ylian s'agenouilla aussitôt pour le secourir. L'instant d'après, il se redressait les mains vides.

— Je n'ai rien pu faire, déplora-t-il en revenant vers les deux femmes.

Trop ! C'était trop !

Les jambes de Judith vacillèrent. Si Ylian et Jolanthe ne l'avaient soutenue, elle se serait écroulée. Dans sa tête, son esprit tournait follement, incapable de fixer une pensée. Elle balbutiait des paroles sans suite.

— Le choc a été trop rude, déclara Jolanthe. Toutes ces épreuves l'ont fort commotionnée. Sa vie est en danger. Elle doit absolument prendre du repos. Tant pour elle que pour le bébé qu'elle attend. Si vous le désirez, je pourrais la ramener à Syatogor avec le sort de déplacement instantané.

— Faites-le et je vous en serai éternellement reconnaissant. Dites à Zoltan de prendre toutes les dispositions nécessaires. Je vous rejoindrai plus tard avec Frogmir.

— Comptez sur moi. Je veillerai sur elle jusqu'à votre retour.

— Merci.

Cinq cents hommes barraient la lande. C'était peu. Les renforts de Valrouge, de Bairdenne et de Shariar étaient en route, mais des jours s'écouleraient encore avant qu'ils se joignent à eux. Quand l'aube se leva et que le soleil parut dans un flamboiement, le son d'un cor déchira le calme du point du jour.

William fut le premier à sortir de sa tente, rapidement suivi par Zoltan. Un homme tendait le bras vers les étranges édifices qui se dressaient au sommet des Marches depuis que la muraille qui les cachait avait disparu. Une multitude grise descendait de la montagne. Des êtres de haute taille qui gesticulaient en poussant des cris. En les voyant avancer gauchement, trébucher comme s'ils étaient ivres, et sans armes apparentes, William sut hors de tout doute qu'en dépit de leur petit nombre, la victoire contre cette masse serait aisée. Attendre les autres princes-dragons était inutile. Il garderait la gloire pour lui seul. Un grand prestige rejaillirait sur lui. La population entière le révérerait. Alors, la Ligue ne pourrait plus rien lui refuser.

— Sus à l'ennemi, commanda-t-il. Que pas un n'en réchappe.

TABLE DES MATIÈRES

Imprimé sur du Rolland Enviro100, contenant 100% de fibres recyclées postconsommation, certifié Éco-Logo, Procédé sans chlore, FSC Recyclé et fabriqué à partir d'énergie biogaz.

La production du titre *Les sept larmes d'Obéron, tome 2* sur du papier Rolland Enviro100 Édition, plutôt que sur du papier vierge, réduit notre empreinte écologique et aide l'environnement des façons suivantes :

Arbres sauvés : 74
Évite la production de déchets solides de 2 138 kg
Réduit la quantité d'eau utilisée de 202 257 L
Réduit les matières en suspension dans l'eau de 13,5 kg
Réduit les émissions atmosphériques de 4 695 kg
Réduit la consommation de gaz naturel de 305 m^3

Québec, Canada,
mars 2009